Im Namen Goethes!

Erfundenes, Erinnertes und Grundsätzliches zum 250. Geburtstag Johann Wolfgang von Goethes

Mit Beiträgen von
Jürg Amann, Ilse Borchard, Werner Dürrson, Wolfgang Duffner, Juri Elperin, Iring Fetscher, Ota Filip, Werner Frizen, Christoph Gahl, Ralph Giordano, Günter Grass, Alfred Grosser, Peter Hamm, Eugen Helmlé, Hilmar Hoffmann, Helmut Kindler, Sibylle Knauss, Thilo Koch, Klaus Konjetzky, Jens Korbus, Max Kruse, Volker Kühn, Franz Liebl, Volker Neuhaus, Siegfried Obermeier, Hans Peters, Hermann Peter Piwitt, Elisabeth Plessen, Hans Peter Renz, Joachim Sartorius, Albert von Schirnding, Klaus F. Schmidt-Mâcon, Friedrich Schorlemmer, Hans Eberhard Schumacher, Günter Schulze-Wegener, Gertrud Seehaus, Joachim Seyppel, Leona Siebenschön, Kurt Sigel, Nicolaus Sombart, Barbara Strohschein, Gerhard Tänzer, Guntram Vesper, Klaus F. Weiss

Mit einer Notiz zur neueren Skandalgeschichte
der „Weimarer Goethe-Gesellschaft"
von Houben zu Hänsel-Hohenhausen
und mit Rohrfederzeichnungen von
Ferry Ahrlé
herausgegeben von
Markus von Hänsel-Hohenhausen

AUGUST VON GOETHE LITERATURVERLAG
ZU FRANKFURT AM MAIN

Inhalt

BEGEGNUNGEN
Lebende Schriftsteller erinnern sich

Erfundenes Gefundenes

Verwehte Zeit
Weimar-Impressionen

Im Namen Goethes

Vorwort

Johann Wolfgang von Goethe und mit ihm sein Werk sind bis in die Gegenwart als Vehikel kulturell-religiöser, politischer und dann ideologischer, jedenfalls nichtgoethischer Interessen benutzt oder unterdrückt worden – mehr wohl als irgendein anderer Schriftsteller in der Geschichte. Berthold Auerbach hatte bereits die *Goethereife* eingefordert, wohl wissend, daß der Dichter, von der Rezeption des *Werther* abgesehen, nie ein wirklich gelesener und gerade deshalb für Projektionen gut geeignet war.

Während die auf ihn folgende Generation Goethe als Konservativen, als Vertreter des ancien regime zugunsten eines politisch einsetzbareren Schiller vernachlässigte – der 100. Geburtstag des Fürstendieners konnte gerade 1849 unmöglich mit Aplomb gefeiert werden –, waren es die religiösen Grundaussagen seines Werks, die die gesellschaftlich aufstrebenden Bildungsschichten erreichten. Das Bürgertum hielt zwar nach der endgültigen Zerschlagung der dualen Gesellschaftsordnung (1802) an der Religion und damit im Grunde am alten Orientierungssystem fest. Aber die bürgerliche Religiosität war eher Ausdruck seelischer Not, und sie entleerte sich zunehmend kirchlich-theologisch. Goethes Ansicht von der Immanenz Gottes in der Welt und damit von der fehlenden Einzigartigkeit des einzelnen Religionsstifters und einer einzelnen Religion paßte nur zu gut in die Zeit, um vom bildungsbeflissenen Bürgertum über das dichterische Werk quasi *systemisch* aufgenommen zu werden. Hans Küng wies mich darauf hin, daß der religiöse Einfluß Goethes *indirekt* geschah: „In der unpolemisch-harmonischen Art der Vermittlung und der gleichsam selbstverständlichen Weltlichkeit war er [der Einfluß Goethes] für damals und für die Folgezeit um so wirksamer." Goethes religiös fast unverbindliche Auffassungen boten also für die Abkehr von der Kirche eine ethisch-religiöse Alternative.

So wundert es nicht, daß die kulturell inferioren und durch die kulturkämpferischen Auseinandersetzungen zusätzlich beim Bürgertum ins Abseits geratenden Katholiken Goethe 1882 (50. Todestag) mit der heftigsten Kritik bedachten. Sein Lebenswandel sei unmoralisch gewesen, befand man, und die nichtchristliche Akzentuierung seiner religiösen Aussagen verdächtigte ihn des Atheismus, wie es vor ihm

Spinoza und Lessing geschehen war. Goethe paßte auch hier nicht ohne Spannungen ins Bild einer sich politisch-wirtschaftlich wandelnden und religiös weiter ausdifferenzierenden Gesellschaft.

Während wichtige Goethestätten und zunehmend Goethedenkmäler entstanden, auch um der Autarkie des Genies und damit des Menschen zu huldigen und die Richtigkeit der Aufklärung im Bewußtsein der Allgemeinheit zu fundamentieren, wandelte sich die Meinung der in der Folge des Kulturkampfs stärker abgegrenzten Katholiken. Zum 150. Geburtstag Goethes (1899) stimmte die katholische Kirche darin überein, daß Goethes Werk religiös und genügend christlich akzentuiert sei. Sie hatte zur Kenntnis nehmen müssen, daß trutzige Ablehnung religiöser Freiheit und kultureller Freizügigkeit die Kirche für das zunehmend wichtige Bürgertum unglaubwürdig machten. Wenn auch die führenden Intellektuellen längst erkannt und geäußert hatten, daß die idealistische Philosophie und der Historismus den Sinn der Welt offensichtlich nicht transparenter, sondern eher undeutlicher hatten werden lassen, so war der Schritt in die religiöse Pluralität und Sinnsuche unumkehrbar. Empfindung und Gemüt konnten dem Bildungsbürger allein noch das Gefühl seelisch tiefer Verwurzelung und Standhaftigkeit vermitteln. Die Weltschmerzempfindung wurde dabei zum Ausdruck tiefgreifender Skepsis des von der Religion und von seinem Urbedürfnis emanzipierten Menschen. Der Weltschmerz war die genaue Antwort auf die seelenlose Diktatur der Rationalität, die sich zum Nihilismus noch zu steigern drohte. 1899 wurde Goethe folgerecht ausschließlich als *junger* Dichter geehrt, eben als Vertreter jener Weltschmerzdichtung. Alle in diesem Jubiläumsjahr enthüllten Denkmäler zeigen den Dichter im jugendlichen Alter. Hatte man sich damit am Vorabend des Modernismusstreits auf die unbestimmte Religiosität mit christlicher Tönung als Minimalkonsens verständigt, so gewann die Goethefeier von 1899 weltanschaulich integralistischen Charakter.

Das ursprünglich aus pietistischen Wurzeln gespeiste Bemühen einer Verschmelzung von alter Ordnung (Gefühl) und neuem Menschenbild (Skepsis) blieb dabei dauerhaft kulturell wirksam. Goethe hatte ja schon jede Objektivation des Religiösen als Depravation abgelehnt. Seine nicht ins Pantheistische abgleitende Betonung der Transzendenz wurde so zum gültigen Ausdruck der Situation des modernen Menschen. Er selbst wurde – unbeabsichtigt – zum Propheten der Verkittung unbestimmter Religiosität mit der irritierenden Zurückge-

worfenheit des aus seiner Unmündigkeit befreiten Individuums auf sich selbst.
Damit befand sich Goethe als Person eindeutig auf dem Weg der Mythisierung. Bei entkirchlichten Religiösen wurde ein substitutiver *Goetheismus* eine nicht ungewöhnliche Erscheinung. Darunter litt natürlich die publizistische, editorische und akademische Rezeption, so daß bei dem großen Zensurforscher Heinrich Hubert Houben die spöttische und bezeichnende Anmerkung zu finden ist, er habe mit seinem neuen Buch *Weimars Goethefäßlein* mit dem *immer hohleren Klang* angestochen. War die politische Indienstnahme des Dichters im 19. Jahrhundert durch die religiös-kulturelle ersetzt, weil in dieser Zeit wegen der Instabilität der gesellschaftlichen Struktur die kulturelle Frage letztlich die entscheidende war, so folgte im 20. Jahrhundert endlich die betont politische und ideologische Vereinnahmung. Hatten die in den Ersten Weltkrieg ziehenden Soldaten den „Faust" in einer Reclamausgabe im Tornister, so war dies jetzt Ausdruck des Gefühls der kulturellen Volkszusammengehörigkeit. Zum 100. Todestag Goethes 1932 wurden in ganz Deutschland dann 128 Festreden und 32 Ausstellungen zum Thema registriert. Goethe wurde in den dreißiger Jahren nach der Zeit nationaler Depression von offizieller Seite freilich nicht ohne Mißbehagen für die deutsche Volksseele ideologisch vereinnahmt. Am Vorabend der Machtübernahme der Nationalsozialisten veröffentlichte Houben seinen höchst provozierend wirkenden *Polizeiwidrigen Goethe* (1932). Darin führt er die reaktionären Pressegesetze und ihre fatalen Folgen im Biedermeier vor – eine prophetische Erinnerung an die Folgen polizeistaatlicher Willkür.
Das politisch Eindeutige und Sperrige in Goethes Werk verhinderte die stärkere Beanspruchung des Dichters durch die Nationalsozialisten, wobei jetzt auch nicht mehr das Jugend-, sondern das Alterswerk hervorgeholt wurde. Goebbels hätte gern vollständig auf den Wertherdichter und das in wilder Ehe glücklich gewesene Vorbild verzichtet. Wieder kam Schiller der Vortritt zu.
Auch der 200. Todestag Goethes (1949) wurde von der politischen Situation dominiert. Die besondere Bedeutung dieser Goethefeier resultiert aus der kollektiven Depression nach dem scheinbaren Ende der deutschen Geschichte. Waren im Grunde alle Dichterfeiern des 19. Jahrhunderts Ausdruck des Wunsches gewesen, zu einer nationalen Einigung und übergreifenden kulturellen Identität zu gelangen, so ging es 1949 wieder darum, gegen die Zergliederung des Landes

(diesmal in Zonen) die kulturelle Zusammengehörigkeit der Bevölkerung in Erinnerung zu rufen.
Um so bizarrer geriet die Ausgestaltung der Feierlichkeiten. Das gespannte Verhältnis zwischen Ost und West spiegelte sich im Angebot der Weimarer Goethehüter, die Feierlichkeiten gesamtdeutsch zu koordinieren. Dieses Angebot wurde in Frankfurt nicht wahrgenommen. Thomas Mann besuchte am 25. Juli Frankfurt und wohnte der Feier in der Paulskirche bei; am 30. Juli reiste er nach Weimar, um dort den Goethepreis entgegenzunehmen. Am 28. August wurde im Rahmen eines Festakts in der Paulskirche dem nunmehr abwesenden Thomas Mann auch der Frankfurter Goethepreis verliehen. Zwei Preise, ein Preisträger und doch *ein* Goethe – kaum etwas dürfte das Gewaltsame der Trennung der beiden Volkshälften besser vorgeführt haben. Obwohl die Mythisierung Goethes bis heute anhält, scheint sich der Wunsch Berthold Auerbachs nach Erlangung einer *Goethereife* indessen allmählich zu erfüllen.
1982, zum 150. Todestag, wurden Tendenzen spürbar, mit Goethe wegen seines schwachen politischen Engagements und seiner idealistischen Weltanschauung abzurechnen. Wäre Goethe 1818 verstorben, wären die Tendenzen beim 150. Gedenktag dabei gewiß unversöhnlicher und weniger reif ausgefallen. Der Umgang der Zeitgenossen mit Goethe wurde 1982 aber auch gelöster, bis Anfang der Neunziger Jahre bis dahin weitgehend unterdrückte Werke wie seine erotischen Dichtungen, die die Apotheose des Dichters eintrüben mußten, vermarktet wurden und ein aufnahmewilliges Publikum fanden. Alfons Silbermann schrieb mir in der Zeit der Vorbereitung dieser Anthologie, Goethe, „der Verkünder ewiger Wahrheiten, [wurde] aus den himmlischen Höhen moraltrunkener Tugendverteidiger verstoßen", eine Mythenzertrümmerung, auf der ein authentischeres Goetheverständnis zunächst nicht oder nur in Ansätzen erwuchs. An die Stelle ideologisch-politischen Mißbrauchs trat der kommerzielle.
Für die Gegenwart charakteristisch ist der besondere Erfolg der 1998 erstmals unzensiert erschienenen Skandalchronik des Goethezeitgenossen Karl August Böttiger. Böttiger hat darin Antworten auf eine Frage gegeben, die erst heute gestellt wird, weshalb Buch und Autor bis hierhin mißverstanden wurden. Es ist die Frage nach dem Menschen und der Glaubwürdigkeit der Persönlichkeit, der menschlichen Integrität Goethes.
Damit steht der Dichter erstmals als er selbst im Rampenlicht. Nachdem Goethe über die Jahrzehnte verschiedene Frondienste hat

leisten müssen, hat das bevorstehende Jubiläum die Option darauf, mehr über den Dichter selbst mitzuteilen als je. Die historische Persönlichkeit ist es dabei nicht allein, die interessiert, sondern die Geschichte ihrer und der Werke Rezeption, die sich beispielsweise in den Erinnerungen lebender Schriftsteller spiegelt. Dabei werden geheime Potenzen deutlich, die jeder Universalität eigen und konstituierend sind. Goethe gibt auch heute Antworten, wenn wir die richtigen Fragen stellen. Joachim Sartorius, der Generalsekretär des Goethe-Instituts, weist dies mit dem Imperativ nach, der der vorliegenden Anthologie ihren Namen gab: Im Namen Goethes!

***

Die editorische Idee dieser Anthologie war es, die Ausstrahlung Johann Wolfgang von Goethes in die Kultur der Gegenwart erzählerisch, insbesondere autobiographisch, oder essayistisch darzustellen. Dabei kristallisierten sich aus den Einsendungen vier Textgruppen heraus. Reizvolle Ansätze wie „Parodien auf Goethe-Texte" oder „Wissenschaftliche Essays" wurden als gegenüber der Editionsidee zu heterogen ausgeklammert. Die Textgruppen dieser Anthologie bestehen aus Beiträgen zum heutigen Goethebild und zur Jubiläumsfrage (*Die Maschine · Zum Jubiläum*), zur Bedeutung und zum Wandel der Goetherezeption (*Begegnungen · Lebende Schriftsteller erinnern sich*), zum Entwurf historischer Szenen, die nicht bloß historisch sind, sondern oft Fragen unserer Gegenwart sichtbar werden lassen (*Erfundenes Gefundenes* und *Verwehte Zeit · Weimar-Impressionen*) und schließlich aus Beiträgen zur Wirksamkeit Goethes und zur Tragfähigkeit seiner ethischen Grundmuster in heutiger Zeit (*Im Namen Goethes*).

Für die Bearbeitung der über eintausend Einsendungen zu dieser Anthologie danke ich Susanne Mann und Sabine Baronin van Dedem. In vielfacher Hinsicht fördernd wirkte Ferry Ahrlé, dem ich besonders danken möchte.

Dr. Markus von Hänsel-Hohenhausen

Die Maschine

Zum Jubiläum

Volker Kühn

Goethe an sich und als solcher!

Wie heeßt der? Jöte?
Tutma leid. Nie jehört.
Hier wohnt der jedenfalls nich.
Det wüßt ick.

Hansi Pachulke, Berliner Laubenpieper, 1998

Das Leben, heißt es, währet siebzig Jahr, und wenn's hoch kommt, sind's bei aller Müh und Arbeit achtzig. Die Errungenschaften moderner Therapie-Methoden und das selbstlose Bemühen der Pharma-Industrie um das ewige Leben mögen da für den, der kräftig zuzahlen kann, noch fünf oder sechs Jährchen rausschinden – doch dann hat sich's aber auch. Wie für Goethe an jenem freundlichen Märztag des Jahres 1832, an dem es ihn nach mehr Licht verlangte.

Zweihundertfünfzig Jahre sind eine lange Zeit. Etwas mehr als eine Ewigkeit. So bleibt denn Goethes in seinem „Faust"-Vorspiel vorgebrachte Hoffnung, er wünsche sich „sehr, der Menge zu behagen, besonders weil sie lebt und leben läßt", ein zwar verständlicher, aber doch recht frommer Wunsch. Denn schon damals, seinerzeit zu seiner Zeit, ließ die Menge sehr zu wünschen übrig: „Im eigentlichen Volke" bleibe „alles still", maulte er gegenüber dem geduldigen Eckermann, der zwar alles eifrig aufschrieb, was der Dichter für bemerkenswert hielt, der aber dennoch auch damals wenig Rat wußte, wie dem allgemeinen Desinteresse nachhaltig zu begegnen sei.

Man kann eben nicht alles haben. Und die Haltbarkeitsdauer des geschriebenen Wortes hat sich in den letzten hundert Jahren enorm verkürzt. Zwar verfährt das Infotainment, soweit es im Internet abrufbar gespeichert ist, nach der allseits bekannten Dichter-Devise „Wer vieles bringt, wird manchem etwas bringen". Und es kann deshalb nicht ausgeschlossen werden, daß jemand, der weder Mühen noch Kosten scheut, um herauszufinden, ob man Ende Mai des kommenden Jahres in Dinkelsbühl den „Egmont" spielt oder etwa

„Shoppen und Ficken", ob man im Hochsommer 1995 in Bad Segeberg die „Stella" gab oder doch nur Karl May, sein Aha-Erlebnis haben wird. Aber, auch das eine Wahrheit, der es sich zu stellen gilt: was nicht abgefragt wird, modert und dümpelt als Infomüll irgendwo im All heimlich, still und leise vor sich hin. Was nicht benutzt wird, ist nicht präsent. Und was nicht präsent ist, ist vergessen.

Und doch läßt sich auch heute noch, allen kulturpessimistischen Unkenrufen zum Trotz, mit Goethe durch das Jahr gehen. Andere Autoren, die, wie er, nicht müde wurden, die Ballade zu bemühen, den Hexameter zu zwingen, den Reim zu schütteln und die Sprache zu kneten, sind längst aus unser aller Bewußtsein geschwunden. Wer spricht noch von Goethes einst renommierten Zunftkollegen, von Friedrich von Matthisson, von Leopold Friedrich Günther von Göckingk oder von Johann Gaudenz von Salis-Seewis? Wer rezitiert noch ihre Zeilen vom „Zuruf", vom „Nantchen", vom „Lied, zu singen bei einer Wasserfahrt"? Da ist Fehlanzeige total. Dagegen der Weimarer aus Frankfurt! Das goethelt und jubelt schon im Vorfeld des Jahres 1999. Dafür gilt nicht nur all den Institutionen Dank, die sich Goethe auf die Fahnen, ins Vereinsregister und auf die Briefköpfe geschrieben haben. Solange es ausgemachter Konsens ist, daß wehrlose Kinder auf der Schule für das Leben vorbereitet werden sollen, wird es staatlich anerkannte Erziehungsberechtigte geben, deren erklärtes Ziel es ist, ihre Schützlinge so lange und so nachhaltig mit Klassiker-Zitaten zu traktieren, bis die armen Kleinen, wenn sie dereinst ausgewachsen und flügge sind, Bücher Bücher sein lassen, zu Comic-Heft und Fernbedienung greifen und sich ihre anerzogenen Fähigkeiten, aus dem geschriebenen, gedruckten und verlegten Wort Lebenshilfe zu beziehen, ebenso schnell wieder abtrainieren, wie sie ihnen eingetrichtert wurden. Goethe selbst, wiewohl er gut zweihundert Jahre lang von einer Vielzahl von Lehrbeauftragten nach Kräften gefietschert wurde, als hielten sie ein Copyright auf den Olympier und wären an seinen Tantiemen beteiligt, ahnte schon früh, daß wenig Bestand haben wird, was todtraurig im Klassenzimmer beginnt: „Sie peitschen den Quark, ob nicht etwa Creme daraus werden wolle". Auch mutmaßte er, daß am Ende gelten werde, was er einst einem stillen Gelehrten in den Mund legte, der nach einem Vortragsabend wie ein geprügelter Hund nach Hause schlich:

Man fragte: „Wie seid ihr zufrieden gewesen?" „Wären's Bücher", sagte er, „ich würd sie nicht lesen." Was also tun? Erinnerungsarbeit leisten. Dafür eignen sich kalendarisch runde Daten, vorzugsweise die

Deutschland auf weichem Pfühle, du hast ja Schiller und Goethe

mit einer Null am Ende, aufs vorzüglichste. Jeder, der Augen hat, lese vor, was das Zeug hält, jeder der Ohren hat, höre zu! Eine Karawane wär wünschenswert, die vom Main bis Weimar reicht und, von Gotthilf Fischer animiert, vieltausendkehlig gereimten Goethe von sich gibt. Wetterfeste Weisheiten wie die von der Monatsrechnung, die noch immer stimmig aufgeht:

Januar, Februar, März,
Du bist mein liebes Herz.
Mai, Juni, Juli, August,
Mir ist nichts mehr bewußt.

Je fünfzig Pilgern sollte eine redegewandte, kulturbeflissene ABM-Kraft zugeteilt werden, die sophistische Fragen, warum man beispielsweise in dem Vierzeiler nichts über April, September, Oktober, November und Dezember erfährt, geschickt abzufangen versteht und bei angesagtem Diskurs über die „Schwierigkeiten beim Verfertigen der Gedanken allein des Reimes wegen" hübsch allgemein bleibt und nicht aus der Weimarer Dichterschule plaudert.
Man könnte Erinnerungsblätter mit kleinen JWG-Sprüchen ins Internet einspeisen, die vom Sinn des Lebens zu berichten wissen, seine Syntax auseinandernehmen und herausfinden, wie freizügig der Dichterfürst damals wie heute mit den Regeln der Rechtschreibung umgesprungen ist. Man könnte versuchen, seine kulturkritischen Anmerkungen zur Lage, die sich etwa zu der Behauptung versteiften, „neuere Autoren" täten „viel Wasser in die Tinte", auf die Bedürfnisse einer computerfixierten Schriftsteller-Generation umzuformulieren. Man könnte den Numerus clausus durchbrechen und eine Handvoll Abiturienten mehr zum Studium der Rechtsgeschichte zulassen, vorausgesetzt, sie treten in seine Fußstapfen und verpflichten sich, ihre Studien in Leipzig und Straßburg zu absolvieren. Man könnte mit TUI einen Vertrag schließen, demzufolge jede Reisegruppe einen staatlichen Zuschuß erhält, die ihre Bildungsreisen auf Goethes Spuren antritt und bis zum Ende durchhält: die Rheinreise von 1774, den Schweiz-Trip 1775, die Italien-Ausflüge der Jahre 1786 und 1788. Man sollte das Goethe-Institut endlich wieder seiner eigentlichen Aufgabe und Bestimmung zuführen, den Namen seines Patrons mit Hilfe eines weltweit zu praktizierenden Kultur-Sponsoring und eines ausgeklügelten Media-Marketing-Konzepts unter die Leute zu bringen. Dazu zählen Leseabende in Kirgisien und im Tibeter Hochland mit taufrisch

dem Arbeitsamt zugeführten „Schaubühne“-Darstellern ebenso wie Herstellung und Vertrieb eines modischen T-Shirts im Tischbein-Look, das anzukurbelnde Engagement auf dem Getränkemarkt („Hirschgraben-Pils“, „Weimarer Bock“) oder das Ausgraben verschütteter Schätze („Xenien“, „Reineke Fuchs“, „Helena“-Fragment), mit denen man bei etwas Geschick den Comic-Markt boomen lassen könnte.

Und das restliche Werk, der Goethe am Stück, der uns so lieb und teuer? Man sollte ihn fürs erste, um der guten Sache willen, vergessen. Um ihn neu zu entdecken und darob frisch-frech-fröhlich-frei neu aufs kulturelle Tapet zu bringen. Der Meister selbst spricht den Segen dazu: „Im Auslegen seid frisch und munter! Legt ihr's nicht aus, so legt was unter!“ Man sollte ins Fernsehen einsteigen. „Hermann und Dorothea“ schreit nach quotenträchtiger Sit-com-Serie, die Aufbereitung des „Erlkönig“-Stoffes („in seinen Armen, das Kind, war ex!“) nach fröhlichem, never-ending Comedy-Spaß an der Freud. Man könnte den „Faust“ für einen mehrteiligen „Tatort“ bearbeiten lassen und dabei darauf achten, daß ein action-Krimi dabei herauskommt, der seinem Titel alle Ehre macht – da böte sich das Ambiente eines weltweit bekannten Boxkampf-Ringes, Stichwort: Madison Square-Garden, an; ob am Ende Margarethe Gretl oder Mary heißt, ist nicht so von Belang wie die Assoziation, die sich bei Heinrich alias Henry einstellen sollte. Wenn das Gros der Zuschauer damit eher den Namen Maske als Faust verbindet, wäre schon viel gewonnen. Der Mephisto wäre eine Rolle, mit der Klaus Maria Brandauer endlich Götz George als TV-Kommissar wieder auf die hinteren Plätze verweisen könnte.

Man könnte, sollte, müßte. Es gibt viel zu tun. Man sollte Goethes Theaterstücke – selbst Hits wie die „Iphigenie“ und „Stella“, den „Egmont“, „Clavigo“, den „Tasso“, den „Faust“ und den „Götz“ – nach Thomas Bernhard-Manier auf zwanzig Jahre für den gesamten deutschsprachigen Kulturraum sperren und dann bilanzieren, was uns danach fehlt.

In der Zwischenzeit könnte man für den Fall, daß der Bildungshunger rast und sein Opfer haben will, endlich einmal all den Epigonen, Nachdichtern und Parodisten seinen Dank abstatten, die unter Hintanstellung ihrer persönlichen Eitelkeit, ihres Talents und eigener Themen, die ihnen auch am Herzen liegen, oft ein Leben lang dem Dichter aller Dichter Tribut zollten und damit zu seinem Ruhme beitrugen. Enzensberger ist es ja nicht allein, der das, was ihm unter den

Dichternägeln brennt, rasch über dem Drang vergißt, Goethe in einer TV-Talk-Show auftreten zu lassen, damit wir etwas über seine recht gestörte Beziehung zu Hanna Schygulla erfahren und sehen, wie Ulrich Wildgruber unsern Genius mit ungezogener Nichtachtung straft. Da hätten viele Vieles anzubieten, die, auf Goethes Spuren wandelnd, sich jeden Zugang zu einträglicheren, anständigeren Berufen versperrt haben. Ich zum Beispiel dies:

Farbenlehre
ziemlich frei nach Goethe

es gibt politiker
die gibt's gar nicht
andere wieder
sind so kohlrabenschwarz
daß sie noch im kohlenkeller
schatten werfen
und tunnel verdunkeln

daran werden auch die grünen
nichts ändern
auch wenn sie noch
so rot fühlen
daran werden auch die roten
nichts ändern
auch wenn sie noch
so schwarz sehen

Das wäre nun in der Tat eine bemerkenswerte Kulturinitiative, die eine notleidende Zunft auf diese Art und Weise in Arbeit und Brot, zu Reputation und Ansehen brächte. Man will ja nichts Unmögliches, schon gar nicht in einer Zeit, in der die Legion der Analphabeten uns das Fürchten lehrt und die Aufhebung der Bücherpreisbindung über uns schwebt wie seinerzeit das Damokles-Schwert über dem gebildeten Delinquenten. Noch bringt ein Nachdruck bescheidenes Zubrot unter die Goethe-infizierten Schreiberlinge, selbst Franz Blei, der neue Gespräche mit Eckermann ersann, Hellmuth Krüger, der nachdichtend herausfand, daß „das Schauen doch der Menschheit bestes Teil" sei, Helmut Käutner, der 1932, auch ein Jubiläumsjahr, der Frage, ob Weimars reimeklopfender Minister und die Frau vom Stein

nun tatsächlich oder vielleicht doch nicht, ein ganzes Musical widmete – sie alle haben, wenn schon keine erbberechtigten Rechte-Inhaber, so doch darbende Verlage, die auch existieren wollen.
Wer kennt die Werke, nennt die Namen. Schon Georg Herwegh ließ es sich ebenso wenig wie Hoffmann von Fallersleben und Joseph von Eichendorff nehmen, sich mit gespitzter Feder über Goethes „Nachtgesang" herzumachen. Da reimte sich's hurtig, von Pfühle auf Gewühle, und dann über Kühle und Gefühle wieder zurück:

Deutschland – auf weichem Pfühle,
mach dir den Kopf nicht schwer ...
Und ob man dir alles verböte,
Ach, gräme dich nicht zu sehr,
Du hast ja Schiller und Goethe:
Schlafe, was willst du mehr?

Andere taten's ihnen gleich. Erich Kästner etwa, wenn er sich aus „Mignon" herausnahm, was ihm lieb und teuer war, Zitronen gegen Kanonen tauschte und noch hundert Jahre nach Goethes Tod seiner Zeit ins Gewissen schrieb: „Kennst du das Land, wo die Kanonen blühn? Du kennst es nicht? Du wirst es kennenlernen!" Bei Fridolin Tschudi wurden dann blühende Neurosen daraus. Auch kein schlechter Einfall aus zweiter Hand. So und nicht anders möchte man verstanden und zitiert werden. Wie von Sebastian Segelfalter, dem Verschollenen, der nicht müde wurde, vom „jungen Goethe und seinem Veilgensträußgen" zu singen, oder von Fritz Winterling, dem Vergessenen, der nach 1945 in seiner Schwarzmarkt-Lyrik auf Goethe und dessen Metapher „Du glaubst, du schiebst und wirst geschoben" zurückgriff.
Da will man wetten, rumorte es in der Gruft, und der Dichter wälzte sich im Grabe. Vor lauter Freude und Entzücken. Er ist all die Jahrhunderte, gut anderthalb sind es jetzt, nicht zur Ruhe gekommen. Schon vor neunzig Jahren gab's einen erheblichen Rums, der selbst Seismographen und Erdbebenforscher aufhören ließ. Damals hatten Alfred Polgar und Egon Friedell gerade ihren Kabarett-Hit „Goethe im Examen" auf den Brettern, die die Zeit bedeuten, etabliert und gaben den Beifall, der ihnen ob der Geschichte vom philisternden Goethe-Gelehrten, der alles weiß und nichts versteht, entgegenbrandete, nach oben weiter. Und der Olympier, so wird berichtet, lächelte ihnen von Wolke sieben aus freundlich zu.

Von ähnlicher Zustimmung war nicht die Rede, als der walzerselige Franz Lehár zwei Jahrzehnte später mit seiner Operetten-Schmonzette „Friederike“ dem jungen Goethe eine Stimme gab, die sich zu tenoralen, schmalzig-schnulzigen Höhen verstieg: „O, Mädchen, mein Mädchen, wie lieb ich dich!“ Da jauchzte das Parkett und jubelte der Rang, und das alles zum Ruhme des Mannes, ohne den dieser Bühnen-Triumph ja gar nicht möglich gewesen wäre. Wenn allerhöchste Anerkennung damals nicht wahrgenommen wurde, mag das auch daran liegen, daß Goethes Zuspruch im Begeisterungssturm um Richard Tauber einfach unterging.

Ganze Generationen schreibender Geister haben den Erlkönig wieder und wieder totgeritten, haben begriffen, daß das welkende Heideröslein und die Glocke, die da werden muß, zwei Paar Handschuhe sind und warum uns alle Welt als das Volk der Dichter und Denker begreift. Nicht die Schlechtesten unserer Besten sind, um nichts zu suchen im Sinn, im Walde so für sich hingegangen und haben dabei doch eine ganze Menge gefunden, ausgegraben und nach Hause getragen. Und da war alles andere als Undank der Welt Lohn. Sie haben ihn als Fußnote kenntlich gemacht. Sie haben ihm immer ihre Reverenz erwiesen wie der schlohweiße Ernst Jünger, der vor Jahren in der Paulskirche, Goethe im Sinn und die nach ihm benannte Plakette um den Hals, von Frankfurt über Weimar auf Verdun zu sprechen kam, und je mehr das alte, längst verloschene Feuer neu erwachte, je mehr der gute Mensch aus Wilflingen mit den Sporen scharrte und mit kommandogewohnter Stimme schnarrte, um so mehr klang es, als zöge Joethen selbst noch einmal von Walhalla aus in seinen Operettenkrieg. Nein, vergessen haben sie ihn nie, dem sie so viel verdanken. Sie haben ihn zitiert und rezitiert, sie haben ihn parodiert und glossiert. Und dabei nie vergessen, was sie ihm schuldig sind, weil sie immer wußten, daß von nichts nichts kommen kann.

Heerscharen von Schreibtischtätern haben bei ihm nachgelesen, wie's geht und gemacht wird. Nicht zu vergessen Kurt Tucholsky. Mit seinen an Goethe geschulten, an Goethe gewetzten Spottversen und Sottisen ließen sich zum Wohle der Allgemeinheit noch heute mehr als eine Anthologie füllen und bildungshungrige Mäuler stopfen. Er war es, der den feinen Unterschied zwischen Goethe und Hitler herausarbeitete und seinen Zeitgenossen einbrannte: „Wenn wir das deutsche Volk und seine Geschichte überblicken, so bieten sich uns vorzugsweise zwei Helden dar, die seine Geschicke gelenkt haben, weil einer von ihnen hundert Jahre tot ist ...“

Auch hat uns Tucho gelehrt, wie man sich großem Geiste ehrerbietig nähern sollte und wie wir uns unsern Reim auf seine Größe machen können. Aus seinem Angebotskatalog sticht besonders ins Auge: „Böte, Kröte, Nöte, Röte, Flöte ... reimt alles sich auf Goethe." Wir haben solchen Ratschlag beherzigt und uns ans Werk gemacht. Immer öfter und immer lieber. Immer und immer wieder. Mit Goethe durch Jahr und Tag. Ein ganzes, langes Schriftsteller-Leben lang. Wir haben gelesen, studiert und nachempfunden. Wir haben Lexika gewälzt und Anthologien durchgestöbert. Und dabei manche Entdeckung gemacht.

Für all das sind wir dankbar. Für die Kopien und das Original. Vieles von Letzterem geht uns nicht mehr aus dem Sinn. Etwa der Reim von „Juchhe!" auf „O weh!" in „Vanitas! Vanitatum Vanitas!" Unvergessen auch die Schlußzeilen, mit dem das „Zigeneunerlied" zur Pointe reift, wenn es nach jeder Strophe jeweils heißt:

Wille wau wau wau!
Wille wo wo wo
Witu hu

Wir fühlen uns reichlich beschenkt und stehen nicht mit leeren Händen da. So dichten wir Nachfahren uns mit Goethe ins dritte Jahrtausend. Etwa so:

Aus der Welt der Arbeit
nach Johann Wolfgang von Goethe

Überm Wirtschaftsgipfel ist Ruh.
Auf dem Arbeitsmarkt
Spürest du
Kaum einen Hauch
Von Bewegung.
Kein Job in Sicht,
Der Lohn verspricht.
Nur großes Schweigen im Walde.

Die Arbeit ruht,
Still liegt die Halde.
Warte nur
Balde
Ruhet deine auch.

Das Angebot ist da. Machen wir was draus. Nicht nur im Jubiläumsjahr. 2007 gibt's wieder was zu feiern. Dann den Todestag, das wäre dann zum 175. Mal. Gebe Goethe, daß uns die Arbeit niemals ausgehen mag.

Karlhans Frank

Goethe unser!

Eine ungehaltene Rede vor der Beschwörungsgesellschaft in Bonn

Verwehrte Unwesende sämtlicher Geschlechter und Gebesser!

Heute möchte ich erinnern an den Tag, an dem Friedrich Ebert in seiner Rede zur Eröffnung der Weimarer Nationalversammlung den großen Geist auch in den politischen Raum mit folgenden Worten beschwor: „Jetzt muß der Geist von Weimar, der Geist der großen Philosophen und Dichter, wieder unser Leben erfüllen."
Nicht sprach er „füllet wieder Busch und Tal", nein, in „unser Leben" wünschte sich dieser Reichspräsident eine Füllung aus einem gewissen Geist – etwa so, wie meine Tante Ingeborg sich immer Pflaumenmus in ihre Berliner wünschte; sie wurde oft enttäuscht.
Aber über allen Gipfeln schwebt Geist Goethe vogelleicht und vogelfrei. Mit echten und falschen Zitaten aus seinem Tintenfaß, seinem Weinglas, seinem Munde, seinen Poren, seinen Ohren, seinen verfügbaren Öffnungen wurden Druckwerke gepudert, arme Schüler geludert, Dichter gemessen, gefressen, ertränkt. „Stehe! Stehe!" stöhnt mancher angesichts der Omnipotenz des allgegenwärtigen Oberfliegers. An Goethe kommt niemand vorbei.
Nur auf der dürren Heide der Politik verkümmert selbst sein gebrochenes Röslein zur zackigen Erika. Aber es ist da!
Goethe unser! Unser aller gesamtdeutscher Geist! Du einendes Band auch für den europäischen Binnenmarkt. Du Stammvater der Igitt-Medien, bitte für uns. Du Einziger! Unvergänglicher! Markenzeichen unserer Kultur. Stets aus altdeutschen Landen frisch auf den Tisch gehauen, von dem gegessen wird, was darauf kommt, solange man seine Füße darunter stellt. Wie eine Eiche stehst Du zwischen Boris Becker und Franz Beckenbauer – doch die werden vergehen, und Du bleibst bestehen...

Wollt Ihr den totalen Goethe? Das ist hier längst keine Frage mehr. Wollt Ihr Eckermann statt Neckermann? Das allerdings hat die freie Marktwirtschaft auch schon entschieden. Goethe ziert ziemlich jeden Versandhauskatalog.
Brauchen wir überhaupt noch etwas neben Goethe? In der Literatur sind jedenfalls alle Dir Nachgeborenen nur versehentlich der Abtreibung entgangene Fehlgeburten.
Was schert uns Rühmkorf, Lenz, Grass? (Überhaupt und nebenbei: zum Scheren brauchen wir wahrlich keine Dichter! Das besorgen Frisör und Finanzamt vorbildlich.) Höchstens der Struwwelpeter kann noch mit Dir konkurrieren. (Ist der Struwwelpeter nicht von Goethe? – Noch nicht!) Wie Großgeist Goethe gasförmig alle Hohlkörper erfüllt, mag folgende Anekdote erhellen: Ein deutscher Germanist zitierte vor amerikanischen Studenten „Festgemauert in der Erden...“, merkte an, diese Zeilen seien von Schiller, worauf einer der Zuhörer den Professor belehrte: „We call him Goethe!“
O, Goethe!
Alles Sagbare hast Du gesagt. Ziemlich an allem Benagbaren hast Du genagt. Gar am Unziemlichen! O, Du hochstilisierter Held des Bürgertums, unschlagbarer Geist, Drakula der Tintenblütigen, Johann Wolfgang von Goethe.
Natürlich „von“, wie es sich gehört für einen anständigen Geist. Was spukt, ist adelig. Johann Wolfgang hat es allerdings nicht vom Vater. Von diesem hat er nur die Statur und keinen Titel, wenn denn der kaiserliche Rat Johann Kaspar überhaupt sein Vater war. Möglicherweise war es doch Zeus oder Jupiter oder sonst ein Herr Gott, der Mütterchen Katharina Elisabeths Frohnatur als Stier oder Schwan oder Brieftaube genaht ist. Vielleicht irrte hier Goethe, der ansonsten Unfehlbare. Immerhin hatte Johann Kaspar in Frankfurt ausreichend Moppen, seinem Sohn Spleen, Talent und Genie zu begießen.
Es ist eine von der Goethe-Forschung noch immer unbeantwortete Frage, wie die Menschheit vor dem 28. August 1749 lebte, sich verständigte, die Welt sah. Als gesichert kann angenommen werden, daß wenigstens einige Menschen über zehn Monate diesem Tag entgegenbebten, daß sie Goethes ersten Schrei mit Wohlgefallen registrierten, beglückt beobachteten, wie er sein Urfäustchen erstmals reckte – dieses Urfäustchen!
Man muß sich das einmal vorstellen. Die armen vorgoethianischen Menschen mußten noch ihre eigenen Fäuste in den Taschen ballen.

Nach Goethe konnte der deutsche Soldat seinen Faust im Rucksack tragen und hatte dabei beide Hände frei.
Na ja, eigentlich gab es den Faust bereits vor Goethe – der große Geist fand den alten Hexenmeister, so wie Brecht die Dreigroschenoper gefunden hat. Doch was für ein Unterschied zwischen den beiden, wie mein einstiger Deutschlehrer erklärte: „Der Faust-Stoff lag da für Goethe, erwartete ihn, während Brecht die Bettleroper plagiiert hat."
Aber Goethe ballte uns nicht nur den Faust. Er bescherte den Menschen, die nichts zu beißen hatten, den Zwischenkieferknochen. Er entdeckte für uns Italien. Er studierte Jura, verführte Frauen, wurde Minister, ließ sich malen, schrieb sich auf, schaufelte sich einen Olymp, starb sich in die Unsterblichkeit – ein echtes Vorbild für unsere Nullbockgeneration!
Eine bislang völlig verkannte Spezialität des großen Geistes aber war seine prophetische Gabe. Dieser Beglücker und Durchblicker sah verblüffend detailgenau unsere Zeit voraus. „Heinrich, mir graut vor dir", so schrieb er über den fast vergessenen Bundespräsidenten Lübke. „Walle, walle manche Strecke", wer spürt da nicht die delikate Anspielung auf den vergangenen Wallmann. Oder das Gedicht „Der (Joschka) Fischer" mit den Zeilen „Halb zog es ihn, halb sank er hin, und ward nicht mehr gesehen". Wen mag er wohl geahnt haben mit „hab ich doch das Wort vergessen"? Und wer das Heideröslein liest, dabei an Frau Süssmuth und Herrn Kohl denkt, fragt sich schließlich nur: Wer ist der Knab und wer das Kraut?
Ja, dieser Geist Goethe hat es verdient, daß man mehr von ihm kennt als das Prosaschauspiel „Götz von Berlichingen mit der eisernen Zunge". Politische Designer sollte er anregen zum Entwurf eines westöstlichen Divans, auf dem Jelzin und Clinton sich lustvoll tummeln können. Schön wäre es, wenn die Nationalisten ihn kennten, weil sie dann wenigstens einen Geist hätten, den sie anrufen könnten. Ein guter Geist könnte er uns sein, wenn er nicht dauernd von denen beschworen würde, die ihn am wenigsten verstehen.
Ach, Kollege Goethe, Wölfchen, Bürgersohn mit guten Gaben aus gutem Hause, Dichter zwischen Genie und Gelegenheit (wie so viele), Kleistverdammer, Feuerkopf und alter Knopf, Spieler zwischen Rokoko und Romantik, erscheine in der Bonner Bundesnacht und zeige den Pudeln ihre Kerne, sage den Wahlverwandten ungereimt und auf Frankforderisch, was Du von heutigen Zauberlehrlingen hältst, von Weinpanschern, Sprachverhunzern, Genbastlern, Wasserverderbern ...

Doch, um mit seinen Worten zu enden:

> „Denn was man so Genie kurzum genannt,
> nicht immer ist's, wenn man es braucht, zur Hand."

Werner Frizen

„Den Mythos auf die Beine stellen“

Die Mensch-Werdung Goethes in Thomas Manns Roman *Lotte in Weimar*

Man kann ihn sehen als Repräsentanten einer Epoche, des Zeitalters Goethes, das er stiftet u das sich nicht nach Jahrhunderten bemißt, selbst so wenig abzusehen ist wie das Maß, in das seine immer noch weit vorausdeutende Gestalt noch hineinzuwachsen bestimmt ist, – ein mythusbildendes Persönlichkeitswunder, das vielleicht eines Tages der Jesus-Figur ranggleich geachtet werden wird. An Liebe und Zukunftsfülle war sie ihr nicht unähnlich, und schon bei Lebzeiten – und zwar in der Jugend wie im Alter – ist G. ein göttlicher Mensch genannt worden.

Ende 1931 noch, im Jahr der Zentenarfeier von Goethes Todestag, es ist nicht mehr lange hin bis zur Machtergreifung, scheute Thomas Mann nicht zurück vor dem Gedanken, seinen Goethe mitten hineinzustellen in eine Ahnenreihe mythischer Figuren, denen, ihrer eigenen Zeit entrückt, messianische Bedeutung zukommen soll. Unter dem Eindruck von Carlyles Heroisierung Goethes, die eine hundert Jahre währende Gedächtnisgeschichte entscheidend beeinflußt hatte, erwägt er bei sich, in seinen Notizen, ob es nicht diese *legendären* Züge von Goethes *Persönlichkeit* seien, die er im Zentenarjahr – weit mehr als die des Klassikers und Meisters der Bildungsepoche – rühmen müsse.
So stirbt ein Held, anbetungsvoll, hatte Carlyle hundert Jahre zuvor in seinem Nekrolog geschrieben, und: *So ein Mann wurde nach des Himmels Vorausbestimmung durch die Tat der Erlöser der Zeit.* Doch – Thomas Mann streicht diesen Gedanken energisch aus seinen Notizen. Und mit diesem Strich beginnt ein neues Nachdenken über Goethe. Goethe neben einen mythischen Jesus zu stellen, über Goethe als Stifter eines Dritten Testaments nachzudenken, das verbot sich in mythenschwangeren Zeiten. Eine solche Optik – auch der junge Hitler soll sich für Carlyles Heldenverehrung begeistert haben – würde ihn allzu nahe an jenen heranrücken, der gerade seinerseits unter die Propheten eines Dritten Reiches zu gesellen sich anschickte. Statt dessen gibt sich Thomas Manns Beitrag zum Goethe-Jahr, vorgetragen

am 18. März 1932 vor der Preußischen Akademie der Wissenschaften nahezu provokativ den programmatischen Titel: *Goethe als Repräsentant des bürgerlichen Zeitalters.* Ein Repräsentant zwar, aber kein Märtyrer, ist Goethe zurückgeholt in sein Jahrhundert, das schlichtweg das bürgerliche heißt.

1932 muß der Essay ein populäres Goethe-Buch ersetzen, das Thomas Mann eigentlich geplant hatte. Doch der Plan läßt ihn auch weiterhin nicht los, und während die Mythisierung der Politik ihren Gang geht, nehmen in Thomas Manns Konzeptionen die Vermenschlichung und Entheroisierung Goethes ihren Lauf. Bei seiner Teilnahme an den Goethe-Feiern von 1932 muß ihm bis zum Überdruß bewußt geworden sein, wozu die mythisch angewehte deutsche Festgemeinschaft das klassizistische Über-Ich der deutschen Kultur zu mißbrauchen gedachte: Die völkischen Barden stimmen die Leier zu nationalistischem Pathos, das unter Vortragstiteln ertönte, die da lauteten: *Goethe, der Deutsche* oder: *Goethes deutsche Sendung* oder: *Dichtertum und Führerschaft.* Goebbels gar vermaß sich 1935, am Goethe- und Schiller-Grab Kränze als *symbolische Handlung für das deutsche Volk* niederzulegen. Diesem dreisten *Er ist unser* war etwas entgegenzusetzen, das deutlich machte, daß er, Thomas Mann, mit mehr Recht als die andern *von Goethes Familie* war. Nicht weniger war der langjährige Freund und Konkurrent Gerhart Hauptmann in die Schranken zu weisen, der seine Goethe-Identifikation so weit trieb, daß er sich von den Mythenfälschern als Goethe des neuen Reichs feiern ließ: *Er mag sich goethisch vorkommen in seiner Loyalität gegen das Gemeine. [...] Ich hasse diese Attrappe, die ich verherrlichen half.*

Eigentümlicher Widerstand stellt sich nun im Tagebuch ein, wenn Thomas Mann bei den Vorbereitungen zu seinem Roman Heiligenlegenden der Goethe-Biographik lesen muß, *eigentümlicher Widerstand gegen die verhimmelnde Interpretation, das Aufdonnern und auf dem Bauch liegen.* Weder der national vereinnahmte Goethe noch der Goethe des Bildungsbürgers, sei er in Marmor gehauen, sei er in Gips gepreßt, durfte sein „Held" werden: Goethe, der Abgott der Weimarer Walhalla (Grillparzer), war vom Kopf *auf die Beine zu stellen.* So heißt das „Programm", als Thomas Mann am 11.11.1936 die ersten Worte des Romans *Lotte in Weimar* zu Papier bringt.

Während die Dunkelmänner die apollinische Lichtgestalt feiern, unternimmt Thomas Mann den kühnen Versuch, den Mythos zu entmythologisieren. Bei der Beschäftigung mit seinem biblischen Roman hatte er, wenn auch mühsam, erlernt, was Entmythologisierung bedeutet, und diese gegen die faschistische Mythologisierung der Geschichte eingesetzt. Er hatte schon Joseph auf menschliche Beine gestellt, und er hatte damit Christus der gleichen Vermenschlichung unterworfen. Nun also Goethe.

In seiner Übergröße ist dieser zugleich der Allzumenschliche, weil auch er an dem leidet, was das Allgemeinmenschlichste ist – an dem, was Tolstoj das Tier zwischen unseren Beinen genannt hat. Denn wie betritt Goethe, der vom Sockel geholte Olympier, die Bühne dieses „epischen Theaters"? Sechs Kapitel lang hat der Zuschauer warten müssen, knapp zwei Drittel der erzählten Zeit sind verflossen, andauernd hat den Leser ein Wechselbad zwischen drohender Tragik und lösender Komik in Atem gehalten. Schon nach dem Riemer-Gespräch ist die Intimität mit der Größe so gesteigert, sind die Erfahrungen des Lesers mit den Nachtseiten des Protagonisten, dessen Kälte, Indifferenz und Nihilismus so extrem, daß eine Katastrophe durchaus im Bereich des Möglichen läge. Adele Schopenhauers Eröffnungen über die erotischen Irrungen und Wirrungen im Hause Goethe zeichnen sogar das Gespenst eines Inzests an die Wand; und nach August von Goethes Auftreten ist das Defilee der Opfer, die Goethes Lebensweg säumen, mit dem Opfer des Sohnes auf dem Höhepunkt angelangt. Damit wäre der Knoten tatsächlich perfekt für eine tragische Lösung geschlungen. Ein System von Vorgriffen hat eine derartige dramatische Spannung auf den Protagonisten hin erweckt, einen überdimensionalen Vorhalt, eine permanente Retardation *vor* dem Höhepunkt erzeugt, die zwischen Mythos und Psychologie schwankenden Einsichten des Lesers in das Mysterium dieser Persönlichkeit sind zu einem solchen Überbau gesteigert, daß er dem Schritt vom Erhabenen zum Menschlichen kaum gewachsen ist, wenn der Held, das Leitbild, das Idol des Weimarer Musenhofs in seiner Nacktheit auf der Bühne erscheint – und im Bett liegt, keineswegs bloß mit längeren, ja nicht endenwollenden produktiven Gedankenspielen, sondern insbesondere mit der morgendlichen Erektion beschäftigt: *Wie, in gewaltigem Zustande? In hohen Prächten? Brav, Alter! So sollst du, muntrer Greis, dich nicht betrüben...*

Welch eine Entwicklung der Konzeption! 1931 – das *mythusbildende Persönlichkeitswunder*, Jesus von Nazareth *ranggleich*, 1938 – ein onanierender Goethe, ein Priap: Drastischer konnte die Fleischwerdung des Mythos in dieser *intellektuellen Komödie* nicht ins Bild gesetzt werden. *Nur nicht die stirnrunzelnde Erhabenheit*, warnt der Roman-Goethe sich selbst und grenzt sich so gegen Schillers Poetik ab, *die, seis auch in*

Glanz und Schiller, tragisch erschöpft dasteht als Product der Moral! ... Kunst, die das Frechste gibt, gebunden an würdigste Form, das zu leisten sei nur die Parodie imstande. Denn *ohne jeden pathetischen und tragischen Akzent* muß der Mythos mehr denn je sein, nachdem Nietzsche alle Kultur auf ihre physiologischen und psychologischen Bedingungen befragt hat. Während die Volksdeutschen ihren Goethe zelebrieren, beginnt sich Thomas Mann für den sexualpathologischen Casus Goethe zu interessieren. Zwischenzeitlich sind ihm psychoanalytische Studien in die Hand gefallen, die Goethes Triebhemmung, seine Furcht vor der Frau, sein Fluchtverhalten als Ergebnis einer abnormen psychischen Erbbelastung erscheinen lassen wollen. Hier, bei einem Vorläufer K. R. Eisslers, bei dem Außenseiter Felix Theilhaber (*Goethe. Sexus und Eros*, Berlin 1929), findet Thomas Mann in aller Drastizität, auch maßlos und frech präsentiert, den Stoff, aus dem die Gegengeschichte zum braunen Mythos gespeist werden soll – so drastisch nun, daß das Krude in der psychoanalytischen Goethe-Auffassung seinerseits wieder retuschiert werden muß; denn das war schon je sein Lebensprinzip: *Ich lehne mich instinktiv nach links, wenn der Kahn rechts zu kentern droht – und umgekehrt.*

***

Beim Psychoanalytiker also stößt Thomas Mann auf die Anekdote vom Besuch Charlotte Kestners in Weimar, auf den Nukleus seines Romans, und von da an läßt sie ihn nicht mehr los: *Ging abends wieder dem Arbeitsplan Goethe – Lotte Kestner nach und fand nach anderer einschl. Lektüre die Geschichte des leicht grotesken späten Weimarer Wiedersehens in dem Buch von Teilhaber auf. Bewegung.* Theilhaber nun hat diese Episode nicht der seriösen Goethe-Biographik entnommen, sondern in trüben Quellen gefischt. Daß nämlich die unsterbliche Geliebte der *Werther*-Zeit sich nach vierundvierzig Jahren, nunmehr eine ehrwürdige Matrone und Mutter von neun erwachsenen Kindern, aufmacht, um den Gefährten ihrer Jugendtage, den jetzt siebenundsechzigjährigen, gerade verwitweten Geheimen Rat wiederzusehen, ist eine so *curiose Vorfallenheit*, daß sie die schriftstellerische Intuition nicht nur Thomas Manns fasziniert und zur Ausgestaltung oder auch zum *Genaumachen* gereizt hat. Schon um die Mitte des vergangenen Jahrhunderts hatte diese späte Begegnung die Aufmerksamkeit eines gewissen Karl

Ludwig Häberlin gefunden, eines heute zu Recht vergessenen, damals aber sehr beliebten und fruchtbaren Romanciers und Erzählers (* 1784 zu Erlangen, † 1858 in Potsdam), der unter dem Anagramm H.E.R. Belani einen Novellenkranz schrieb mit dem Titel: *Goethe und sein Liebeleben.* In diesem *Historischen Novellenkreis, der zum Erstenmale im Dienste novellistischer Kunstform ein lebenvolles plastisches Gesamtbild* der Goetheschen Amouren *popularisiren* will (so Häberlin selbst über sein Unternehmen), durfte eine *Charlotte Buff* überschriebene Erzählung natürlich nicht fehlen. Im Epilog kann Häberlin es zu allem Überfluß nicht lassen, die alte Dame wegen ihres späten Wunsches nach einem Wiedersehen böse zu hecheln – hier fand Theilhaber die Anekdote, und in dieser geradezu hämischen Form kam die Episode Thomas Mann zum ersten Mal vor Augen (wobei ihm selbst dabei immer verborgen geblieben ist, daß es einen Ludwig Häberlin gegeben, daß dieser der erste war, der Charlotte Kestner zur Heldin einer Erzählung gemacht, und daß also sein Roman, der ursprünglich ebenfalls als Novelle geplant und sogar in einen Novellenkranz geflochten sein sollte, selber auf einer Novelle beruhte). Hier also die Ur-Idee von *Lotte in Weimar*, der Schluß von Häberlins Novelle:

An einem schönen Maientage 1816 erschien die alte Charlotte Buff, die Frau Kestners[,] in Weimar [...]. Charlotte wird zur Tafel geladen und erschien dabei in auffallend jugendlicher Toilette, nämlich in einem weißen Kleide mit roten Schleifen, wie sie an dem Tage getragen, wo Goethe sie vor 44 Jahren zum ersten Male gesehen. Er seinerseits hat dies längst vergessen, und als sie ihn endlich darauf aufmerksam macht, gesteht er offen, daß er sich dieses Umstandes auch nicht im mindesten mehr erinnere. Sie, die sich, nachdem Goethe ein weltberühmter Mann geworden, geschmeichelt gefühlt haben würde, wenn er die Leidenschaft, die er früher für sie gehabt und gegen die sie sich damals so ablehnend verhalten, jetzt abermals laut bekannt hätte, fühlt sich durch sein zurückhaltendes Wesen verletzt und kehrt, in ihren Erwartungen schmerzlich getäuscht, eher in die Heimat zurück [,] als sie ursprünglich beabsichtigt hatte. Selbst die Erinnerung an sie war ihm gleichgültig geworden.

Nur zu leicht hätte aus dieser Vorlage des Schriftsteller-Kollegen eine Groteske werden können. Doch Thomas Mann, der schon lange der Meinung ist, daß die Absicht, ein Goethe-Buch zu schreiben, *durchaus in mein inneres Programm gehört*, um dabei mit Goethe eine *Identifikations-Hochstapelei* zu treiben, Thomas Mann will weder die Heroisierung noch die Hinrichtung, er will die Vermenschlichung, er will das Lust-

spiel und nicht die Karikatur (er erwägt anfangs sogar eine szenische Darbietungsform). Der Besuch *der Alten* bleibt *eine pénible, ja gräuliche Sache*, deshalb retuschiert der Roman nach und nach die Malicen Häberlins, das Peinlich-Sarkastische, um das versöhnliche Ende nicht zu gefährden. Schon das Datum des Wiedersehens muß gegenüber der Vorlage korrigiert werden – vom Mai auf den Oktober. Auf das „groteske" Zerrbild einer im Liebesmonat entflammten Matrone wird verzichtet; ein milderes, gedämpfteres Licht fällt an diesem *fast noch sommerlichen Tage tief im September des Jahres 1816* auf die Szene – ein Nachsommerlicht. Eine Mänade, die die alte, steife Weimarer Exzellenz heimsucht, um ihr öffentliche Liebesbekenntnisse abzufordern, bleibt dem Leser ebenso erspart wie ein Goethe, der zu ihren Füßen sinkt wie einst Werther zu denen Lottens. Und von wilder Abreise einer wütend Enttäuschten, die wie Potiphars Weib nicht ans Ziel ihrer Wünsche gelangt wäre, kann erst recht nicht die Rede sein. Schließlich verzichtet Thomas Mann sehr bald auch auf die pikante Konstellation, Goethe als biederen Ehemann auftreten und Mme. Kestner mit des Geheimrats Eheweib, der *Mamsell*, dem *Bettschatz*, zusammentreffen zu lassen ...
So wird das, was Häberlin der Historie um der Sensation willen hinzufügt, in der Entstehungsgeschichte des Romans sukzessive seiner trivialen Effekthascherei entkleidet, ja es läßt sich beobachten, daß der Autor mit wachsendem Respekt vor seiner Titelfigur in gleichem Maße den Konflikt Charlotte Kestners fast ganz ins Innere zurücknimmt, den Konflikt, ein Opfer der Größe geworden zu sein und dem aufwühlendsten Ereignis ihres Lebens nach Jahrzehnten einen versöhnlichen Abschluß geben zu wollen: *Ach, es ist wundervoll, ein Opfer bringen, jedoch ein bittres Los, ein Opfer sein!* Unter dem Schein des Lustspielhaften, des Schulmädelstreichs, ist eine potentiell tragische Situation angelegt; denn Thomas Mann läßt die respektable Hofrätin auf einen Goethe treffen, dessen *elbische Natur* durchaus nicht geneigt ist, sich auf den Kummer der sich jugendlich verkleidenden Alten, der Gans, in aller Menschenfreundlichkeit einzulassen. Riemer, der Famulus Goethes, macht sie als erster mit dieser mephistophelischen Perspektive seines Herrn vertraut: *Es ist der Blick der Kunst, der absoluten Kunst, welche zugleich die absolute Liebe und die absolute Vernichtung oder Gleichgültigkeit ist und jene erschreckende Annäherung ans Göttlich-Teuflische bedeutet, welche wir 'Größe' nennen.* Die brave Bürgerin, die honorable Gattin und treu sorgende Mutter, die nach Weimar gekommen ist, um ein wenig menschliches Verständnis zu finden, sieht sich unversehens

mit dem Nihilismus des Künstlers konfrontiert – eine Konstellation, die sie überfordern muß, spiegelt Thomas Mann darin doch eine Problematik des ästhetizistischen Künstlertums, jene *Tragödie des Meistertums*, die seine eigene ist.

Um diesen Goethe schwirren die Schranzen des Weimarer Musenhofs wie die Motten ums Licht. Vor Lotte aber entblößen die Opfer der Größe ihre Wunden. Denn dieser Besuch der alten Dame wirkt wie ein Katalysator auf die Enthüllung der psychischen und lebensgeschichtlichen Defekte der Besucher: Riemer hat seine Karriere geopfert um Goethes willen. Christiane Vulpius hat ihm als *Mamsell* gedient – und ist schon dahin. Der Sohn August ist nur erwähnenswert, weil er Sohn ist – er wird dem Vater vorangehen. Ottilie von Pogwisch droht dieses Opfer auf dem Altar der Größe, wenn August sie heiratet, und das wird er tun, denn Adele Schopenhauers Intervention verläuft im Nichts, so daß das *Persönchen*, sehr bald in seinem Opfer-Idealismus enttäuscht, sich so manchem jungmännlichen Weimar-Pilger an den Hals werfen wird. Und selbst die Besucherin ist nur eine im *Reigen*, sie ist zwar die Titelfigur, aber nicht die Hauptfigur ihres eigenen Romans.

In Hinblick aber auf diese Problematisierung der Künstlerexistenz gewinnt der Ursprung der Romanidee bei Karl Ludwig Häberlin ein weiteres Mal an Interesse. Häberlin nämlich war nicht allein ein Künstler, der sich recht wenig um Fragen des geistigen Eigentums scherte und zu seinen Umdichtungen, wie er sie nannte, die Goetheschen Quellen kräftig ausbeutete, er war (obwohl Jurist seines Zeichens) auch ein Krimineller, hatte sich diverser dienstlicher Vergehen, u.a. der Unterschlagung, schuldig gemacht und war deswegen zu einer langjährigen Gefängnisstrafe verurteilt worden, wobei er auch während der Haft nicht aufhörte zu veröffentlichen. Hätte Thomas Mann das gewußt, wie hätte er sich bestätigt gefühlt, er, der den fragwürdigen Ursprung der Kunst immer schon als sein ureigenes Thema betrachtet hatte, dessen Tonio Kröger schon in der Gefahr steht, in seiner Vaterstadt als Hochstapler verhaftet zu werden, und der von Nietzsche über den Künstler gelernt hatte, daß er eine *Zwischen-Species* sei zwischen Kriminellem und Wahnsinnigem. Und vor allem in diesem seinem Goethe-Roman läßt er den Roman-Goethe – übrigens in Erinnerung an den Atriden-Fluch der *Iphigenie* – über die paradoxe Natur des Künstlers sinnieren: *Erst eine Reihe Böser oder Guter bringt endlich das Entsetzen, bringt die Freude der Welt hervor. Den Halbgott und das Ungeheuer, – dacht ich sie nicht zusammen, als ich das schrieb, nahm ich nicht eins fürs andere und wußt ich nicht, daß es ohne einiges Entsetzen in der Freude, ohne das Ungeheuer im Halbgott nicht abgeht?*

Die dubiose Vorgeschichte des Romans will da geradezu wie eine Parabel erscheinen für den Roman selbst: Der kriminelle Künstler Ludwig Häberlin hat – mitten im bürgerlichen Jahrhundert – „vorgelebt“, was der Goethe des Romans als den in aller Sublimation beständig präsenten anderen Teil seines Wesens integriert, versteckt hat und nur im inneren Monolog preisgibt: *Ich habe nie von einem Verbrechen gehört, das ich nicht hätte begehen können ...*

Lotte in Weimar ist gewiß nicht Thomas Manns bedeutendster Roman (er selbst wollte ihn freilich als seinen höchsten gewertet wissen), aber er ist vielleicht doch sein persönlichster, eine esoterische (Zwischen-)Summe seines Werkes und gleichzeitig ein brisantes zeitgeschichtliches Dokument; denn unter dem Druck der Zeitgeschichte erfährt ein abgestandenes und gefährliches Goethe-Bild einen immensen Bedeutungswandel. Steht am Anfang dieses Denkprozesses eine messianische Erlösergestalt der heroischen Geschichtsschreibung, so werden an dessen Ende *Halbgott* und *Ungeheuer* zusammengedacht, insofern die fragwürdigen Bedingungen der Kreativität nun ein Mischwesen aus Genialität und Pathologie erkennen lassen. Thomas Manns Versuch, das für ihn überwältigend große neunzehnte Jahrhundert zu bewahren und ins zwanzigste aufzuheben, kristallisiert sich und konzentriert sich um den alternden Goethe, der mittels der Erfahrungen der Moderne, vor allem der Erfahrungen der *Seelenkunde*, der Psychoanalyse, aktualisiert wird. In ihrem Bemühen um Modernität geht die Aktualisierung gar so weit, den Roman-Goethe gegen den leibhaftigen Goethe zu wenden. Der historische Goethe wäre nie bereit gewesen, an Newton ein gutes Haar zu lassen, mit aller Verbissenheit hat er sich gegen dessen naturwissenschaftliche Wahrheit gewehrt – aus mythischen Gründen gewissermaßen. Thomas Manns Goethe aber darf an dem Punkt, wo seine Seele ganz mit sich alleine ist und keine Faxen mehr macht – im inneren Monolog des siebenten Kapitels also –, die Frage stellen, ob nicht doch nichts dunkler als das Licht selbst ist. Dieser Goethe wächst in der Zeit über sich hinaus, wird moderner, als seine eigene puristische Theologie des Lichts ihm historisch erlaubt: *Wäre die liebe Liebe aus lauter Perhorrescibilitäten zusammengesetzt, das Lichteste aus lauter uneingeständlichen Dunkelheiten. Nil luce obscurius? Sollte Newton doch recht haben?* Das Lichteste aus lauter Dunkelheiten zusammengesetzt – die Dinge so zu betrachten heißt sie genau betrachten, und das ist ein rundum moderner Standpunkt.

Christoph Gahl

Worte aus dem Weinglas, an Herrn von Goethe gerichtet

Habe nun Xenien, Divan, Zwischenkieferknochen und leider auch deine Morphologie durchaus studiert mit heißem Bemühn. Und was bringt mir das ein? Bin ich Magister, Doktor gar? Hab ich den Job an der Volkshochschule gekriegt? Hat man am Goethe-Institut meine Bewerbung überhaupt zur Kenntnis genommen?
Prost, Goethe! Im Wein ist veritas. Deshalb köpf ich jetzt auch die zweite Flasche. Ich bin noch lange nicht fertig mit dir. Niemand, der sich auf dich einläßt, ist jemals fertig mit dir. Bloß, laß mich nicht dauernd nach oben starren. Mir ist schon der Nacken ganz steif. Komm runter von deinem Olymp. Deine Unnahbarkeit hab ich satt. Du hast doch auch eine Doktorarbeit in den Sand gesetzt. Natürlich hast du das. Erzähl mir bloß nicht, du seist an Straßburger akademischer Engstirnigkeit gescheitert. Das ist überhaupt nicht bewiesen, Goethe. „De legislatoribus" kann ein Flopp gewesen sein. Solange deine Schrift als verschollen gilt, läßt sich das nicht widerlegen.
Nun sei nicht gleich beleidigt. Du bist ja der Größte. Glaubst du, ich bezweifle das? Aber man will sich doch näherkommen. Es muß einem Sterblichen gestattet sein, deine Übergröße auf ein menschliches Maß herabzuschrauben. Ich weiß, daß mir das nicht deine Sympathien einbringt. Na bitte! Ich gebe dir Gelegenheit, deine Geringschätzung für berechtigt zu halten. An meiner Hochachtung soll es nicht fehlen. Ich trinke auf dich. Mein Wein ist nicht der schlechteste. Ich trinke auf deine Unsterblichkeit. 250 Jahre nach deiner Epiphanie, großer Goethe, ist an deinem Baum kaum ein Blättchen verwelkt, kaum ein Zweiglein verdorrt.
Wenn ich in vegetabiler Stimmung bin, seh ich dich gern als Baum: griechisch Zeder auf sächsisch-weimarisch Eiche gepfropft. Gefällt es dir besser, wie andere dich sehen? Fachleute deuten der Nachwelt die Spur von deinen Erdentagen. Entelechie ist das Schlüsselwort. Ei ja, jetzt wissen wir: Dich hat der Schöpfergeist als schönstes Beispiel der beständigen Natur erkoren. Als entelechische Monade haben wir dich zu begreifen. Goethe unser, es ist uns erlaubt, dich als höchste Anpas-

An deinem Baum ist kaum ein Blättchen verwelkt

sung dessen zu verehren, was Welt im Innersten zusammenhält. Ei ja, da schlackern wir mit den Ohren.
Was tut's, wenn wir dem hohen Anspruch nicht gewachsen sind. Goethe, wir hören nicht auf, dich zu verehren. Sollen doch einige versuchen, die Spur von deinen Erdentagen zu verwischen. Sollen sie über deinen Dithyramben husten, als hätten sie Staub eingeatmet. Sollen sie frech behaupten, du seist von gestern. Was des einen Gott, ist des anderen Spott. Prost, Goethe! Es muß auch deutsche Zungen geben, die despektierlich von dir reden.
Was hast du? Willst du nicht anstoßen? Ach so – der Herr Rat trinkt nicht. Im Wirtshaus Brühl hat er getrunken. Gesoffen hat er. Das fesche Käthchen hat Rheinwein gebracht. Hofmeister und deren Zöglinge haben ihm zugeprostet. Ihm war so kannibalisch wohl als wie fünfhundert Säuen. Natürlich, da war er jung. 17 war er, jetzt ist er 250. Herrscher und Reiche hat sein Genius überdauert. Fehlgeschlagen sind alle Versuche, seine Gloriole schwarz oder braun oder rot einzufärben. Alle Anläufe von Konkurrenten, ihn im harten Wettbewerb der Talente zu schlagen, sind gescheitert. Er ist die Nummer Eins. Durch ihn hat Deutschland, was es braucht. Die Deutschen brauchen nicht nur Mercedes. Sie brauchen nicht nur Fußballer, die Weltmeister werden. Was braucht ein Kulturvolk? Es braucht einen Dichterfürsten. Die Dichter kommen und gehen. Der Dichterfürst bleibt. Wer, wenn nicht er, gibt dem Volk Würde und Ansehen? Was, wenn nicht seine Sinnsprüche, bringt Tiefe und Ernst in Politikerreden? Wie ohne geflügelte Worte aus seiner Feder sollen Schulabschlußfeiern, Vereinsfeste, Kameradschaftsabende gelingen? Hallo, Freunde! Was fällt euch ein, wenn ihr an Goethe denkt? Dichterriese – wunderbar! Champion der holden Kunst – großartig! Vorzeigegenius – ganz ausgezeichnet! Wir haben dem nichts hinzuzufügen.
Prösterchen, Goethe! Lach doch mal! Zugegeben, das war ein bißchen trivial. Kommen wir jetzt zum Geistigen. Abflug zu den Gefilden höh'rer Ahnen. Puh, ich fang schon an zu schweben. Da wird mir gleich ganz schwindelig. Um ehrlich zu sein, meine geistigen Flugversuche enden meistens mit einer Bauchlandung. Aber verlockend ist es schon. Du mußt mir nicht sagen, worum es geht. Ich weiß das schon. Ich hab das studiert. Ja, mit heißem Bemühn. Wahrheit, Reinheit, Menschlichkeit, Thoas, der Barbar, zum Gutmenschen geläutert. Da strahlt Iphigenie. Und was noch? Ästhetische Erziehung des Menschen. Sittliche Formung durch Kunst. Reicht das? Ach ja, und dann haben wir noch das Schöne. Also, da müssen wir Winckel-

mannsche Normativität und Kantische Kritik der Urteilskraft zusammendenken. Richtig? Die Nachahmung antiker griechischer Kunst, die ihrerseits das Schöne der Natur nachahmt, obwohl im Studium der Natur die ungeheuere Kluft derselben zur Kunst sich auftut oder zeigt oder mitteilt, sozusagen die transzendentale Eigenständigkeit des Schönen, von der zu sprechen wäre in der Differenz der Begriffe, des Natur- und des Kunstbegriffs, sozusagen die neuzeitliche Bildung des Naturschönen im antiken Geist oder im Bilde gesprochen: Zeder auf Eiche gepfropft ... Also, das reicht jetzt. Da bricht man sich doch das Hirn. Ich mag nicht mehr dissertieren, diskurrieren, disputieren. Nicht über Kunsttheorie. Auch nicht über Dichtkunst. Nein, Herr von Goethe, auch nicht über die Dichtkunst der alten Griechen und Römer. Tibull, Ovid, Properz, was soll ich mit denen? Was geht mich Pindar an? Ja, ich weiß, was ein Lemma ist. Lemmas sind mir Wurst. Das Lemma „Pindar hat Pate bei Goethe gestanden" ist mir Wurst. Ganymed ist mir Wurst. Mahomed ist mir Wurst. Prometheus ist mir Wurst. Nein, nicht alle Gedichte von dir sind mir Wurst. Die Römischen Elegien sind mir nicht Wurst. Zufrieden?
Oh, Pardon! Ich hab dich ein bißchen bekleckert. Mon dieu! Ein Weinfleck auf Goethe! Ehrlich, Goethe, die Römischen Elegien finde ich geil. Dichter aus Deutschland liebt rassige junge Witwe in Rom, und Priapos streckt seinen elften Finger aus dem Hintergrund. Da weiß man doch, Goethe, daß dir nichts Menschliches fremd gewesen ist. Prost, großer Sänger! Alles, was Odem hat, lobe die Fleischeslust!
Übrigens, diese römische Witwe – wer war denn das, wenn man mal fragen darf? Irgendwer muß doch dein poetisches Luftschloß mit seinem Fleisch und Blut bewohnt haben. Vielleicht gar keine Römerin? Vielleicht die Kleine aus der Weimarer Kunstblumenfabrik? Na klar weiß ich Bescheid, du falscher Johann Philipp Möller. Kaum zurück aus Italia, hast du dich in Christiane verguckt. Ruckzuck zieht die junge Dame in dein Gartenhaus. Und übers Jahr kommt Julius August zur Welt. Richtig?
Erotica Romana in bella Italia und neues Liebesglück in Sachsen-Weimar. Beim Phallus des Priap! Das ist der Doppelstoff, aus dem sich Lobgesang der Fleischeslust erzeugt. Endlich eine überzeugende Antwort auf die brennende Frage: Wo faß ich dich, unendliche Natur, euch Brüste, wo? Die Freifrau von Stein ist pikiert, Propst Herder auch. Prösterchen, Goethe! Mach dir nichts draus. Die gebildete Nachwelt jedenfalls weiß pikante Histörchen zu schätzen, wenn sie sich nur poetisch buchstabieren lassen.

Hast du was gesagt? Nein, aber gedacht hast du's: Man möge dich nicht auf Amouren beschränken. Mensch, Goethe! Machen wir doch nicht. Klar hast du mehr zu bieten. Das weiß die gebildete Nachwelt doch. Universal bist du. Kolossal und universal. Sowas von universal gibt's nicht noch einmal. Aber verstehst du nicht? Entrückt zu Göttern, Helden und Wieland bist du unheimlich. Da kommt nichts rüber von unserem größten Dichter. Der Mensch ist gefragt. Der Mensch Goethe. Näher will dich die Nachwelt. Wo gehst du ohne Gehrock hin? Wo ist deine Denkerstirn nicht umwölkt? Wo sagt der große Goethe zum Augenblick: Verweile doch, du bist so schön? Na,wo? Raus mit der Sprache! In Friederikens Mädchenkammer? In Auerbachs Keller? Im Boudoir der Madame de Stein? Wo ist unser Goethe mal so richtig unbeschwert? Auf dem Jahrmarktsfest von Plundersweilern? Beim Kuren in Karlsbad?
Mensch, Goethe! Dein Leben gibt doch was her. Jugendsünden und Alterstorheiten, jede Menge love stories und thrills. Da kriegt selbst die Jugend große Ohren, die unsere Klassiker für Gruftis hält. Ne, ne, protestieren is nich. Sitz einfach da und entspann dich. Wir wollen jetzt keinen Streß. Wir schieben die ganze schöne Universalität einfach beiseite. Uns interessiert auch nicht der Appell an den Gutmensch in uns. Freiheitshelden, Menschheitslehrer und andere Gurus sollen die Klappe halten. Es ist jetzt nicht der Augenblick, das Göttliche zu preisen. Keine Sonne tönt nach alter Weise. Kein Wettgesang in Brudersphären. Kein Klagelaut von Äolsharfen. Nichts Überirdisches weht durch die Geschichte. Die Nachwelt sitzt einfach da, genau wie Goethe. Die Nachwelt nimmt einen Schluck. Sie sieht dem Dichter in die Augen und fragt mit anteilnehmender, ehrlicher Stimme: Warum haben Friederikes Schwestern deine Briefe an die Geliebte verbrannt? Überrascht? Was denn, du wendest dich ab? Ach so! Man ist indigniert. Man verbittet sich solche Fragen. Man kennt seinen Wert. Man wird schließlich in öffentlichen Reden zitiert. Man ist Namenspatron deutscher Kulturinstitute im Ausland. Man darf sich rühmen, Filetstück des nationalen Kulturerbes zu sein. Man hat seinem Weimar dazu verholfen, daß es sich Hauptstadt der Weltkultur nennen darf. O nein, man steht der Nachwelt nicht Rede und Antwort. Nicht unser Serenissimus auf dem Dichterthron.
Was glotzt du so blöd? Ja, ich hab dir die Zunge rausgestreckt. Du kannst mich mal, du kleine schwarze Marmorbüste! Soll ich dir das Weinglas über den Kopf stülpen? Soll ich dich an die Wand feuern?

Wissen Serenissimus, was Ihro Minibüste auf dem Flohmarkt gekostet hat? Keine zehn Märker. Die Kratzer gab's umsonst.
Okay, es paßt dir nicht, daß ich dich wie eine Handpuppe zwischen den Fingern drehe. Ich reg mich schon wieder ab. Du bist Geist, nichts als Geist. Das wissen wir doch. Aber der Geist hat eine Biografie. Die Nachwelt interessiert das. Die Nachwelt mag keinen Geist-Goethe ohne Biografie. Und die Biografie muß stimmen. Die Nachwelt verwirrt es, wenn die Biografie mehr Dichtung als Wahrheit ist. Nimm das zur Kenntnis, Goethe. Die Nachwelt stellt auch Fragen, auf die Herr von Goethe *keine* Antwort gibt.
Wir schreiben das Jahr 1771. Die Nachwelt sieht dich nach Sesenheim reiten. Altweibersommer. Mondnacht. Friederike weint. Ihre Schwestern stecken über dem Küchenherd die Köpfe zusammen. Sie zerknüllen Papier und entfachen damit die Glut. Was geschieht im Pfarrhaus zu Sesenheim? Wie bist du hereingekommen? Durchs Fenster? Wo sind die Eltern? Schlafen sie? Wo ist die schluchzende Friederike? Hängt sie an deiner Brust? Liegt sie am Boden? Hast du dich von ihr abgewandt, um durch den geöffneten Türspalt Friederikes Schwestern zu beobachten? Ahnst du, daß sie Dokumente vernichten, die einmal für die Forschung von unschätzbarem Wert sein werden?
Zweiundzwanzig Jahre zurück. Ein später Augusttag. Im Großen Hirschgraben zu Frankfurt sieht dich die Nachwelt ins Leben purzeln. Vonwegen purzeln. Die Hebamme hat gepfuscht. Der Knabe ist scheintot, o Graus. Weit und breit kein Orakel, welches dem späteren Dichter sein langes Leben voraussagt. Was hat den scheintoten Knaben belebt? Ein Psalm Davids? Schockschläge auf sein kleines Hinterteil? Umschläge, in Kampfer getränkt?
Fünfzehn Jahre später. Du bist in Gretchen verliebt. Die Nachwelt rätselt. Heißt die Maid wirklich Gretchen? Ist sie älter als du? Und soll kein tugendhaftes Mägdlein sein? Soll krumme Sachen machen? Soll einer Bande von Fälschern angehören? Der Deutschen hoffnungsvollster Sproß verknallt in eine Gangsterbraut?
Wir schreiben das Jahr 1768. Leipzig im Frühjahr. Dein Leipzig lobst du dir, es ist ein Klein-Paris und bildet seine Leute. Aber das war einmal. Gramgebeugt verläßt du das Weinhaus am Brühl. Du wirst es nie wieder betreten. Du fühlst dich wie ein Schiffsbrüchiger. Du schwänzt schon seit längerem die Vorlesungen. Seit ein paar Tagen spürst du Stiche in der Lunge. Das wird doch wohl keine Tuberkulose werden? Schlimmer aber sind die Stiche in deinem Herzen. Was hat

dir des Schankwirts Töchterlein gesagt? Hat dir deine Herzallerliebste gesagt, daß sie es endgültig leid ist, von deiner Eifersucht verfolgt zu werden? Goethe, was hat dir Käthchen Schönkopf gesagt? Junge Herren von Stand, denen sie Wein bringt, machen ihr schöne Augen. Hat nicht ein blutjunger Prinz, aufgestachelt von den Kumpanen, frech in ihr Mieder gegriffen? Wolltest du dich mit ihm duellieren? Hat Käthchen dich deshalb ausgelacht?
Wir bleiben in Leipzig. Du studierst nicht nur Jurisprudenz, du hörst auch Poetik bei Gottsched, Stil- und Sittenlehre bei Gellert. Was haben dir die gescheiten Herren gesagt? Haben sie gesagt: Goethe, laß das Dichten sein? Hast du deshalb im Kochherd der Witwe Straube dein Frühwerk verbrannt? Und keine innere Stimme hat dir geflüstert, welcher Schaden später der Goethe-Forschung entsteht?
Was war in Straßburg? Hast du da wieder gezündelt? Hast du deine Doktorschrift, weil sie den Rechtsgelehrten nicht paßte, vom Turm des Münsters in alle Winde gestreut? Gilbt sie seit mehr als 200 Jahren unentdeckt vor sich hin, auf einem Speicher irgendwo in Frankfurt, Wetzlar oder Weimar? Goethe, was ist aus „De legislatoribus" geworden? Deine Nachwelt wartet auf Antwort.
Wohlsein, Studiosus! Du hattest in deiner Jugend 'ne Menge Probleme. Gretchen ein Flopp. Käthchen – die Laune des Verliebten. Friederike – willkommen und schon wieder Abschied. Charlotte Buff an Herrn Kestner vergeben. Die schwarzäugige Maximiliane dem Kaufmann Brentano versprochen. Statt Doktor der Rechte nur Lizentiat. Alles geht schief. Nur Werther boomt. Aber tröstet dich das? Lassen sich Leiden versüßen durch Vermarktung derselben? Werther wird über Nacht zum Renner. Aber du bist erstarrt. Werther versetzt eine ganze Generation in Fieber. Aber dich fröstelt. Vonwegen Liebling der Götter. Heulen könntest du, den ganzen Tag heulen. Und wenn einen wie dich das heulende Elend packt, das weiß man doch, dann liegt ein wohlgeschliffener Dolch nicht weit von seinem Bette. Goethe, das macht uns jetzt Angst. Raff dich doch auf und geh nach Weimar. Ja, nach Weimar. Nicht nach Frankfurt. Auf keinen Fall nach Frankfurt. Oder willst du einer gewissen Lilli Schönemann über den Weg laufen? Willst du wirklich diesem Gänschen begegnen? Hast du die jungen Dinger nicht satt? Überleg doch mal! Eine reife Frau, erfahren, geistreich, glücklos verheiratet – wäre das nicht die bessere Wahl?
Wohlsein, Goethe! Auf nach Weimar! Schon fühlst du junges, heilges Lebensglück neuglühend dir durch Nerv und Adern rinnen. Und

machst schon wieder alles falsch. Warum diese Ämterhäufung, Herr Lizentiat? Sitz und Stimme in der Ministerrunde, Bergwerkskommissär, Wegebaukommissär, Kriegskommissär, Theaterdirektor, Leiter der Staatsfinanzen undsoweiter undsoweiter. Mal ganz im Vertrauen: Muß man sich so viele Ämter aufladen, um einer Frau zu imponieren? Klar, Madame von Stein war eine Festung. Die wollte erst mal erobert sein. Aber sich deswegen ruinieren? Dem Genius poeticus den Lebenssaft abzapfen, um ihn als Bürokratentinte zu verspritzen? Das bringt doch nichts, Goethe. Auch einer Frau zuliebe zieht man den Staatsrock nicht an – nicht, wenn man Künstler ist. Ein Künstler taugt nicht zu Staatsgeschäften. Dekrete sind zu erlassen. Bergwerke und Strumpfmanufakturen sind zu inspizieren. Dienstreisen zu Kriegsschauplätzen an der Seite des fürstlichen Brötchengebers sind nicht auszuschließen. Sowas hat Folgen. Die Muse küßt nicht mehr unbefangen. Der Geist weht nicht mehr, wie er will. Man ist verführt zu Napoleonverehrung. Man ist versucht, Umbrüche der Geschichte ästhetisierend zu betrachten. Und auch die Gesundheit leidet. Der Kräfteverschleiß ist enorm. Da reichen vier Wochen Karlsbad nicht aus, um das zu kurieren. Zwei Jahre Italien kostet das.
Ach, Goethe, dein Sturm und Drang! Wird das schön sein, wenn du mit sechsundsechzig, der öden Ämter ledig, auf Hafis Spuren wandelst und einer bezaubernden Lady begegnest – Suleika von Willemer. Ex oriente lux. West-östliches Rendezvous. Hei dann! Fallt in den Divan. Steckt eure abendländischen Riecher in morgenländische Düfte. Sagt es niemand, nur den Weisen: Das Willemersche Landhaus am Main ist eine Rosenlaube bei Schiras.
Und wenn du schließlich ein Greis bist, wirst du nicht aufhören mit den Geschichten. Wie, Herr von Goethe, werden Sie‘s halten? Werden Sie selbst bei Mutter Amalie um Ulrikes Hand anhalten? Oder wird sich Ihr durchlauchtigster Freund Carl August zu Ihrem Fürsprecher machen? Prost, unverwüstlicher Goethe! Die Nachwelt hält den Atem an. Du bist vierundsiebzig. Ulrike könnte deine Enkeltochter sein. Aber was sagt das schon? Wem das Göttergeschenk der ewigen Jugend gegeben, der rastet noch rostet nicht. Was wissen gewöhnliche Sterbliche von der Dämonie der Leidenschaften? Was vom Naturgesetz der entbrannten Herzen? Wer liest schon die Wahlverwandschaften? Seit mehr als 200 Jahren fordert Herr von Goethe die moralische Weltordnung heraus, an die er selber glaubt. Seit mehr als 200 Jahren brüskiert er deren eifrige Lehrer, von denen er, wenn auch mit tieferen Gründen, selbst einer ist. Mariage im Alter, Konkubinat in

der Jugend: Achtzehn Jahre lang hat Herr von Goethe mit Christiane Vulpius ohne Trauschein zusammengelebt. Warum, fragt die Nachwelt, hat er sie dann doch geheiratet? Aus Dankbarkeit? Was geschah wenige Tage vor der Trauung, als Napoleons Truppen Sachsen zertrampelten? Waren betrunkene französische Marodeure in Herrn von Goethes Schlafzimmer eingedrungen? Haben sie sein Leben bedroht? Hat sich Christiane dazwischengeworfen? Wie hat Christiane die Ruchlosen vertrieben? Durch Schimpfkanonaden auf Sächsisch, während Angst Herrn von Goethe den Hals zuschnürte? Durch ein Pistol, das sie geladen auf ihrem Leibe trug und jäh aus dem Strumpfband zog?

Ach, Goethe! Wo man auch stochert in deiner Biografie – Fragen über Fragen. Und eine kleine schwarze Marmorbüste schweigt dazu. Dabei war es abgemacht, daß sich dein großer Geist durch das kleine Abbild beschwören läßt.

Als damals Schillers Grabstätte aufgelöst wurde, was hat dich da bewogen, den Schädel des Toten zu dir zu nehmen? Siehst du, bestimmt kein übertriebener Hang zur Anatomie. Man mußte reden miteinander, bestimmt nicht nur über den Demetrius. Man kam voneinander nicht los.

Das ist es, man kommt voneinander nicht los, du nicht von Schiller, ich nicht von Goethe. Keiner, der sich auf dich einläßt, kommt von dir los. Keiner ist jemals fertig mit dir. Mich faßt ein längst entwohnter Schauer. Irgendwie hasse ich dich. Und jetzt lächelst du, weil du weißt: Das ist die Kehrseite der Liebe.

Prost, Goethe! Prost mit dem letzten Schluck.

Eugen Helmlé

Goethe und die Maschine

Heinrich Heine, der sich Anfang Oktober 1824 für einige Tage in Weimar aufgehalten hatte, schrieb kurz darauf dem Freund Moses Moser: „Ich war in Weimar, es giebt dort auch guten Gänsebraten ..." Daß Weimar nicht nur guten Gänsebraten zu bieten hatte und Heine während seines kurzen Aufenthalts auch mit dem Weimarer „Kunstgreis", wie er Goethe einmal nannte, auf seine Bitte hin, ihm „das Glück" eines Empfangs zu gewähren, zusammengetroffen war, erwähnte er mit keinem Wort. Die Enttäuschung über diesen Empfang muß sehr groß gewesen sein, und erst später gab er seinem Mißfallen über die ungebührlich kühle Behandlung durch Goethe Ausdruck, indem er in scharfen Worten die „Kunstbehaglichkeit des Ali Pascha unserer Literatur" kritisierte. Doch aller gekränkten Eitelkeit zum Trotz verehrte er den Meister auch weiterhin als großen Poeten, dessen Faszination er sich nicht entziehen konnte.

Ein ähnlich ambivalentes Verhältnis zu Goethe darf man sicherlich auch dem französischen Schriftsteller Georges Perec unterstellen, der sich, fast hundertfünfzig Jahre später, als Vorlage und Ausgangspunkt für sein erstes Hörspiel „Wanderers Nachtlied" ausgesucht hat, um ausgerechnet an Hand eines der vollendetsten Gedichte der deutschen Lyrik die Arbeitsweise eines Computers zu simulieren, zugleich aber auch aufzuzeigen, wie sich mit den in der „Werkstatt für potentielle Literatur", kurz Oulipo genannt, entwickelten Verfahrensweisen literarisch arbeiten läßt. Oulipo, Anfang der sechziger Jahre von Raymond Queneau und Francois Le Lionnais in Paris gegründet, hatte sich vorgenommen, ein ganzes Arsenal von Strukturen, Methoden und Techniken anzulegen, in dem der Dichter, der sich von der Inspiration lösen will, frei wählen kann. „Sprache nämlich", schreibt Queneau, „ist in gewisser Hinsicht etwas Künstliches" – ein Begriff übrigens, der bei Goethe, zumal im Zusammenhang mit Sprache, nicht vorkommt und der ihm sicherlich ganz und gar fremd war – „und das bedeutet, da das Künstliche, theoretisch zumindest, mechanisierbar ist, daß auch Literatur mechanisierbar ist." Hier zeigt sich wohl der fundamentale Unterschied zwischen dem der Klassik verpflichteten

Dichter, der schon die Romantiker mit Skepsis betrachtet, und einer dem Experiment aufgeschlossenen Modernen.

Doch zurück zu Perecs Hörspiel „Die Maschine", in dem einem Computer die Aufgabe gestellt wird, durch eine ganze Reihe von Arbeitsgängen das Wesen der Poesie zu ergründen und dies an einem konkreten Beispiel zu verdeutlichen. Das Verfahren besteht darin, ein Gedicht – und nicht zufällig war Perecs Wahl auf „Wanderers Nachtlied" gefallen, wußte er doch, daß bei dieser Art Literatur nur wirklich gute Ausgangstexte gute Ergebnisse erwarten lassen – systematisch zu analysieren und aufzugliedern, wozu das Sprachmaterial des Gedichts zunächst einmal zahlenmäßig aufgeschlossen werden muß. Perec, der möglicherweise nie etwas von Goethes Aussage gehört hatte, er „ehre die Mathematik als die erhabenste und nützlichste Wissenschaft, solange man sie da anwendet, wo sie am Platze ist", hält sich in keiner Weise an die Maxime des Meisters und tut genau das, was der als deplaziert angesehen hätte: er klopft „Wanderers Nachtlied" mit dem Rechenschieber ab und stellt dabei fest, daß die Anzahl der Wörter genau 24 beträgt und sich durch 2, 3, 4, 6, 8 und 12 teilen läßt, ein geradezu idealer Teilungsmodus. Nachdem der Sprachvorrat in einen Computer gefüttert worden ist, bedient sich Perec nun dieser mathematischen Struktur, um das Gedicht in einem geradezu respektlosen Rechen- und Sprachspiel nach allen Regeln der Permutationskunst und den Rezepten aus der Werkstatt für potentielle Literatur durch den Wolf zu drehen. Das Gedicht muß sich einiges gefallen lassen, es wird deformiert, verballhornt, in Wortreihungen gepreßt, zu aleatorischen Neuschöpfungen zusammengefügt und in Permutationen zerhackt. Durch Anagramme, Buchstabenverstellungen, Lautumstellungen und Wortaustausch werden ihm Sinnveränderungen aufgezwungen, die bis zur Unverständlichkeit des ursprünglichen Textes führen, jedoch beim Hören sofort Sprachstrukturen erkennen lassen, die mehr oder weniger entfernt mit „Wanderers Nachtlied" zu tun haben.

Perec nimmt in seinem Hörspiel viel aufs Korn: das Gedicht selbst, das er in einer Mischung von Ernst und Parodie auseinandernimmt, um es in neuen, unkonventionellen Kombinationen immer wieder anders zusammenzusetzen, aber auch den Dichter, den er von seinem Sockel herunterzuheben versucht und dadurch „vermenschlicht", daß er den Hörer mit einer Reihe geschickt montierter, sich inhaltlich widersprechender Zitate aus verschiedenen seiner Werke konfrontiert, und ihn darüber hinaus dem nicht immer schmeichelhaften Urteil von

Zeitgenossen und Nachwelt aussetzt. Weiß man allerdings, daß zumal dem greisen Goethe das Spiel, in dem er eine Seuche und eine Verderbnis sah, ein Greuel war, empfindet man es geradezu als Ironie, um nicht zu sagen Blasphemie, daß ausgerechnet eines seiner schönsten Sprachgebilde für ein experimentelles, sprachspielerisches Hörspiel herhalten mußte, das mit zu den witzigsten der letzten dreißig Jahren gehört, auch wenn bezweifelt werden darf, daß der Versuch gelungen ist, die weihevolle Aura um den Dichterfürsten durch die Verballhornung des wohl bekanntesten Gedichts der deutschen Sprache abzubauen.

Was bei dieser Computer-Simulation herausgekommen ist, widerspricht möglicherweise völlig dem ästhetischen Empfinden Goethes, und es ist fraglich, ob er diesen sorglosen Umgang mit seinem „Nachtlied" goutiert haben würde, war ihm doch etwas Feierliches im Verhältnis zu seinem Werk und der eigenen Person nie ganz fremd gewesen. Der Reiz indes, der von dem Stück ausgeht, rührt zum Teil aber auch „von der perfektionistischen Kaltschnäuzigkeit her, mit der ein Gedicht, das die traditionelle Poetik ‚als reinstes Beispiel lyrischen Stils' preist, den Zerreißproben einer Computerpoetologie ausgesetzt wird", wie Werner Klippert in seinem Nachwort zur Reclam-Ausgabe von Perecs „Die Maschine" feststellt.

Einmal allerdings muß Perec vor dem Gedicht, mit dem er so gnadenlos despektierlich umgeht, kapitulieren, nämlich da, wo er meint, das Originalgedicht, das er tatsächlich nur in einer Übersetzung kannte, noch übertreffen zu können, die Maschine jedoch auf den Befehl hin, jede Zeile des Gedichts durch einen noch poetischeren Ausdruck zu ersetzen, dreimal die genaue Wortfolge von „Wanderers Nachtlied" ausspuckt. Diese Reaktion des Computers, eine Reverenz vor Goethe, wenn man so will, gehört zu den ironischen Höhepunkten des Hörspiels. Wäre Perec nicht so nahezu ausschließlich von der Struktur des deutschen Originals fasziniert gewesen, von der geradezu mathematischen Vollkommenheit der Wörteranordnung, hätte er wohl nie die Vermessenheit besessen, das Gedicht durch eine noch schönere Version ersetzen zu wollen.

Wenn der Computer am Ende nach einer längeren Zitatenexplosion aus der Weltliteratur verstummt und mit einem kaum noch hörbaren „Pst" endet, hat er gezeigt, daß sich „Wanderers Nachtlied" trotz aller Demontageversuche seine Unversehrtheit bewahrt und damit die dichterische Potenz Goethes sowie die Unzerstörbarkeit jeder großen Dichtung bewiesen hat. Das Experiment stellt zugleich klar, daß literarische Qualität auch im Zeitalter von High Tech nicht meßbar ist, daß es keinesfalls genügt zu wissen, nach welchen Regeln einige Dutzend Wörter zusammengesetzt sein müssen, um ein Wort- oder Sprachkunstwerk zu bilden.

Als das Hörspiel im Dezember 1968 im SR zum ersten Mal gesendet wurde, gab es nicht nur Beifall für dieses witzig-intelligente „Computerspiel", sondern auch Befremden, wenn nicht gar Empörung darüber, daß man die Hörer auf Kosten von Versen amüsiert habe, „die man gern unangetast lassen oder wenigstens nicht der spielerischen Parodie und Verballhornung ausgeliefert sehen möchte".

Heine kommt bei Goethe so gut wie gar nicht vor, er wird lediglich eines Drei-Wörter-Eintrags in seinem Tagebuch für wert befunden. Es darf vermutet werden, daß es Georges Perec nach diesem Hörspiel, das ja nicht nur Respektlosigkeit, sondern zugleich auch eine Verbeugung vor dem Meister ist, nicht besser ergangen wäre.

Klaus Konjetzky

Requiem

Eine metamorphe Annäherung an das Gedicht „Eins und Alles“
von Johann Wolfgang von Goethe
als einer Umdeutung der beiden Schlußverse:
„Denn alles muß in Nichts zerfallen,
wenn es im Sein beharren will“

In meinem einmaligen Schmerz bin ich wie alle. Wie alle zu sein ist Linderung. Und meine Wunde. Keiner kann sich einen Vorsprung herausleben. Keiner. Keiner kennt eine Rettung, die nicht alle kennten. Keiner. Das erleichtert das Aushalten, die Gewöhnung. Manchmal bricht das Gewohnte. Es bricht auf, und etwas Herzzerreißendes quillt nach oben. Es ist, als käme es von tief tief unten, von ganz weit weg, aus einer fernen fernen Vorzeit, aus einer anderen Welt.

Es kann ein Schmerz sein. Es kann ein fremder Ton sein, der enteignet. Verlockend und fatal. Das Echo der Ebene. Ein Dröhnen. Eine Bewegung des Entfernens. Münder sprechen. Das ist noch zu sehen, aber nicht mehr zu hören und auch nicht mehr zu sehen. Die Gestalten sind ununterscheidbar. Ameisen. Wie Ameisen. Plätze, Straßen, Dächer, Städte unter den Wolken, Gebirgszüge. Meere. Mit ihnen wächst der Rausch des Schreckens. Kontinente, der blaue Planet. Sterne. Entsetzen. Kein Echo. Kein Echo aus den schwarzen Löchern.

Irgendwo im Verschwinden – schon die steinerweichende Trauer einer Frau am Sarg ihres Kindes in einem Dorf in den Anden ist, als wäre sie nicht – irgendwo im Verschwinden soll meine Begierde ein Teil der Welt sein.

Es ist die Schwerkraft des Kopfes, die zur Fliehkraft wird. Wohin. Oder zurück in den dämmrigen Raum mit den Bildern und Büchern, zurück an den Tisch vor dem geöffneten Fenster, in dem die ersten Sterne stehen. Ob die Bilder die Welt sind. Ob das das Leben ist. Vielleicht ist die Metaphysik ein Sodbrennen.

US-Sergeant vergewaltigt ein Dorf. Elephanten zu Tode gefüttert. Hinter den Kulissen, wieso hinter den Kulissen, öffnet sich das Land.

Wenn ein Augenaufschlag ein abgesprochenes Zeichen wäre für die Männer hinter der Bühne,die karge Leinwand hochzuziehen und ein ruhig blühendes Land freizugeben. Dort duckten sich Dörfer ins Feld. Dort wüchsen Zwiebeltürmchen aus leuchtendem Raps. Kirchen. Und Schatten von Kirchen und die blauen Schatten von Burgen auf weißen, bewachsenen Mauern. Dann Kornfelder, Wiesen und ein Bach. Schweben wie im freien Fall. Die Bilder verschwimmen. Ich stürze. Sommernachmittag. Schwalben, Glockenblumen, das blaue Band des Böhmerwaldes und das Schluchzen eines Vogels, daß mir zum Weinen wird. Ich stürze.

Schneeflocken. In den Eisblumen am Fenster kommt die Stadt zum Stehen. Der Geruch von Lebkuchen. Das rührende Klappern und Klirren in der Küche. In einem erleuchteten Schaufenster steht ein roter Weihnachtsmann und nickt. Ein Wunder. Das Rumpeln eines Schneeräumfahrzeuges und die unbegreifliche Stille danach. Der Stille wachsen Flügel. Aber ich stürze. Mittelalterliche Marktplätze in Stahl gestochen. Ein Galgen mit der Stereozuspielung des Requiems von Mozart. Versunkene Inseln. Kathedralen, deren Glockenklang nicht zu vergleichen ist mit einer Fabriksirene. Das Rauschen.

Was bedeutet das? Was bedeutet was? Warum so viele gesprungen sind. Und die anderen, die nicht gesprungen sind. Ein paar hunderttausend Jahre Anstrengungen für ein Fragezeichen. Dazu mußte sich das Gehirnvolumen verdreifachen. Anrührende Rituale versuchen, das unkontrollierbar Wuchernde zu beruhigen und einzugrenzen auf ein Leben zwischen Ewigkeiten. Aber das Bewußtsein frißt und frißt und frißt sich immer weiter ins Unbegreifliche hinein und starrt im maßlosen Universum auf die Episode eines ehemaligen Einzellers, der am Turmbau zu Babel scheiterte, dem aber die Empfängnisverhütung gelang.

Die unfaßliche Stille. Die Stille vor dem Leben. Und danach. Jede Karte hat eine Bedeutung. Und in ihr spiegelt sich ihr Sinn. Im Bewußtsein hämmert es: Das Nichts. Das Nichts, hämmert es. Nichts. Was, wenn das ist? Das Bewußtsein von Leben schafft das Leben als etwas, das es nicht geben kann. Der Schmerz. Panische Krümmungen. Eine vernichtende Spirale. Bewegung am Scheitelpunkt der Hyperbel. Der kurze Augenblick einer Katastrophe.

Gilgamesch, Odysseus, Edda, Nofretete und Faust. Hamlet, Karamasow und Josef K, in Bomarzo und Notre Dame, in Stonehenge, Delphi, auf der Loreley und in der Transibirischen Eisenbahn.

Wir nähern uns den Neunzigerjahren. Die sind längst vorbei. Also ein neues Jahrtausend. Auch vorbei. Meine schlaflose Nacht wird von der Uhr nicht angezeigt, die in Jahrmilliarden mißt. Im Aufblitzen seiner Herkunft aus Stofflichem behauptet sich das Leben gegen das Bewußtsein. Ein Gefühl von etwas Kompaktem. Materie. Eine Bewegung der Annäherung. Stillstand. Jetzt ist der Blickwinkel schlechter. Ein Gefühl von Stein. Im Vergleich dazu ist Bewußt-Sein eine Perversion. Die nicht zu begreifende Differenz ist eine Abweichung vom Programm der gefurchten Masse. Ich ziehe eine Gerade zu mir. Es kann wie ein Schmerz sein.
Die Perspektive macht ungeschehen. Der Anfang verloren. Unschärferelationen. Etwas geht verloren. Die Beschreibungen des Verlustes sind Religion und geben die Richtung an: nach vorne dorthin zurück, wo die Kluft zwischen Wissen und Wollen kleiner ist. Das Paradies. Als wir dort waren, wußten wir es nicht. Der Verlust bestätigt den Besitz. Er reflektiert uns. Eine optische Täuschung.
Sturz. Eine Bestürzung. Was für eine Bestürzung, als der Mensch bloßgestellt wurde. Im offenen Universum fand er sich nicht. Er findet sich nicht. Ein wahnsinniges, aberwitziges Rasen, der Amoklauf der Selbstvergewisserung. Die Geburt der Sprache. Die Hölle. Ein Ton. Aus einem Ton wächst ein Gelächter. Das wachsende Bewußtsein von Welt ist die Feststellung eines wachsenden Abstands zu ihr. Die Hölle. Eine konvulsische Bewegung.
Was nicht Licht an uns ist, bleibt zurück und sieht die unbegründete Welt vor sich. Diese Perspektive zwingt zu begründenden Ideen. Jede Idee führt zu einem Gott. Das stellen wir fest. Die Annäherung feststellend, entfernen wir uns wieder und immer weiter von ihm, weil wir ihn feststellen. Auf unserer gebremsten Bahn spüren wir in Gott unseren Schmerz. Es kann wie ein Schmerz sein. Irgendwann sucht sich unser Leid ein anderes Ziel. Oder einen anderen Gott. Oder die Leber, den Magen. Oder doch lieber Gott. Mit ihm wollen wir den Sturz ins Nichts als eine Erhebung leben. An manchen Stellen sieht man nicht den Himmel. Nach unten steige ich auf. Zu den Sternen sinke ich. Jahrhunderttausende mit Gott.
Jahrhunderttausende der Entfernung des Menschen aus einem Sein ins denkende Gedachte. Mit Lichtgeschwindigkeit verliert er die Welt, in der er sich immer deutlicher weiß. Der sinnlose Kampf dagegen verlangt aufwendige, brutale Anstrengungen. Mörderische Fähigkeiten, Betäubungen. Die bei lebendigem Leib herausgeschnittenen Eingeweide für Gott! Die herausgestochenen Augen für ihn. Die

Zunge. Mehr als alles läßt sich nicht geben. Weil das nicht genügt, verändert sich die Haltung. Hexen. Hexen auf Scheiterhaufen. Die brennen für die Wollust der Priester. Ihre Askese. Das macht Gott nicht ungeschehen, das hebt ihn nicht auf. Die Psyche, sein Produkt, krümmt sich in ihm, und das intellektuelle Vermögen, das schon an jenem Satz arbeitet, der ihn liquidieren soll, bebt noch in ihm.
Wir betreten Neuland, aber er war schon da. Überall seine Fußabdrücke. Unsere Welt-Anschauung versucht sich freizuwinden. Sie leugnet. Und dann die Nachricht, daß er tot sei. Das hat Leben gekostet und ist eine posthume Bestätigung. Jetzt erinnern wir ihn und sammeln Beweismaterial.
Das Bewußtsein saugt alles Wissen auf. Ein Monster. Das Wissen genügt nicht. Die Begründungen reichen nicht. Eine einzige Frage, und wir sind am Ende. Es kann ein Ton sein. Einer wie der Tod. Daraus wächst ein Gelächter. Der Kopf in Not. Der Kopf in Not, Existenz begreifen zu müssen. Es geht nicht. Es geht nicht. Heraus kommen ein Mikrowellengrill und eine Videoanlage. Die Aufklärung ist ein Chip. Was für ein Anlauf, um nirgends hinzukommen.
Liegen wir noch im wahrnehmbaren Bereich? Ist der Unterschied zwischen der enzymatischen Spaltung von Nucleoproteiden und der Loslösung der Baltischen Republiken die Freiheit? Gibt also die Molekularhochrechnung bei der Entstehung von Peptidketten kristallisierbarer Eiweißmoleküle aus säureamidartig miteinander verbundenen Aminosäuren auch das Ergebnis der nächsten Bundestagswahl wieder? Ist die Verbindung von Sauerstoff und Wasserstoff infam? Ist, was sie zusammenhält, die Wahrheit?
Flug zu den Sternen. Aus dem Dröhnen wächst ein Gelächter, ein fürchterliches, schneidendes, blind machendes Gelächter. Unendlichkeitsschimären. Die tiefe Tiefe wölbt sich, krümmt sich hinter den Anfang zurück. Ich, in keiner Zeit, mit dreißig Jahren totgeschossen, mit neunzig sanft entschlummert. Sechzig Jahre Differenz in der Ewigkeit.
Im Hintergrundrauschen dehnt sich die Unendlichkeit in den Raum und kreist und trifft mich. Und ich. Und ich? Vor mir die Ewigkeit und nach mir. Von nirgends ins Nichts. Schluß. Schluß. Weiß sich das Universum? Weiß es mich, dessen Angst mit mehrfacher Lichtgeschwindigkeit die Gesetze der Physik überschreitet? Da, da entfernt sich ein Punkt, oder kommt auf mich zu, so groß wie ein Milliardstel vom Kleinsten, so schwer wie viele Welten. Weg. Fort. Dort war es, wo sich einer darüber entrüstete, daß der Nachbar im Haus die

Treppe nie putzte, er aber regelmäßig; daß die frischen Semmeln des Bäckers von gestern waren; daß zum drittenmal hintereinander Weihnachten kein Schnee war und daß ihn der Sparkassenleiter, der ihn immer freundlich gegrüßt hatte, auf einmal geflissentlich übersah. Leben, das im Sein beharren will. Leben im gekrümmten Raum. Fünfzig Lichtjahre von der Erde entfernt bringt mich meine Mutter gerade zur Welt. Und fünfundzwanzig Lichtjahre weiter liegt mein Großvater in einem Schützengraben bei Verdun. Wird er fallen? Der andere, gebildetere Großvater erhält in einem Weimarer Café die Nachricht, daß seine Frau mit einer Tochter niedergekommen sei, die mich anderswo gerade stillt. Und achttausend Lichtjahre zwischen uns, im Zeitschatten eines Liedes der Rolling Stones wird gerade versucht, nachzuweisen, daß es uns gegeben hat.
Eine konvulsische Bewegung. Immer näher. Näher, immer näher. Das Verschwinden in sich selbst. Baum, Stein. Atome. Licht und ich. Eine Frequenz unter Milliarden. Das ist das Dröhnen. Das Sich-Wissen.
Sturz zurück in die Zeit ins unbegreifliche Wohnzimmer, dessen Flächen die Unendlichkeit berühren. Bachs hohe Messe in h-moll verweht in die Sphären eines Schmerzes. Werther. Der Schmerz ist eine Idee. Jeder Schmerz kommt vom Tod. Nur ihn weiß ich. Daß ich ihn weiß, glaube ich, obwohl für den Tod nicht mehr spricht als für das Leben. Alles Unbegreifliche führt zum Tod.
Was alles durchdringt, ist ein Fehlen. Nur wir haben den Tod. Er ist das Ergebnis unserer Optik aus dem Abstand zur Welt. Der Tod verkleinert bis zur Unsichtbarkeit. Die sich entfernende Erde nicht größer als ein Stecknadelkopf. Darauf: Wir. In meiner Trauer dehnt sich der Abstand zur Welt ins Kosmische. Wohin sollte ich verzweifeln. Nichts rechtfertigt in dieser grauenhaften Grenzenlosigkeit, die so entsetzlich schweigt und dröhnt. Grauenhaft, grenzenlos: eine Alliteration. Wir, die wir auf einem Stecknadelkopf ins Unermeßliche rasen, fassen den Wahnsinn in einer Alliteration. Dann geht es auch ohne.
Die Metamorphose des Tuns zu einer Metapher des Seins.
Wir kommen ins Bild. Als eine ästhetische Wirkung des Bildes erfahren wir einen Zusammenhang. In ihm erkennen wir. Das so Erkannte ist übertragbar. Ein Wiedererkennen. Die Wiederentdeckung der Welt in einer sprachlichen Morphogenese ist ihre Entstehung. In der Identifizierung mit einem Verb regt sich eine Wandlung, ein Tun. Im Dativ scheinen wir als Besitzende auf. Im besitzanzeigenden

Fürwort beginnen wir uns zu haben. Anders ist kein Halten vor dem Abgrund. Was im Leben stürzt, weil es bleiben will, bleibt im Bild.

Im Rahmen lächerlich emsiger Molekularbewegungen springt wenige Milliarden Jahre nach dem derzeit wissenschaftlich gemutmaßten Urknall ein elfjähriger Junge aus dem 5. Stock, weil er in Mathematik eine Fünf bekommen hat; wird ein Mann erst seine Frau und dann sich erschießen, weil er nicht zugeben kann, daß er es war, der vergessen hatte, das Badewasser abzustellen. Witwenverbrennung in Indien. Goldrausch in Alaska. Massenvernichtung am Amazonas. Nero zündet Rom an. Experimenteller Nachweis der Seele. Generationen bauen an einer Pyramide. 80 Kilometer Stau zwischen Salzburg und München. Goethe in Italien. Entdeckung des Nordpols und der Sexualität. Einfamilienhäuser auf dem Mond. Amoklauf der Lemminge. Drei Hunde bekommen ein Luxuszimmer, und ein König fuhr gegen den Baum. Zitat 7. April 1970. Der Mann, der seine Vergangenheit wiederfand. 16. Februar 1964. Der Untergang der Titanic. Knochenfunde in Deutsch Ostafrika lösen das Menschheitsrätsel. 23. Oktober 1906. Der böse Engel der Empirie. Zitat 14. Juli 1798.

Wo ich mich zurückziehe, ist ein Getümmel. Voices. As-Dur von hier nach dort. Im Entfernen beginnt etwas. Was im Entfernen beginnt, nimmt Gestalt an.

Aus dem Inneren eines Wortes strömen endlose Heerscharen und ziehen übers wüste Land. Landsknechte stampfen durchs reife Korn. Aus den brennenden Dörfern tönt der Gesang der Mönche. Der Tod trommelt. Eine verhüllte Gestalt an der Marmorfreitreppe eines Palastes weint und weint. Am Flußufer stehen die Pilger und warten auf ihr Zeichen. Bevor es kommt, zerfallen sie in Nichts.

Volker Neuhaus

Das Märchen vom deutschen Dichter G.

Ansprache beim Empfang
der Landesregierung von Schleswig-Holstein
aus Anlaß von
Günter Grass' 65. Geburtstag am 19. Oktober 1992
in Lübeck

Lieber Günter,
sehr geehrter Herr Ministerpräsident,
liebe Gäste an Grass' Geburtstagsempfang,

natürlich habe ich mich sehr über die Einladung gefreut, bei so wichtigem Anlaß über meinen bevorzugten Forschungsgegenstand sprechen zu können. Selbstverständlich sah ich auch die Gefahr, der sich die Gastgeber und Gäste damit aussetzten, lese ich doch in diesem Semester etwa 28 Stunden über Grass – selbst eine Kurzfassung könnte da für Sie noch einige Längen haben. Zudem bestand nach den Laudationes der Grass-Freunde und -kenner Björn Engholm und Peter Rühmkorf für mich als drittem Redner die Gefahr ermüdender Wiederholungen und peinlicher Überschneidungen. Den Rat der Staatskanzlei im Ohr, in etwa die Mitte zwischen einer Ansprache und einem Trinkspruch einzuhalten, bin ich gestern abend im Germanistenkeller, den das Lübecker Rathaus eigens für meine Berufsgruppe bereitstellt, mit mir zu Rate gegangen, und ich habe beschlossen, keine traditionelle Laudatio zu halten, sondern in Grass' Gefilden zu wildern. Ich will Ihnen ein Märchen erzählen, wie er selbst es von der „Blechtrommel" bis zur „Rättin" so oft getan hat, ein deutsches Märchen, das aber nicht böse ausgeht, das Märchen vom Dichter G., der unter die Deutschen gefallen ist.
Es war einmal ein deutscher Dichter namens G., dem gelang etwas, was deutschen Dichtern nur sehr, sehr selten gelingt. Sein episches Erstlingswerk über einen krassen Außenseiter war ein riesiger Erfolg im In- wie im Ausland. Dabei war er sich damals noch durchaus unsicher, ob er eigentlich Schreiber oder Zeichner sei.

Kurz darauf tat unser Dichter etwas Ungewöhnliches: Er engagierte sich in der Politik, wobei die Freundschaft zu einem deutschen Landeschef mit entscheidend war. Das kostete ihn Freunde und Sympathien, denn so etwas tut ein deutscher Dichter nicht! Exakt zur Zeit seines 40. Geburtstages sah er sich dann mit revolutionären Strömungen konfrontiert, die er entschieden ablehnte, die viele seiner Kollegen aber lauthals bejahten. Das kostete ihn weitere Freunde, vor allem auf der linken Seite. Rechte und konservative Kreise standen ihm sowieso eher reserviert gegenüber. Sie störten die moralischen Bedenklichkeiten seiner Schriften, die Offenheit in sexuellen Dingen, seine Nonchalance gegenüber tradierten Werten, seine Frivolität gegen Gott und die Welt. Gelegentlich wurde er sogar als Pornograph, im griechischen Wortsinn als Literat für Huren beschimpft.
Etwas später gelang unserm Dichter G. mit einem umfänglichen Roman noch einmal ein beträchtlicher Erfolg, der aber auch schäbig heruntergemacht wurde, weil man ihn unpassend mit seinem Erstling und dessen Sensationserfolg verglich. Ein Kabinettstückchen, ein kleines episches Werk vor dem Hintergrund kriegswüster Zeit, machte ihn eine Zeitlang zu einem Liebling der Deutschlehrer. Vor seinem 65. Geburtstag geriet er abermals in eine Konfrontation mit dem breiten Publikum, das gerade von einer patriotischen Grundwelle erschüttert wurde, der er scharf ablehnend gegenüberstand – er hegte ein tiefes Mißtrauen gegen die Deutschen, das Deutsche und das „deutsche Wesen". Dem Wunsch nach politischer Einigung setzte er deshalb sein Konzept der Kulturnation entgegen. Seine politische Haltung ließ man offen seine Werke entgelten – es wurde ein Lieblingsspiel der Kritik, seine jeweils letzte Publikation hämisch herunterzumachen.
So galt er dann an seinem 65. Geburtstag vor allem als schlechter Patriot. Die, die ihn liebten, sahen in ihm einen geschätzten Lyriker, den Verfasser nie gespielter Theaterstücke und einen bedeutenden Epiker – wegen seines Jugendwerks und seines zweiten Erfolgs in der Lebensmitte. Den eigentlichen Geburtstag richtete ihm ein deutscher Landeschef aus, was ihm sicherlich Freude bereitet hat. Wenn er aber der spezifisch deutschen Häme, Bosheit und Niedertracht und der provinziellen Stickluft entkommen wollte, konnte er sich am wachsenden weltweiten Ruhm seiner Werke erfreuen. Und da Goethes Werk nie gestorben ist, lebt es heute noch und wird nach 200 Jahren mehr geliebt und geschätzt als von den Zeitgenossen.

In Lübeck ist es sicher legitim, an Thomas Mann zu erinnern. Nach der Verleihung des Nobelpreises hat er sich selbst in der „Deutschen Rundschau" eine Art Laudatio geschrieben, in der er u.a. die Übersetzungen seiner Werke in viele Weltsprachen aufzählt und dazu stolz ein Wort Emile Faguets zitiert: „L'étranger, cette posterité contemporaine".

Günter, zu deinem 65. Geburtsgag hat dein Verleger Steidl eine kleine Zusammenstellung mit Stimmen internationaler Kolleginnen und Kollegen vorgelegt, die sich fast endlos erweitern ließe. Soeben sind zur Frankfurter Buchmesse nur ein halbes Jahr nach der deutschen Premiere zwölf Übersetzungen der „Unkenrufe" simultan präsentiert worden – „L'étranger, cette posterité contemporaine". Danach darfst du deines Nachruhms, deiner Nachwelt sicher sein, deinen eigenen Warnungen in der Rede zum Feltrinelli-Preis zum Trotz. Günter Grass ist der einzige deutsche Autor in der zweiten Hälfte unseres Jahrhunderts, der weltweit zur Kennntis genommen wird, sowohl vom breiten Publikum wie gerade und besonders auch von Kollegen. Sein weltweit vielleicht glühendster Bewunderer, John Irving, hat das im Schlußwort seines großen Grass-Esays auf den Punkt gebracht: „Sie können sich heute nicht mehr als belesen bezeichnen, wenn Sie ihn nicht gelesen haben. Günter Grass ist einfach der originellste und vielseitigste lebende Autor."

Ich möchte noch einmal auf den deutschen Dichter G. aus meinem Märchen zurückkommen. Goethe feierte seinen 65. Geburtsgag als Gast des Herzogs von Nassau-Usingen mittags im Biebricher Schloß und abends in Wiesbaden mit drei Freunden. Zehn Flaschen seines Lieblingsweins, des „Eilfer Rotenberger", hatten ihm die Brentanos aus Winkel zum Geburtstag gesandt – sie scheinen alle getrunken worden zu sein, und Goethe schreibt noch in der Nacht an Zelter, der mitgetrunken hatte: „Nur für Dich! Wenn man getrunken hat, weiß man das Rechte." Und am nächsten morgen fügt er hinzu:

„Doch ist das Übermaß
auch gleich zuhanden.
Oh Hafis, lehre mich,
wie Du's verstanden."

Und ins Tagebuch trägt er – als kleine Warnung für dich, Günter, sei es zitiert – am folgenden Tage ein: „29. 8. 1814: Nicht wohl. Im Bette geblieben."

Günther Schulze-Wegener

Ich will nicht über Goethe schreiben!

Unversehens zum Mitglied der „Fachöffentlichkeit" avanciert, so jedenfalls will es die freundliche Einladung, einen Beitrag zum Goethejahr zu leisten, sieht man sich auch schon in der gräßlichsten Verlegenheit. Was wohl könnte unsereiner über Goethe schreiben, das nicht schon hundertmal geschrieben worden wäre? Ist nicht jedes Wort des Dichters registriert, katalogisiert und kommentiert? Die Besteigung des Chimborasso möchte vergleichsweise ein Kinderspiel sein. Wer es dennoch unternähme, „etwas über Goethe" zu schreiben, stünde vor dem literarischen Suizid.

Und was mich selbst betrifft, so bin ich einige Male in meinem Leben Goethe begegnet, und jede Begegnung endete mit schweren Irritationen, wenn nicht gar in einer Katastrophe. Nein, ich will nicht über Goethe schreiben. Aber vielleicht muß das näher erläutert sein, wenn man nicht als Feigling, Versager oder – was noch ärger wäre – als eingebildeter Laffe gelten wollte? Wer nicht über Goethe schreiben will und statt dessen über sich selbst schreibt, setzt sich der schwersten Gefahr aus, ein für alle Mal gebrandmarkt als eitler Fatzke oder gar als postmoderner Literat! Dabei ist es nicht Eitelkeit, die mich lenkt, sondern die Flucht aus der Not in die Tugend.

Viermal in meinem Leben bin ich Goethe begegnet. Das erste Mal war es sozusagen eine Begegnung der anderen Art, gehüllt ins Halbdunkel des Mystisch-Magischen, denn sie geschah im Traum. Das war, als ich in einem Wetzlarer Hotel nächtigte. Natürlich hatte ich tags zuvor das Lotte-Haus besucht, war dort – leise auftretend – auf Goethes Spuren gewandelt, bewegt und ergriffen. Und dann, nächtens, hörte ich träumend, wie Goethe zu Lotte sprach. Er tat das mit klarer, sonorer Stimme und ganz ohne jenen fatalen Frankfurter Akzent, den man ihm nachsagt. An sich hätte, mich dies stutzig machen müssen, doch meine Begeisterung über das unerhörte Erhörte ließ logische Einwände nicht zu. Dann aber faßte mich Verzweiflung. Ich konnte mich des Inhaltes seiner Worte nicht entsinnen. Ganz deutlich hatte ich sie vernommen, aber ich hatte sie vergessen. Es war eine furchtbare Erkenntnis: ich hatte ein Goethewort vergessen!

Erst allmählich gewann ich meine Fassung zurück und damit Tröstung bei dem Gedanken, daß solche Begegnung doch wohl eher ins Reich des Übersinnlichen gehöre. Esoterik ist meine Sache nicht. Und so gewann die Überzeugung Oberhand, daß man die ganze Sache besser weglasse.

Nicht so die zweite Begegnung, die weitaus handfester sich darstellen sollte, denn es war die Begegnung mit einem Bilde. Es war die lavierte Tuschzeichnung (was immer das sei) von Johann Heinrich Wilhelm Tischbein mit dem Untertitel: Goethe am Fenster seiner Wohnung in Rom. Dabei stimmt das nicht ganz, denn im Grunde ist das gar keine Wohnung, sondern eine höchst bescheidene Kammer im Haus Nummer zwanzig in der Via del Corso, wo zahlreiche Künstler logieren. Die derben Fensterläden, die gesprungene Fliese am Boden zeugen von dem ärmlichen Ambiente. Und der junge Goethe lehnt da am halb geöffneten Fenster in legerer Weste und nicht ganz korrekt sitzender Hose, in Strümpfen gar, und schaut in den hellen Tag, hinab auf die bunte Menge, die sich da drunten behend durch die Straße zerschlägt. Man sieht sie zwar nicht, aber man ahnt sie. Dieser Mensch hat etwas Jungenhaftes, Unbekümmertes, etwas ungemein Sympathisches eben.

Man möchte auf ihn zugehen, ihm auf die Schulter klopfen und sagen: „Freund, zieh deine Stiefel an und komm mit hinaus. Wir wollen uns unters Volk mischen, den Corso hinabbummeln und dann – Cestius vorbei – fröhlich zum Tiber hinab. Oder, besser noch, wir biegen vorher rechts ab, über die verrottete Brücke dringen wir in Trastevere ein, wo aus allen Tavernen munteres Stimmengewirr quillt, durchmischt mit Gitarren- und Mandolinenklang. Dort laß uns rasten bei Velletri oder Falerner, und wenn uns das Glück hold ist, treffen wir auf eine freundliche Faustina, die uns reizend den Abend verkürzt."

Ja, so möchte man sprechen und wäre sicher, nicht auf taube Ohren zu treffen, hat doch dieser jungenhafte Goethe seine Sturm- und Drangzeit so lange noch nicht hinter sich. Und ein Chorknabe war er wohl nicht, schrieb doch der immer etwas schulmeisterlich wirkende Johann Heinrich Voss einst: „In Weimar geht es schrecklich zu. Der Herzog läuft mit Goethen wie ein wilder Pursch auf den Dörfern herum. Er besauft sich und genießet brüderlich einerlei Mädchen mit ihm ..."

Nun, nun, so weit müssen wir es nicht kommen lassen, und am Ende ist es auch ein wenig übertrieben, aber der Dichter bekennt selbst: „Die ersten zehn Jahre meines Weimarischen Lebens könnte ich nur

Exzellenz stößt Kleist und Grillparzer vor den Kopf

im Gewande der Fabel oder eines Märchens darstellen; als wirkliche Tatsache würde die Welt es nimmermehr glauben".
O doch, wir glauben es! Diesem tollen, „wilden Purschen" glauben wir durchaus, daß er bereit ist, sich mit uns zu besaufen und die Nächte durchzuschwärmen. Das eben macht ihn ja so sympathisch! Und dabei hat er so herrliche Verse geschrieben:

O Mädchen, Mädchen,
Wie lieb ich dich ...

Und dann steigert sich das Lied zu emphatischer Höhe:

Wie ich dich liebe
Mit warmem Blut,
Die du mir Jugend
Und Freud und Mut ...

Dann aber geschieht es: Freud und Mut – wozu? Die Sterne vom Himmel zu holen, möchte man denken, oder doch einen Drachen zu besiegen. Aber nein, so weit möchte er denn doch nicht gehen. Er läßt sich nur ermutigen „zu neuen Liedern und Tänzen". Das ist schon ein wenig enttäuschend, nein, eigentlich sehr enttäuschend. Was soll man davon halten? Und was soll vollends ich damit anfangen?
Ein zweites Bild wird Auskunft geben, hoffe ich. Diesmal ein feierliches Ölbild, in Lebensgröße sogar, und wieder von Heinrich Wilhelm Tischbein gemalt: Goethe in der Campagna. Man sieht es auf den ersten Blick: mindestens zehn Jahre müssen zwischen beiden Bildern liegen. Dieser ist nicht mehr jener „wilde Pursch", der mit uns auf Sauftour ginge. Wir würden nicht einmal wagen, ihm vertraulich auf die Schulter zu klopfen; denn hier begegnet uns ein ernster Mann, gereiften Alters und gesammelten Wesens. Auf antiken Trümmern ruht er, einen weißen Mantel, fast schon ein Prophetenmantel, um die Schultern drapiert, die hohe Stirn von einem breitrandigen Kalabreser beschattet, der Blick schweift mit souveräner Gelassenheit in die Ferne. Was mag ihn im Innersten bewegen? Nun, der Maler sagt es uns an anderer Stelle: Goethe sinnt über das Schicksal der menschlichen Welt nach. Woher er das weiß? Er verrät es uns nicht, und vielleicht irrt er sich sogar, denn Gedanken sind frei. Womöglich hat dieser Goethe über den Doktor Faustus nachgedacht, dessen Schicksal er soeben in Knittelverse gegossen nach altdeutscher Manier und

wie er die Sache weitertreiben werde. Aber es möchte auch sein, daß er nur überlegte, was er sich zum Abendessen bestellen werde. Doch nein, hinter dieser Stirn müssen erhabene Gedanken wohnen, hat er doch den „Werther“ geschrieben und den „Wilhelm Meister“, den „Götz“ und den „Clavigo“ und noch vieles mehr, ist Geheimrat gar und geadelt und geht am Hofe des Herzogs von Sachsen-Weimar-Eisenach ein und aus. Soviel ist sicher: keine billige Kameraderie, keine plumpe Vertraulichkeit. Mit ihm zu spazieren könnte wohl ehrenvoll sein und Gewinn bringen – aber ihn zu einer Zechtour bewegen? Aussichtslosl

Nun, was dem Kundigen geläufig, mag den Unkundigen in Erstaunen setzen: beide Bilder entstanden im selben Jahr, und da fragt man sich denn, welcher Goethe wohl der eigentliche sei, und voller Ratlosigkeit pendelt man zwischen beiden Bildern und ist abermals irritiert.

Gibt nähere Betrachtung weiteren Aufschluß? Im Gegenteil. Ein neues Rätsel tut sich auf: ist nicht das linke Bein des Dichters länger als das rechte? Gewiß, Zeitgenossen berichten, er sei ein wenig kurzbeinig gewesen, aber soviel ist gewiß: beide Beine waren gleich lang. (Besonders das linke, ist man versucht zu kalauern, was wir aber nicht tun wollen.) Leugnen aber läßt es sich nicht, daß des Dichters linkes Bein zu lang geraten ist. Eine Mystifikation oder ein schlichter Irrtum des Malers? Wir nehmen letzteres an. Heinrich Wilhelm Tischbein hat sich schlicht in der Perspektive geirrt. Er hat sich verzeichnet. Er hat Goethe verzeichnet.

Die Tatsache stimmt nachdenklich. Tischbein immerhin kannte Goethe persönlich, wohnte in Rom Wand an Wand mit ihm. Dennoch hat er ihn verzeichnet. Um wieviel mehr mögen ihn wohl andere verzeichnet haben, die ihn weniger gut kannten, ihm nie begegnet sind? Und wie würde ich ihn wohl verzeichnen, der ich ihn so wenig kenne. Nicht einmal alles habe ich von ihm gelesen. Und ich sollte über ihn schreiben? Ich, den schon zwei Bilder in Verwirrung stürzen?

Oder sollte ein drittes Bild zur Klarheit helfen? Ein letzter Versuch sei gewagt. Das Bild, das mir nun vor Augen steht, ist wahrhaft majestätisch! Gemalt hat es nicht jener Tischbein, der inzwischen zu bescheidenen Ehren gekommen und unserem Blick entschwunden ist, sondern Gerhard von Kügelgen, und man schreibt das Jahr 1812. Da steht er nun vor uns in voller Montur sozusagen, der Herr Minister, und trägt einen großen Stern und das Kreuz der Ehrenlegion! Er, der Dichterfürst, der Olympier. Mit Ehrfurcht nur wagt man sich ihm zu nahen, und nicht jedem schlug eine solche Begegnung zum Segen aus. Kleist ward vor den Kopf gestoßen, und Grillparzer bekennt, daß es ihm fast lieber gewesen wäre, die Exzellenz hätte ihn hinausgeworfen, als ihn mit solcher Kälte zu empfangen. So manchem erging es nicht anders. Als schier unnahbar galt zuweilen der Verehrte und konnte doch so liebenswürdig sein. Ja, er klagt:

Warum stehen sie davor?
Ist nicht Türe da und Tor?
Kämen sie getrost herein,
Würden wohl empfangen sein.

Ein aufmerksamer Gastgeber konnte er sein, der den Rotwein mit eigener Hand aus der bauchigen Flasche in die Gläser schenkte, ein geduldiger Zuhörer und kluger Ratgeber – und dann, zu anderer Zeit, ein erbarmungsloser Richter. Derbe zulangen konnte er und „recht bestialisch" sein.

Was nun? Nur ein Mensch mit seinem Widerspruch? Oder ein Genie mit hundert Facetten? Wer wollte von sich sagen, er habe die ganze Persönlichkeit erfaßt? Darum wohl hat man ihn so oft zerlegt: „Goethe als dieser" – „Goethe als jener" – er hätte sich wohl zu wehren gewußt gegen solche Versuche, ihn gleichsam in Einzelteile zu zerhacken, war doch sein höchstes Glück die Persönlichkeit! Und die als Kunstwerk, nicht als Flickwerk!

Am Ende haben wohl alle geirrt, die sich an ihm versucht haben. Was Wunder auch, hat er sich doch in schier unglaublicher Weise über sich selbst getäuscht: „Auf alles, was ich als Poet geleistet habe, bilde ich mir gar nichts ein. Es haben treffliche Dichter mit mir gelebt, es lebten noch trefflichere vor mir, und es werden ihrer nach mir sein. Daß ich aber in meinem Jahrhundert in der schwierigen Wissenschaft der Farbenlehre der einzige bin, der das Rechte weiß, darauf tue ich mir etwas zugute, und ich habe daher ein Bewußtsein der Superiorität über viele!"

Ach ja, diese Farbenlehre! Dreißig Jahre seines Lebens hat er daran gewandt, und kein anderes Werk aus seiner Feder hat größeren Umfang. Und doch – kein modernes Lehrbuch der Optik erwähnt seinen Namen. Dafür steht der seines so erbittert bekämpften Gegners Newton auf jeder dritten Seite. Gewiß, auch Newton hat sich ein bißchen geirrt, aber er hat dennoch den Grund gelegt für alle fernere Wissenschaft dieser Disziplin. Was wohl hätte ein Physiker auch anfangen sollen mit den „Taten und Leiden des Lichts"? Er war ein aufmerksamer Beobachter, der Naturforscher Goethe. Ein Physiker war er nicht. Darum findet man eine Menge Poesie in der „Farbenlehre", viel Symbolik auch und viel Kluges über den Menschen, und darum lohnt selbst heute noch die Lektüre. Aber Physik findet man wenig.

Und was wohl hätte Goethe dem Physiker geantwortet, der rundheraus behauptet, es gäbe gar kein Licht, sondern nur elektro-magnetische Schwingungen, die in gewissem Frequenzbereich dem menschliche Auge als Licht erscheinen? Und was hätte er dem Guru der modernen Quantenelektrodynamik, dem Nobelpreisträger Richard Feynman, entgegnet, wenn der seinen Studenten sagte, man solle nicht so provinziell sein, das unserem Auge Wahrnehmbare für die ganze Welt zu halten? Hört man nicht förmlich das Grollen des Naturforschers Goethe, dem das Auge sonnenhaft war? Fragen über Fragen! Und vielleicht behält er am Ende sogar recht, wußte er doch sehr wohl, wie schwierig es ist zu erkennen, was die Welt im Innersten zusammenhält.

Was mich angeht, so werde ich mich hüten, ein Urteil über diesen Goethe zusammenzubosseln. Wer wollte ihn fassen, erkennen, benennen? Vermutlich würde ich nur einen Teil meiner selbst entdecken, denn jeder sieht nur, was er begreift. Selbst Eckermann sagt in seinem Buch mit lobenswerter Selbstbescheidung: „Dies ist mein Goethe." Und da frage ich mich nun: wie sähe wohl der meine aus? Nein, und abermals nein! Ich will nicht über Goethe schreiben!

Natürlich weiß ich, daß man mit gutem Recht fragen könnte, warum ich soviel Papier beschrieben habe, nur um zu sagen, daß ich kein Papier beschreiben will, und ob das nicht recht absurd sei. All jenen, die so fragen, sei mit des Dichters eigenen Worten entgegnet:

Deine Werke zu höchster Belehrung
Studier ich bei Tag und Nacht.
Drum hab ich in tiefster Verehrung
Dir ganz was Absurdes gebracht.

Kurt Sigel

Goethe-Rummel

Kenne Sie en
Frankforder Dichder? ei
freilich de
Geedhee!

Kenne Sie ... nix
waaß ich un wen ich
wähle duh geht Sie
nix aa!

Kenne Se en lewende
Frankforder Dichder? aaner
von hier? naa ... doch
wadde Se mal de Geedhee

De Geedhee!
nadierlich de Geedhee un
nor de Geedhee
Geedhee hinne un Geedhee
vorne

Geedhees Gebortsdaach
Geedheepreis
Geedheeplagedde
Geedheetest un dann
die Preisfraache zu
Geedhees Gebortsdaach:

Was de klaa Geedhee
als Bebifudder krieht hat
wanner zuletzt in
sei Windle geschisse hat
was fer Diercher die Geschwisder
Geedhee im Herschgrawe
gefiddert ham
nach was fer Seide
des Geedheehaus Fensder hat
was hat de Geedhee
am liebsde gedrunke?

De junge Geedhee
de alde Geedhee de
ganz aale
de Geedhee als Liebhawer
de Geedhee als Raufbold
de Geedhee als
Geedhee am Fließband

Sie Analfabeet
Sie herndaawer Banaus Sie!
de Geedhee is
de Geedhee is de Geedhee is
unsern Geedhee!

Der du bisd
in alle Schulbicher
uff Plakaade un Posder
in de schdädtische Parcks als
Denkmal uff Bierdeckel
un Prosbekde un Kadalooche
in Kuldurblättcher un
Zeidunge
im Fulljedong
der de bisd in de berjerliche

De junge Geedhee, de alde Geedhee, de ganz aale

Herze un Bicherregale
uff de Schbielplän in
de guhd Schdubb

Unser dääschlisch Geedhee
gibt uns die Schdadt
un wenn merr kaan hädde
missde merr uns aan erfinne
en Geedhee

Armer Geedhee!

Begegnungen

Lebende Schriftsteller erinnern sich

Iring Fetscher

Begegnungen mit Goethe

Im Unterschied zu den drei großen Schriftstellern, die mich jeweils für Monate und Jahre fast ausschließlich gefangen nahmen – Franz Kafka, Marcel Proust und Bertolt Brecht –, hat mich Geothe gleichsam mein Leben lang begleitet. Immer wieder bin ich ihm begegnet, jedes Mal habe ich andere Seiten an ihm entdeckt und auf mich wirken lassen. Wenn der Titel „Ein Leben mit Goethe" nicht zu anspruchsvoll wäre, hätte ich meinem Essay auch diesen geben können.

In einem bürgerlichen Haus mit einer großen Bibliothek hört das Kind unvermeidlicher Weise schon früh den Namen Goethe mit einer Mischung aus Hochachtung und Bewunderung. Zugleich wird ihm bedeutet, daß die Lektüre dieses Autors nichts für Kinder sei. Es gibt keine bessere Methode, um Neugier zu wecken. So stieg ich denn – 7 oder 8 Jahre alt – eines Tages auf einen Stuhl, um die Klassikerbände zu erreichen, in denen ich Goethes gesammelte Werke fand. Ich hatte Glück und geriet gleich an den einzigen Band, der einen Text enthielt, für den ich gewissermaßen „reif" war: „Dichtung und Wahrheit. Aus meinem Leben". Ich weiß nicht mehr, wie weit ich mit der Lektüre dieses Buches gekommen bin. Die Tatsache, daß ich mich ganz deutlich an den Streich erinnere, der schon auf Seite 2 zur Sprache kommt, läßt vermuten, daß ich über das erste Kapitel nicht hinaus gekommen bin. Dort las ich: „An einem schönen Nachmittag, da alles ruhig im Hause war, trieb ich im Geräms mit meinen Schüsseln und Töpfen mein Wesen, und da weiter nichts dabei herauskommen wollte, warf ich ein Geschirr auf die Straße und freute mich, daß es so lustig zerbrach. Die von Achsenstein, welche sahen, wie ich mich daran ergötzte, daß ich sogar fröhlich in die Händchen patschte, riefen: ‚Noch mehr!' Ich säumte nicht, sogleich einen Topf und auf immer fortwährendes Rufen: ‚Noch mehr!' nach und nach sämtliche Schüsselchen, Tiegelchen, Kännchen gegen das Pflaster zu schleudern ..." Schließlich warf der vergnügte Junge „alles was er schleppen konnte ... in gleiches Verderben".

Noch mehr als dieser Streich begeisterte mich die offenbare Tatsache, daß der junge Goethe straflos ausging. „Das Unglück war geschehen, und man hatte für so viel zerbrochene Töpferware wenigstens eine lustige Geschichte, an der sich besonders die schalkischen Urheber bis an ihr Lebensende ergötzten." Auf diese Weise ist mir der mit so viel feierlicher Bewunderung genannte Dichter schon früh sympathisch nahegekommen.

Die zweite – diesmal eher zufällige – Begegnung mit Goethe verdanke ich einem selbst gebauten Detektor-Radio, aus dessen Kopfhörer ich am 22. März 1932 Radio Moskau empfangen konnte. Zur Feier der hundertsten Wiederkehr von Goethes Tod zitierte ein Schauspieler mit blechernem Pathos das Gedicht „Prometheus". Goethe, der Atheist – so sollte man diese Huldigung verstehen –, gehöre zu den ideellen Wegbereitern des Marxismus-Leninismus und der Sowjetunion. Natürlich wußte ich das damals ebensowenig, wie ich das Gedicht kannte. Die Wucht der Rezitation beeindruckte mich aber, und ich schlug bald darauf im Band „Gedichte" der Werkausgabe nach, um zu prüfen, ob der Vielgerühmte tatsächlich so wilde Worte von sich gegeben hatte:

Ich dich ehren? Wofür?
Hast du die Schmerzen gelindert
Je des Beladenen?
Hast du die Tränen gestillt
Je des Geängsteten?
Hat nicht mich zum Manne geschmiedet
Die allmächtige Zeit
Und das ewige Schicksal,
Meine Herrn und deine? ...

Hier sitz' ich, forme Menschen
Nach meinem Bilde,
Ein Geschlecht, das mir gleich sei:
Zu leiden, zu weinen,
Zu genießen und zu freuen sich,
Und dein nicht zu achten,
Wie ich!

Doch, dieser Dichter imponierte mir ungemein, auch wenn ich damals – gerade zehnjährig – noch nicht durch die oberflächliche Rezeption Nietzsches zum Atheisten geworden war wie vier, fünf Jahre danach.

Ganz anders klangen die großen metaphysischen Gedichte, die ich während späterer Jahre für mich entdeckte und – für immer – lieb

Amerika, du hast es besser

gewann. Da war Goethe weit davon entfernt, ein Atheist zu sein, sondern ließ den Leser ergriffen die Größe der Gottheit empfinden, die Vergänglichkeit und Kleinheit des Menschen und seine dennoch hohe Aufgabe. „Grenzen der Menschheit“ und „Das Göttliche“ waren die beiden Gedichte, die ich bald auswendig konnte und – später nach Überwindung der Nietzsche-Phase – oft vor mich hinsagte:

Wenn der uralte,
Heilige Vater
Mit gelassener Hand
Aus rollenden Wolken
Segnende Blitze
Über die Erde sät,
Küß ich den letzten
Saum seines Kleides,
Kindliche Schauer
Treu in der Brust...“

Es störte mich nicht, daß Goethe meist von Göttern und nicht von dem einen Gott des Christentums sprach. Die Aufforderung „Edel sei der Mensch, hilfreich und gut!“ konnte ich aber sehr wohl als Ausdruck christlicher Nächstenliebe begreifen.

Nur allein der Mensch
Vermag das Unmögliche:
Er unterscheidet,
Wählet und richtet;
Er kann dem Augenblick
Dauer verleihen.

Er allein darf
Den Guten lohnen,
Den Bösen strafen,
Heilen und retten,
Alles Irrende, Schweifende
Nützlich verbinden...

Es dürften wiederum einige Jahre vergangen sein, ehe ich den „West-Östlichen Divan“ zu lesen begann und dort, lange bevor ich sie erfahren hatte, eine Verherrlichung der sinnlichen Liebe fand: Liebe und Tod werden hier in eins verbunden und doch nicht als Tragik, sondern im Gegenteil als Gesetz des Lebens glorifiziert. Ich kann es eigentlich noch gar nicht richtig verstanden haben, und doch faszinierte es mich:

Sag es niemand, nur den Weisen,
Weil die Menge gleich verhöhnet:
Das Lebendige will ich preisen,
Das nach Flammentod sich sehnet.

In der Liebesnächte Kühlung,
Die dich zeugte, wo du zeugtest,
Überfällt dich fremde Fühlung,
Wenn die stille Kerze leuchtet.

Nicht mehr bleibest du umfangen
In der Finsternis Beschattung.
Und dich reißet neu Verlangen
Auf zu höherer Begattung.

Keine Ferne macht dich schwierig,
Kommst geflogen und gebannt,
Und zuletzt des Lichts begierig,
Bist du Schmetterlingverbrannt.

Und solang du das nicht hast,
Dieses: Stirb und werde!
Bist du nur ein trüber Gast
Auf der dunklen Erde.

Erst viele Jahre später brachte mir mein philosophischer Lehrer Eduard Spranger ein anderes Gedicht aus dem „Divan" nahe, ein Gedicht, dessen bekannteste Zeilen meist allein zitiert werden, so daß der eigentliche Sinn des Ganzen verloren geht.

Volk und Knecht und Überwinder,
Sie gestehn zu jeder Zeit:
Höchstes Glück der Erdenkinder
Sei nur die Persönlichkeit...

Auf diese Worte Suleikas antwortet aber Hatem und gibt damit erst die eigentliche Überzeugung des Verfassers preis:

Kann wohl sein! so wird gemeinet;
Doch ich bin auf andrer Spur:
Alles Erdenglück vereinet
Find ich in Suleika nur.

Wie sie sich an mich verschwendet,
Bin ich mir ein wertes Ich;
Hätte sie sich weggewendet,
Augenblicks verlör' ich mich...

Eduard Spranger verdanke ich auch die andere Korrektur einer verbreiteten Fehlinterpretation Goethescher Texte. Der Dilthey-Schüler führte zwar das Wort Hermeneutik nicht im Munde, brachte uns aber die angemessene Interpretationsweise nicht nur philosophischer, sondern auch poetischer Texte nahe. Einer meiner germanistischen Lehrer verstörte mich dagegen durch seine durchaus korrekte, aber doch abschätzig gemeinte Bezeichnung des „Faust II" als eines „Tragelaphs" so sehr, daß ich von da an seine Vorlesungen mied. Auch wenn ich inzwischen – durch den Krieg um fünf Jahre Studienzeit gebracht – 24 Jahre alt war, fühlte ich mich noch immer beinahe kindlich durch diese Charakterisierung mit verletzt. Ein Tragelaphos ist „ein der orientalischen Künstlerphantasie entsprungenes Mischwesen aus Bock und Hirsch". So wenig harmonisch wie dieses Fabeltier, so verstand ich den Germanisten, sei die Komposition dieses unaufführbaren Dramas. Eine derart formale Abwertung schien mir unangemessen. Erst im Nachhinein wurde mir bewußt, daß ein unbewußtes Motiv dieser kritischen Äußerung die Hölderlin-Begeisterung des Hochschullehrers gewesen sein dürfte. Goethe hatte Hölderlin nicht genügend gewürdigt, das zahlte ihm der Hölderlinforscher jetzt heim.

Die Stelle im zweiten Teil des Faust, die oft und gern zitiert und ebenso mißverständlich aufgenommen wird wie das Gedicht aus dem „West-Östlichen Divan", enthalten die letzten Worte Fausts, der erblindet das Geräusch der sein Grab schaufelnden Lemuren für Arbeiten an der von ihm befohlenen Landgewinnung hält. Heute würde man sagen, die meisten die sich auf diese Sätze beziehen, verstehen sie „kontextfrei", als ob es hier um wirkliche Leistungen für

„viele Millionen“ ginge, die auf ihrem Land „nicht sicher zwar, doch tätig frei“ wohnen können:

> Das ist der Weisheit letzter Schluß:
> *Nur der verdient sich Freiheit wie das Leben,*
> *Der täglich sie erobern muß!*
> Und so verbringt, umrungen von Gefahr,
> Hier Kindheit, Mann und Greis sein tüchtig Jahr.
> Solch ein Gewimmel möcht ich sehn,
> *Auf freiem Grund mit freiem Volke stehn.*
> Zum Augenblicke dürft ich sagen:
> „Verweile doch, du bist so schön!
> Es kann die Spur von meinen Erdentagen
> Nicht in Äonen untergehn’...“

Nur wenn man die Regieanweisung und den folgenden Text wegläßt, ist das der Bericht eines großen Erfolges. Die aber lautet: „Faust sinkt zurück, die Lemuren fassen ihn auf und legen ihn auf den Boden“, und Mephistopheles bemerkt zynisch: „Den letzten, schlechten, leeren Augenblick, der Arme wünscht ihn festzuhalten. Der mir so kräftig widerstand. Die Zeit wird Herr, der Greis hier liegt im Sand. Die Uhr steht still...“

Der Satz „Nur der verdient sich Freiheit...“ wurde in der Nazizeit gern zitiert und auf den „heroischen Kampf“ der Nazis und der Wehrmacht bezogen. Auch wenn von einem führenden Mann dieser Zeit – ich glaube, es war ein Reichsstatthalter oder ein Reichsminister – die Sätze kolportiert wurden „Mit Goethe kann ein Volk zugrunde gehen, mit Schiller aber nicht“, benutzte man gern diesen scheinbar so martialischen Satz, um doch auch Goethe ins Repertoire der großen Vorläufer einbeziehen zu können.

Die Führung der DDR aber schmückte die Stalinallee mit dem anderen Text aus Fausts letzten Worten „Auf freiem Grund mit freiem Volke stehn...“. Manche Bürger des Staates mögen die Ironie dieses Bezugs auf „Freiheit“ gespürt haben.

***

Nur einmal habe ich mich auch publizistisch mit Goethe beschäftigt. Ich versuchte, das kleine Gedicht „Amerika, du hast es besser“ einer

Kritik durch einen aktualisierten Mephistopheles zu unterziehen, der im Himmel dem Geheimrat begegnet.
Im Jahr 1796 hatte Goethe in Schillers „Musenalmanach“ zusammen mit dem Dichterfreund sogenannte „zahme Xenien“ veröffentlicht, Gastgeschenke, die in Wahrheit zum größten Teil aggressiv-bissige Satiren auf Zeitgenossen und deren Werke darstellten. Zum IX. Buch gehört das Gedicht „Den Vereinigten Staaten“. Es beginnt mit dem schon zitierten Satz „Amerika, du hast es besser“ – nämlich:

Als unser Kontinent, der alte,
Hast keine verfallenen Schlösser
Und keine Basalte.
Dich stört nicht im Innern
Zu lebendiger Zeit
Unnützes Erinnern
Und vergeblicher Streit...

Darauf lasse ich den bekannten Unterteufel Mephistopheles erwidern: „Von allen Ihren oft gescheiten Prognosen, Herr Geheimrat, war wohl keine verkehrter als die, welche Sie den Vereinigten Staaten gestellt haben. Sensibel, wie Sie nun einmal sind, haben Sie gewiß den zukunftsfrohen Optimismus dieser Menschen der Neuen Welt ganz zutreffend erkannt. Aber Sie hätten ihnen nicht aufs Wort glauben dürfen. So jung auch damals die Vereinigten Staaten noch waren (kaum 20 Jahre alt), in den Grundmauern der Siedlungskolonien waren schon die Leichen vergraben, deren Geister kaum drei Jahrzehnte nach Ihrem Verlassen der Erde über den kämpfenden Streitkräften im nordamerikanischen Bürgerkrieg schwebten. Ich meine die Opfer der Sklaverei. Hätten Sie damals auf mich gehört, statt den humanistisch-frisierten Worten Ihres Bewunderers Ralph Waldo Emerson zu trauen, wäre Ihnen eine so krasse Fehldeutung nicht unterlaufen. Auch Ihr Zeitgenosse Hegel hat übrigens Amerika verkannt. Glauben Sie immer noch im Ernst, daß die blutige Unterdrückung und vielfache Tötung der indianischen Urbevölkerung auf ewig vergessen bleiben würde? ...Wenn Sie mit Basalten erstarrte Lava meinen, wie ich bei Ihrer bekannten Vorliebe für metaphorische Ausdrucksweisen annehmen darf, dann stimmt auch das nicht; allzuviel erstarrte Lava ist vom Bürgerkrieg noch immer übriggeblieben; erstarrte und verkrampfte Ressentiments der ‚poor whites‘ in den amerikanischen Südstaaten auf der einen Seite und antirassistischer

Rassenhaß der Afroamerikaner auf der anderen. Schließlich wird heute kein intelligenter US-Amerikaner mehr glauben, daß ‚Erinnern unnütz' sei. Er weiß, wie notwendig es gerade auch für Amerikaner ist, sich zu erinnern, wenn die Geister der Erschlagenen endlich zur Ruhe kommen sollen. Das Verdrängen historischer Verbrechen macht eine Nation nicht frei. Solange sie nicht bewußt gemacht, erkannt, analysiert und verurteilt sind, lasten sie wie ein Alp auf den nachlebenden Generationen. Das wissen gerade Ihre engeren Landsleute am besten, die auf den von Ihnen geschätzten Höhen Ettersbergs ein Konzentrationslager errichtet haben, in dem Unschuldige gefangen gehalten und zu Tausenden zu Tode gequält worden sind.“

Etwa zehn Jahre nachdem ich diesen (ein wenig ergänzten) Text erstmals geschrieben hatte, machte ich – illegal – auf der legalen Autoreise nach Dresden (damals erhielt man von den DDR-Behörden immer nur die Einreise- und Aufenthaltsbewilligung für ein begrenztes Gebiet) einen Abstecher nach Weimar. Eine Führung durch Goethes Wohnhaus am Frauenplan im Jahr 1985 brachte noch einmal eine ganz andere Begegnung mit dem Dichter. Eine thüringisch sprechende mittelalterliche Frau führte uns durch das große Haus. Zwei Besonderheiten dieser Führung haben meine Frau und mich damals amüsiert: In einer Vitrine sah man Goethes Staatsrock mit einem prunkvollen russischen Orden geschmückt, von dem unsere kundige Begleiterin meinte, er habe ihn zwar nie getragen, aber man habe es für richtig gehalten, diese „kleine Huldigung unseren russischen Freunden“ zu bringen. Die zweite Besonderheit, auf die sich die DDR-Leitung etwas zugute hielt, war ein kleines Zimmer, von dessen Fenster man den Innenhof und etwa hereinkommende Kutschen sehen konnte. Man habe dieses Zimmerchen eingerichtet zur Erinnerung an die so oft geschmähte proletarische Frau des Geheimrats, von der sonst nichts im Hause zu künden schien. Ein wenig entwaffnend wirkte die Offenheit, mit der diese kleinen Fälschungen einbekannt wurden. „Corriger l'histoire“ hätte Goethe das vermutlich gutmütig lächelnd genannt. Er kannte seine braven Deutschen und ihre Bereitschaft, ihrem jeweiligen Fürsten entgegenzukommen!

Ota Filip

Goethe in meinem Böhmen

Wissenschaftliches habe ich über Johann Wolfgang Goethe nichts zu berichten, weil ich mich mit ihm nur als sein Leser und Bewunderer beschäftigt habe. Ich mag Goethe noch heute, obwohl mich mein Vater Bohumil schon mit zehn zwang, die von ihm zensurierten Schriften des Geheimrates aus Weimar zu lesen, damit ich, wie Vater Bohumil besorgt sagte, mein Deutsch kultiviere. Als ich mich damals, es war 1940 oder 1941, bei meinem deutschen Freund Heinz Kupka beschwerte, daß ich nicht wie er Karl May lesen dürfe, sondern immer nur diesen Goethe, spuckte er aus und sagte: „Ich kenne vom Goethe nur ein einziges Gedicht, und das reicht mir: Der Arsch ist keine Flöte, Johann Wolfgang Goethe."

Ich kann dem Leser auch keine neue Fakten über Goethes mehr als dreißig Aufenthalte in Karslbad, in Marienbad oder in Teplitz-Schönau mitteilen, und zwar aus einem einfachen Grund: Ich habe über Goethe in Böhmen keine Nachforschungen angestellt, denn sein Privatleben war für mich nie so aufregend wie seine Dichtung. Nur über Ulrike, seine letzte große Liebe in Marienbad, habe ich vor zwei Jahren durch Zufall von einem tschechischen Literaturhistoriker – seinen Namen gebe ich nicht preis – einige so skandalöse Einzelheiten erzählt bekommen, daß ich sie lieber für mich behalte.

Aber wenn ich schon meine Jugend-, meine Lehr- und einige Meisterjahre in Böhmen, und zwar auch in Karlsbad, verbracht habe, dazu noch unter kommunistischer Herrschaft, dann muß ich Johann Wolfgang Goethe meinen Dank aussprechen: Seine Literatur war für mich in den bösen fünfziger Jahren des kommunistischen Terrors eine literarisch-westfremdsprachige Nische, in die ich mich verkriechen konnte, ohne von den stets wachsamen Marxisten-Leninisten auf Grund meiner Lektüre als ein westlicher Dekandenzler entlarvt zu werden. Kafkas „Prozeß" las ich im Original zur Tarnung vor den wachsamen Hütern des sozialistischen Realismus in den Schutzumschlag von Goethes „West-Östlichen Divan" eingelegt. Und weil ich damals, in der zweiten Hälfte der fünfziger Jahre, für den tschechoslowakischen Rundfunk in Karlsbad gearbeitet habe, bin ich sehr viel in der Gegend auf der böhmischen Seite des Erzgebirges unterwegs gewesen.

Eines ist mir, dem Goethe-Kenner mit zahlreichen Bildungslücken, schon damals aufgefallen: In fast allen vor 1945 sudetendeutschen Dörfern an den alten Wegen, die aus Thüringen und aus Sachsen über das Erzgebirge nach Böhmen führen, habe ich – fast – an jeder Dorfkneipe, an jedem Gasthaus oder an der Wand eines ehemaligen deutschen Gemeindeamtes, in Bronze gegossen oder in Marmor gemeiselt, deutsch lesen können: In diesem Haus, Gasthaus, Hotel usw. hat J. W. Goethe – es folgten genaue Datenangaben – übernachtet, gewohnt, gespeist, sich ausgeruht usw.

Dazu muß ich bemerken: Deutsche Aufschriften auf Goethes unzähligen Gedenktafeln wurden in den einst sudetendeutschen Gebieten des böhmisches Grenzlandes nicht zerstört, denn Johann Wolfgang Goethe aus Weimar galt in den Augen der tschechischen Genossen als ein Bürger der fortschrittlichen DDR...

Es geht mir nicht in den Kopf: Goethe war lebenslang ständig zwischen Weimar und den damals weltberühmten westböhmischen Kurbädern unterwegs. Die Reise von Weimar über das Erzgebirge nach Karlsbad oder zurück dauerte auf dem damaligen Kutschenweg über 160 Kilometer drei, bei schlechtem Wetter auch vier Tage. Es ist also sicher, daß Goethe auf seinen zahlreichen Reisen nach Karlsbad, nach Marienbad oder nach Teplitz-Schönau in den böhmischen Städtchen und Dörfern, durch die die Kutschenwege führten, mehrmals übernachten mußte. Folglich kann man den Gedenktafeln auf den zahlreichen Gasthäusern, die an den alten Wegen liegen und die bis heute mit Goethe, ihrem berühmtesten Gast oder Bettgänger prahlen, sogar glauben. Aber der schon erwähnte tschechische Literaturhistoriker behauptete: „Zusammengezählt soll Goethe, wenn ich allen Gedenktafeln in Westböhmen glauben darf, bei seinen Reisen nach Böhmen in mehr als 300 Wirtschaften, Gasthäusern oder Hotels übernachtet haben oder abgestiegen seien. Doch das ist schier unmöglich, denn mehr als die Hälfte der bis heute erhaltenen Gedenktafeln an den großen Meister aus Weimar sind von den Sudetendeutschen an Häusern in Dörfern und in Städten angebracht worden, die Goethe niemals besucht haben könnte, denn sie liegen bis zu 60 Kilometer abseits von Goethes Wegen nach Böhmen."

In diesem Zusammenhang ist auch die folgende Tatsache interessant: Die meisten Gedenktafeln an Johann Wolfgang Goethe wurden in Westböhmen erst kurz vor 1900 angefertigt und feierlich enthüllt, also

in der Zeit, als auch in den westböhmischen Sudeten die großdeutschen oder großösterreichischen Pangermanisten ihren nationalen Chauvinismus, der nach 1938 in Hitlers Nationalsozialismus aufging, „zu pflegen" anfingen.
Der wehrlose Johann Wolfgang Goethe, der große deutsche Dichter und Denker, ohne den die Weltliteratur ärmer wäre, wurde damals auf eine unverschämte Art und Weise politisch mißbraucht und in einem „Kulturkampf" eingespannt, der ihm, dem großartigen Europäer, ganz fremd war.
Die von den Sudetendeutschen entweder Ende des 19. oder Anfang des 20. Jahrhunderts in Westböhmen errichteten Goethe-Denkmäler – für das schönste überhaupt halte ich seine Statue in Asch – haben den Zweiten Weltkrieg, die Vertreibung der Deutschen im Jahr 1945 und sogar die kommunistische Herrschaft unversehrt überstanden. Nur in Marienbad, das der Dichter am Ende seines Lebens liebte, erwischte Goethe ein bös-absurdes Schicksal: Seine schöne Statue aus Bronze haben sudetendeutsche Gemeindeväter im dritten Kriegsjahr für den Endsieg, der nicht eintraf, in den Schmelzöfen des Ruhrgebiets geopfert.
Zweiunddreißig Jahre lang gab es in Marienbad keinen Goethe mehr. Erst im Jahr 1975 erhielt Marienbad ein Geschenk des sogenannten ersten deutschen Arbeiter- und Bauernstaates, nämlich eine abscheuliche Statue, die den alten Goethe mit der blutjungen, allerdings dickleibigen Ulrike, seiner allerletzten Liebe, darstellt. In der Schenkungsurkunde, im Ostberliner Kulturministerium verfaßt, steht, kurz zusammengefaßt, geschrieben: Die DDR schenke Goethes und Ulrikes Statue Marienbad zum 30. Jubiläum der Befreiung der Stadt durch die glorreiche Rote Armee im Jahr 1945.
Auch die kommunistischen Stadtväter von Marienbad hat das Geschenk aus der DDR ziemlich irritiert: Die aus Bronze gegossene Statue paßte überhaupt nicht ins Bild des Kurortes, und mit der Schenkungsurkunde gab es auch ein großes Problem: Marienbad wurde im Frühling 1945 nämlich nicht von der Roten Armee, sondern von den Amerikanern befreit...
Der alte Goethe und die zu dicke Ulrike wurden in Marienbad zwar aufgestellt, jedoch nicht im Kurort, sondern im Wald versteckt.
Seit vier Jahren sitzt der zweite Johann Wolfgang Goethe – ohne Ulrike – frisch in Bronze gegossen und nach der Wende von den 1945 aus Marienbad vertriebenen Deutschen bezahlt, wieder in Marienbad an seinem alten Platz in der Parkanlage oberhalb der katholischen

Kirche, von wo er 1942 von seinen eigenen Landsleuten vertrieben und in die Schmelzöfen verfrachtet worden war.
Die Geschichte ist ab und zu auf eine seltsame Art und Weise ausgewogen: Von 1942 bis 1975 hatte Marienbad keinen Goethe gehabt, jetzt hat die Stadt zwei.
Und das Ende meiner Erinnerung an Goethe in Böhmen setzt ein tschechischer Bildhauer: Vor einigen Jahren erwarb mein Freund in der Nähe von Karlsbad, direkt am alten Kutschenweg nach Thüringen, ein Bauernhaus, renovierte es und baute es als sein Domizil und Atelier aus. Und weil er Sinn für Witz hat, fertigte er eine Tafel aus Bronze mit Goethes edlem Kopf an, mauerte sie an die Wand seines Hauses und enthüllte sie bei der feierlichen Eröffnung seines Ateliers mit Blasmusik und mit Freibier.
Seit jenem Tag kann man unter Goethes wunderschönem Kopf in fünf Sprachen – tschechisch, deutsch, englisch, französisch und russisch – lesen:

In diesem Haus am alten Weg,
der seit Menschengedenken
Böhmen mit Thüringen verbindet,
hat
JOHANN WOLFGANG GOETHE
nie gewohnt, nie geschlafen,
nie ein Stück Brot, nie eine Suppe gegessen
und auch nie Halt gemacht!

Alfred Grosser

Goethe und ich

Man weiß ja: Goethe und die Frauen, Goethe und die Nation, Goethe und die Elefanten ... Also warum nicht „Goethe und ich"? Es hat begonnen, als mir meine Mutter erzählte, nach dem Tod meines Vaters, kurz nach unserer Ankunft in Frankreich, daß dieser während seiner vier Jahre Fronteinsatz von 1914 bis 1918 nur ein einziges Buch immer im Tornister behalten hatte, um es ständig zu lesen, nämlich Goethes *Faust.* Um so größer 1933 sein Erstaunen, als undeutscher Untermensch gekennzeichnet und behandelt zu werden.

Der Abschluß des Germanistik-Studiums war die *agrégation*, ein nationaler Wettbewerb. Wenn man unter den Erlesenen ist, ist man beamteter Studienrat auf Lebenszeit. Die schriftliche Abhandlung auf deutsch (es gab auch eine auf französisch), in siebenstündiger Klausur zu verfassen, hatte als Thema: „Goethes erotische Mystik am Ende des zweiten Faust." Nun ja, ich wußte, was zu schreiben war, aber das Ewigweibliche zog mich damals wie heute weniger an als andere Verse an derselben Stelle:

... Auf freiem Grund mit freiem Volke stehn
... Wer immer strebend sich bemüht/den können wir erlösen.

Das war 1947. Ich war 22. Im folgenden Jahr begann ich eine Habilitationsschrift über den Pietismus, die wegen meines Übergangs zur Politologie nie beendet werden sollte. Aber da das Goethe-Jahr 1949 in Vorbereitung war, erhielt ich eine doppelt ehrenvolle Aufforderung von den würdigen Professoren, die die Fachzeitschrift *Etudes germaniques* herausgaben. Einerseits schrieb ich einen Artikel „Le jeune Goethe et le piétisme", weil ich sowieso über das tränenreiche Fräulein von Klettenberg arbeitete. Goethes Korespondenz zeigte mir, was der persönliche Hintergrund der *Bekenntnisse einer schönen Seele* gewesen war. Andererseits verbrachte ich lange Tage in den staubigen Regalen mancher Bibliothek, um die 429 Nummern einer „Bibliographie de Goethe en France 1932–1948" zusammenzustellen. Ich entdeckte dabei, daß in Frankreich eine Menge über Goethe geschrieben worden war, aber daß es nur sehr wenige Übersetzungen gab, um sein Werk dem französischen Leser zugänglich zu machen. Und es war eigentlich fast nur übersetzt, was dem Thema französischer Opern entsprach: *Faust* wegen Gounod, *Werther* wegen Massenet, und die *Mignon* von Ambroise Thomas führte zu Auszügen von *Wilhelm Meister.*

Später gab es den ständigen, bis heute noch nicht siegreichen Kampf gegen meine französischen Landsleute, für die Goethe der furchtbare Mann bleibt, der gesagt haben soll: „Plutôt une injustice qu'un désordre" – „Lieber eine Ungerechtigkeit als eine Unordnung". Hat er doch im völlig entgegengesetzten Sinn einen *collaborateur* der französischen Besatzungsmacht vor der Lynchjustiz retten wollen: lieber einen Schuldigen laufen lassen, auch wenn die Gefahr besteht, einen Unschuldigen durch unordentliche Gerichtsbarkeit zu verurteilen.

Darin gefiel und gefällt mir Goethe sozusagen direkt. Am meisten berufe ich mich auf ihn, indem ich seine Grundeinstellung etwas verzerre. Die Ehrfurcht als höchste Tugend: auch für mich, wenn es heißt, man solle die Schwachen respektieren, die nicht alle Vorteile gehabt oder gar einem selber den Weg zum Glück geebnet haben.

Die Gedichte? An der Spitze *Prometheus,* vor allem wenn in der Schubert-Vertonung von Fischer-Dieskau oder Hampson mit Trotz gesungen: gegen die Götter, im Namen der leidenden Menschen. Die Stücke? *Tasso,* obwohl ich mich selber nicht gespalten fühle, denn meine Bewunderung galt und gilt Antonio. Vor allem *Iphigenie.* 1997 war ich auf Zypern, um mit Griechen und Türken zusammenzuarbeiten, die gegen den Haß im eigenen Lager ankämpften. Der Leiter des Goethe-Instituts berichtete mir von seiner Überraschung: hunderte von Zuschauern in Tränen bei den Aufführungen der *Iphigenie* in großen und kleinen Städten, weil Vorurteil und Haß am Schluß durch die „reine Menschlichkeit" besiegt werden. Nein, Goethe ist nicht *out* !

Man weiß ja: Goethe und die Elefanten

Helmut Kindler

Nähe des Geliebten

Vorgestern, am Samstag, dem 7. November, überraschte mich ein Freund aus Berlin. Er ist Jahrgang 1912 wie ich, wir kennen uns seit 1945.

So sehr ich mich über seinen Besuch freute, so wenig war ich in der Lage, mich ihm wie sonst zu widmen. „Du bist nervös", sagte er. – „Mag sein", erwiderte ich, „ich bin zur Zeit im Streß". – „Wieso im Streß? Hast du etwas Bestimmtes an diesem Wochenende vor?" – „Ja, ich muß bis übermorgen einen Vortrag fertig haben." – „Worüber?" – „Über ein Thema anläßlich des bevorstehenden Goethe-Gedenkjahres." – „Goethe, wenn ich das schon höre! Der wurde mir bereits in der Schule verleidet!" – Wir hatten einen hervorragenden Deutschlehrer. Der hat sich sehr eingehend mit Goethe beschäftigt. In der Diskussion mit uns Schülern hat er durchaus auch kritische Überlegungen gelten lassen. Ich erinnere mich noch daran, daß er dem Sinn nach darlegte, er habe den Eindruck, daß die heutige Jugend, die gebildeten jungen Menschen – und damit gab er zu verstehen, er meine uns, seine Schüler – Goethes größtem Werk, dem „Faust", nicht mehr die gleiche Hingabe entgegenbrächten wie Studenten früher, die 1914 mit Reclams Faustausgabe im Tornister freiwillig in den Krieg zogen." – Mein Freund schwieg eine Weile. Dann sagte er: „Ich teile die Ansicht von James Joyce. Der hat erklärt: ‚Goethe ist Großmeister der Platitude'." Jetzt schwieg ich eine Zeitlang. – Schließlich gab er zu: „Einige seiner Gedichte gefallen mir auch." – Ich wußte nicht, was ich sagen sollte, als er fortfuhr: „Deine verstorbene Frau Nina konnte mehrere Goethegedichte auswendig. Und ich weiß noch, welche Verse von Goethe sie für die Anthologie, die sie herausgegeben hat, als sein schönstes Liebesgedicht ausgesucht hat." Und nach einer nachdenklichen Pause zitierte er leise:

Nähe des Geliebten

Ich denke dein, wenn mir der Sonne Schimmer
Vom Meere strahlt.
Ich denke dein, wenn sich des Mondes Flimmer
In Quellen mahlt.

Ich sehe dich, wenn auf dem fernen Wege
Der Staub sich hebt,
In tiefer Nacht, wenn auf dem schmalen Stege
Der Wandrer bebt.

Ich höre dich, wenn dort mit dumpfem Rauschen
Die Welle steigt.
Im stillen Haine geh ich oft zu lauschen,
Wenn alles schweigt.

Ich bin bei dir, du seyst auch noch so ferne,
Du bist mir nah.
Die Sonne sinkt, bald leuchten nur die Sterne,
O! wärst du da!“

Thilo Koch

Mit Goethe durch das Leben

„Mit Goethe durch das Jahr" heißt eine Kalenderserie, die Effi Biedrzynski kundig und liebevoll herausgegeben hat. Schön gedruckt und in Leder gebunden, mit zeitgenössischen Illustrationen geschmückt, ist sie ein Teil meiner kleinen Goethe-Bibliothek. Ihr Titel veranlaßte mich, diesen Beitrag zu nennen: Mit Goethe durch das Leben. Eine etwas hochtrabende Formulierung? Vielleicht, und doch trifft sie auf mich und mein Leben zu. Ich will versuchen zu schildern, warum und wie. Das kann nur auf eine wohl etwas unbescheiden persönliche Weise geschehen. Immerhin mag das Ergebnis ein kleiner Beitrag sein zu jener „Wirkungsgeschichte von unten", die Karl Robert Mandelkow, der Verfasser von sechs Bänden Rezeptionsgeschichte Goethes, für durchaus bedeutsam hält. Mit Recht, glaube ich, denn Goethe war zwar durchaus kein Volksschriftsteller, aber kein Autor hat auf die Dauer stärker, eindringlicher, prägender auf die Sprache und das Volk der Deutschen eingewirkt als er. Auf welche Weise geschah das in meinem Leben?

***

Am 1. September 1939 marschierte ich als Bausoldat der „Großdeutschen Wehrmacht", achtzehn Jahre alt, in Polen ein. Meine sämtlichen Habseligkeiten trug ich auf dem Rücken, verpackt in einen mit Fell bezogenen Tornister, er stammte wohl noch aus geretteten Beständen der deutschen Infanterie im Ersten Weltkrieg. Ein einziges Buch befand sich in diesem Tornister: Goethes „Faust". Mein Vater hatte in die hübsche kleine Ausgabe des Insel-Verlags eine Widmung geschrieben: „Meinem lieben Sohn Thilo dieses große Werk deutscher Sprache als treuer Wegbegleiter in schwerer Zeit".

Ich habe das Buch vom Polenkrieg wieder mit nach Hause bringen können. Es überstand Bomben und Plünderungen und den Verlust des gesamten Familienbesitzes. Nun steht es seit fünfzig Jahren in meinem Goethe-Regal, und viele mit Bleistift gekritzelte Randbemerkungen zeigen, daß ich es gründlich gelesen habe.

Natürlich hatten wir den Faust schon in der Schule „durchgenommen". Unser Deutschlehrer Friedrich Schwieger, ein kleiner, energischer Herr mit blitzblauen Augen unter buschigen Brauen, verstand es, seine Primaner dafür zu begeistern, Er war ein guter Rezitator und kundiger Interpret. In mir sah er seinen aufmerksamsten Zuhörer. Stolz zeigte ich dem Vater die Note Eins unter dem Deutschaufsatz, den wir am Ende des Pensums zu schreiben hatten.

Erwähnenswert ist diese Episode allein deswegen, weil Klassenlehrer Schwieger mich erwählte, bei der Feier des Abiturs im März 1939 am Elsterschloß-Gymnasium in Elsterwerda, Kreis Liebenwerda, Provinz Sachsen, den obligatorischen Festvortrag zu halten. Mein Thema: „Goethes Weltanschauung". In der NS-Ideologie war „Weltanschauung" ein zentraler Begriff. Schwieger, ein deutschnationaler Nazigegner, hatte ihn listigerweise mit Goethe gepaart, weil er für meine Nominierung und mein Thema die Genehmigung der NS-Jugendführung brauchte. Ich arbeitete den Vortrag aus, reichte den Text ein, Studienrat Schwieger gab ihn befürwortend weiter, aber... Der Reichsjugendführer, „gez. Baldur von Schirach", lehnte ihn ab und wies Schuldirektor Lampe an, den ranghöchsten HJ-Führer in unserer Klasse mit der Ansprache zu betrauen. Das Thema war vorgeschrieben: „Die Gliederung der HJ", ein genormter Text lag der Verfügung gleich bei.

Unser „oberster HJ-Führer", geschmückt mit der grünen „Affenschaukel" des Stammführers, hieß Karl Singer und war ein prima Kerl. Er entschuldigte sich bei mir, sagte: „Befehl ist Befehl" und las den Text, von ihm stark gekürzt, bei der Abiturfeier in der Aula lustlos herunter. Zwei Jahre später war er der erste meiner dreizehn Klassenkameraden, die ihr Leben „für Volk, Führer und Vaterland" lassen mußten.

Dieses damals alltägliche, an und für sich wenig bedeutende, aber für mich wichtige Ereignis ist bezeichnend für die Schwierigkeiten, die die Nationalsozialisten mit Goethe hatten. Ihr Ideologe Alfred Rosenberg erklärte bereits 1930 in seinem programmatischen Buch „Der Mythus des 20. Jahrhunderts", daß Goethe für die Kämpfe kommender Zeiten unbrauchbar sei, „weil er... keine Diktatur eines Gedankens anerkenne, ohne welche jedoch ein Volk nie ein Volk bleibt und nie einen echten Staat schaffen wird".

Mandelkow dazu in seinem Werk „Goethe in Deutschland": „Die NS-Prominenz mied eine Berufung auf Goethe in einer Mischung aus Gleichgültigkeit, Unkenntnis und Berührungsangst. Nicht Goethe,

Goethe gleicht einem großen Steinbruch

sondern Schiller stand nach 1933 auf der Tagesordnung der nationalsozialistischen Kulturpolitik." Goethe war Goebbels unbequem und unheimlich als Verkünder gewaltfreier Humanität, als Dichter eines übernationalen Weltbürgertums und nicht zuletzt als Freimaurer. Immerhin war der Reichspropagandaminister schlau genug, Baldur von Schirach in Weimar eine Rede über Goethe halten zu lassen. Er selbst feierte hier lieber 1935 Friedrich Schiller anläßlich von dessen 175. Geburtstag. Später hat es nicht an krampfhaften, verfälschenden und peinlichen Versuchen von NS-Germanisten gefehlt, von „Goethes Sendung im Dritten Reich" zu faseln. Man mißbrauchte das Mephisto-Wort „Blut ist ein ganz besonderer Saft" für die eigene Blut- und Boden-Phraseologie. Besonders gern aber sah man im faustischen Menschen eine Art Nazi-Ahnen und pries das Faust-Wort: „Auf freiem Grund mit freiem Volke stehen" als prophetische Voraussage für Hitlers „Befreiung des deutschen Volkes von den Fesseln des Versailler Schanddiktats."

***

Nun, Goethe gleicht einem großen Steinbruch, aus dem jeder sich Brocken herausschlagen kann, die ihm in seine Baupläne passen. Aber es wurde noch immer bald entlarvt, wer sich mit anti-goethischen Absichten an dem Geschenk vergriff, das er der Menschheit machte, das er für die Menschheit war.

Ich hatte also, um autobiographisch fortzufahren, im Krieg nicht den Marschallstab im Tornister, sondern den „Faust". Um ehrlich zu sein, es war nie der „Faust", der mich besonders zu Goethe hinbezogen hat. Dennoch versäumte ich natürlich keine Gelegenheit, das gewaltige Drama auf der Bühne zu sehen. Noch im Krieg, auf Heimaturlaub, erlebte ich die legendäre Aufführung am Deutschen Schauspielhaus in Berlin. Den „Faust" spielte Paul Hartmann, den Mephisto Gustav Gründgens. Den berühmten Gründgens-Mephisto konnte ich dann noch einmal sehen – in New York, beim Gastspiel des Hamburger Schauspielhauses Anfang der Sechziger Jahre. Will Quadflieg gab diesmal den „Faust", Antje Weißgerber war das Gretchen.

Das waren wichtige Theatereindrücke für mich, aber mehr als der Dramatiker Goethe gab mir persönlich der Lyriker und der Verfasser des „Werther", des „Wilhelm Meister", der „Wahlverwandtschaften", dazu auch der Briefschreiber und der sprechende Autor in den Gesprächen, die von Eckermann und anderen so wunderbar authentisch aufgeschrieben worden sind. Aus dem unermeßlichen Goethe-Schatz beschäftigte mich einiges besonders intensiv. In meiner Jugend natürlich die Liebesgeschichte mit Friederike Brion im elsässischen Sesenheim. Die Friederike-Lieder sind nicht nur für mich ein nie übertroffener Höhepunkt deutscher Poesie. Als Soldat war ich in Italien eingesetzt, und diesmal hatte ich die „Italienische Reise" Goethes bei mir. Nicht die oft allzu gründlichen und langatmigen kunsthistorischen Betrachtungen faszinierten mich, sondern die ungemein anrührende Art und Weise, wie Goethe sein Italien-Erlebnis dargestellt hat. Wie der Weimeraner Geheime Rat die Perücke abwirft und sich seinem Herzog und Arbeitgeber gegenüber nun endlich ganz und gar zu seinem Künstlertum bekennt, das begeisterte mich.

Goethe war immer ein sehr genauer Beobachter, heute würde man sagen, ein glänzender Reporter. Land und Leute Italiens portraitierte er nicht nur mit der Feder, sondern sehr ansprechend auch mit dem Pinsel des Malers. In Italien – und nur hier – konnte es ihm schließlich gelingen, sich von seiner unglücklichen und unglückseligen Liebe zu Charlotte von Stein zu befreien, vor der er nach Italien geflüchtet war. Goethe hat Italien geliebt, und in seinem späteren Leben zog es ihn immer wieder zum „Ziel meiner innigsten Sehnsucht". Er bezeugt, in Italien neu geboren worden zu sein. Dazu hat zweifellos wesentlich beigetragen, daß der Achtundreißigjährige in Rom sein erstes ganz erfülltes Liebeserlebnis hatte. In den „Römischen Elegien" legt er, wenn auch antikisierend verklausuliert, Zeugnis davon ab. Die junge, schöne Römerin, die er Faustine nannte, veränderte sein Leben.

Mehr noch als die „Römischen Elegien" hat mich immer eine andere Goethe-Elegie tief bewegt, die Marienbader Elegie. Diese auch biographisch so aufschlußreiche „Trilogie der Leidenschaft" habe ich wieder und wieder gelesen, in verschiedenen Lebensaltern und mit immer neuen Einsichten. Sie beginnt mit der bitteren Erinnerung an Werther: „Noch einmal wagst du, viel beweinter Schatten...". Der Mittelteil dann, diese ergreifende dichterische Verarbeitung einer Altersliebe, ist mit dem oft zitierten Vers überschrieben: „Und wenn der Mensch in seiner Qual verstummt, gab mir ein Gott zu sagen, was ich leide." Der Achtundsiebzigjährige und die achtzehnjährige Ulrike, die „noch geschlossene Blüte" – eine lächerliche Verirrung? Wie dem auch sei, Goethe hat diese Begegnung unendlich viel bedeutet und ihn tief geschmerzt: „Mir ist das All, ich bin mir selbst verloren...". Er schreibt das in der Kutsche, die ihn wegträgt aus Marienbad zurück nach Weimar, gebrochenen Herzens. Das könnte sentimental klingen, und Goethe war vieles, aber sentimental war er nur in des Wortes eigentlicher Bedeutung, erfüllt von Gefühlen, überwältigt von ihnen und dann doch wieder merkwürdig kühl sich von ihnen distanzierend. „Aussöhnung“ heißt das dritte Gedicht der Trilogie, und es beginnt: „Leidenschaft bringt Leiden!“

***

Goethe-Editionen mit ausführlichem Kommentarteil konnte ich mir erst im dritten Drittel meines Lebens leisten. Es ist für mich immer wieder anregend, diese Bände mit zwei Lesebändchen zu benutzen – vorn markiert eines die Werkstelle, hinten das zweite den dazugehörenden Kommentar. Man kann leicht hin und hergehen beim Lesen, nur der gründliche Kommentar erschließt ja die vielschichtigen Dimensionen jedes Goethe-Textes. Freilich kann man des Guten auch zu viel tun. Manchmal scheinen die fleißigen Germanisten nur noch als Philologen für Philologen zu forschen und zu schreiben. Wenn die dicken Dünndruckbände auf je weit mehr als 1000 Seiten anschwellen, wovon oft fast die Hälfte vom Kommentarteil beansprucht wird, dann wirken sie überfrachtet, dann werden sie unhandlich.

Goethe und die Goethe-Verehrung, ist das ein deutsches Phänomen? Ich glaube ja. Wohl ist er Weltliteratur – ein Begriff, den er selbst prägte. Wohl gehört er der Welt, ist in alle Weltsprachen übersetzt worden. Sicherlich haben auch die anderen Völker und ihre Literaturen Klassiker, auch sie feiern ihre Großen. Für die Engländer ragt Shakespeare heraus, für die Spanier Cervantes, für die Italiener Dante. Aber Shakespeares Leben blieb ganz im Dunklen, und er war fast ausschließlich Dramatiker. Cervantes hinterließ nicht viel mehr als einen großen Roman, Dante die „Göttliche Komödie“. Keiner der drei hätte Anspruch auf einen Titel, der nur zu Goethe paßt: Universalgenie.

Die Franzosen, die Russen, in neuerer Zeit die Amerikaner haben bedeutende Autoren von Weltrang. Aber überragt einer von ihnen alle anderen so wie Goethe die deutschen Schriftsteller und Dichter von Grimmelshausen bis Thomas Mann? Die Germanisten haben nach und nach für ein, zwei Dutzend Meister der deutschen Sprache bewundernswerte Werkausgaben geschaffen. Keine einzige erreicht auch nur annähernd den Umfang, die philologische und verlegerische Perfektion der Goethe-Werkausgaben. Es gibt eine Fülle vortrefflicher Biographien und Werkdeutungen zu Schiller und Eichendorff, Kleist und Fontane, bis zu den herausragenden deutschen Autoren der

jüngsten Zeit, etwa Benn, Brecht, Jünger. Über Goethe aber wurde weitaus am meisten publiziert. Das liegt auch daran, daß er so alt wurde, so viel schrieb und vollenden konnte. Wäre er jung gestorben wie Schiller, also mit nur 45 Jahren, wären der „Faust" und der „Wilhelm Meister" Fragmente geblieben. Es gäbe „Dichtung und Wahrheit aus meinem Leben" nicht, die „Gespräche mit Eckermann" wären nicht entstanden. Goethe ohne sein gesamtes Alterswerk wäre kaum die Hälfte dessen, was er uns schenkte.
Goethe war nie über alle Kritik erhaben, der Mensch noch weniger als der „Geistesfürst". Er ist angefeindet worden, abgelehnt, zeitweise ignoriert. Jede Epoche der deutschen Geistesgeschichte seit dem Goethe-Zeitalter hat ihre besonderen Schwierigkeiten mit dem Goethe-Verständnis gehabt. Er war schon zu Lebzeiten keineswegs immer ein Bestseller-Autor. Den durchschlagenden Erfolg des „Werther", des „Götz" hat er kaum jemals wieder erreicht. Andrerseits ist er unter unseren Klassikern der „Longseller" schlechthin. Die Wirkungsgeschichte keines anderen Schriftstellers – wahrscheinlich der gesamten Weltliteratur – umfaßt so viele Publikationen, verlief so kontrovers, aber eben auch so fruchtbar. Keinem außer ihm wurde, so viel ich weiß, jemals die Ehre zuteil, daß man sein ganzes Leben auf vielen tausend Seiten, in mehreren Bänden, „Von Tag zu Tag" darstellte.
Mein Beruf, die Familie, das Leben ließen mir nie Zeit, auch nur die wichtigsten Arbeiten über Goethe gründlich zu studieren. Zwei Titel will ich nennen, weil sie mir Anregungen und Einblicke gaben, die mich neuerdings besonders beschäftigten: Einmal Nicholas Boyles umfangreiche Biographie „Der Dichter in seiner Zeit", nur der erste von zwei Bänden ist bisher in deutscher Übersetzung erschienen; zum anderen die wohl bizarrste, nichtsdestoweniger aber höchst aufschlußreiche Goethe-Darstellung des Psychoanalytikers K.R. Eissler.
Sie durfte in der Nazizeit nicht erscheinen und fand auch danach nicht die ihr zukommende Aufmerksamkeit. Niemand muß Eissler folgen, wenn er die Beziehung Goethe-Schiller freudianisch homosexuell nennt oder gar alle Frauengeschichten Goethes, die frustierenden zumal, auf seine nicht nur brüderliche Jugend-Liebe zur Schwester Cornelia zurückführt. Aber auch Eissler leistete einen wichtigen Beitrag zur Goethe-Forschung, denn für vieles Rätselhafte an der komplexen Persönlichkeit des „Olympiers" bietet er überzeugende psychologische Erklärungen an.

Goethe und kein Ende? In der Tat, niemand kann und wird jemals mit Goethe zu einem Ende kommen, mit ihm fertig werden. Seine Gedankenwelt, seine Sprachgewalt, sein Schöpfertum sind nicht nur reich, sie sind unendlich. Zunächst war meine Ehrfurcht vor diesem Werk so groß, daß ich nicht wagte, manches doch auch schwach oder mißlungen, ja falsch zu nennen oder sonderbar und abwegig. Mit der Zeit faßte ich den Mut, beim Wiederlesen und Noch-einmal-Überdenken manches infrage zu stellen, einiges langweilig und für mich uninteressant zu finden. Dennoch hatte das meiste Bestand, ja das Beiseite-Legen oder Überspringen einiger Texte machte mich empfänglicher für Neuentdeckungen. Rückblickend wird mir allerdings klar, wie viel ich Goethe schuldig blieb. Ich schob ihn gewissermaßen vor mir her, ich sammelte mehr, als daß ich wirklich las, was von ihm und über ihn erschien. Die Forderungen des Tages bestimmen das Leben eines Journalisten. Ich brauchte gerade deshalb gelegentlich den „Blick in ein gutes Buch", und dazu stahl ich mir die Zeit zumeist abends vor dem Einschlafen oder unterwegs auf Reisen. Aber „Das gute Buch" war nach Schule und Soldatenjahren nur noch selten von Goethe. Ich hatte so viel nachzuholen an moderner Literatur, an historischem und politischem Wissen, da verblaßte der große Stern Goethe doch sehr.

Mit Goethe durch das Leben? *Cum grano salis* trotz allem Ja. Wann immer es sich ermöglichen ließ, suchte ich seine Nähe auch räumlich – in Frankfurt am Main, vor allem aber in Weimar, einer Stadt, für die ich immer eine herzliche Zuneigung empfand, zumal sie in Thüringen, der Heimat meiner Mutter, liegt. Bei meinem letzten Aufenthalt in Weimar beschloß ich, endlich einmal zu tun, was ich schon immer vorgehabt hatte: Ich wollte die Jagdhütte auf dem Kickelhahn wiederfinden, wo das wohl schönste Gedicht deutscher Sprache entstanden ist. Mein Vater hatte mich einmal dort hinauf geführt, ich war noch keine zehn Jahre alt, es blieb einer der stärksten Eindrücke meiner Kindheit bis heute.

An einem schönen Sommertag des Jahres 1996 fuhren meine Frau und ich mit dem Auto die wenigen Kilometer von Weimar nach Ilmenau, wo gerade hundert Jahre früher – 1889/99 – mein Vater sein Ingenieurstudium absolviert hatte. Der Thüringer Wald öffnete sich uns in seiner ganzen lieblich-sanften Schönheit. Wir parkten unseren Wagen an der Autostraße neben dem Wegweiser „Zum Kickelhahn". Es war zum Glück kein Mensch weit und breit zu sehen. Gemächlich kraxelten wir den schattigen Weg aufwärts, den ich seinerzeit wohl auch mit dem Vater zurückgelegt hatte. Die schönen alten Bäume mochten schon damals so erhaben und still den Weg gesäumt haben. Nach einer guten halben Stunde erreichten wir die Bretterhütte. Sie war verschlossen. Wir setzten uns auf eine Bank daneben, von der aus man ins Tal schaut, und ich erzählte meiner Frau: Damals konnten wir hineingehen, stiegen eine Treppe hinauf, und mein Vater öffnete einen der hölzernen Fensterläden, Mit seinem Krückstock deutete er auf die Wand des bescheidenen Raumes, und dort konnte man in deutlichen deutschen Buchstaben die berühmten sechs Zeilen lesen:

Über allen Gipfeln
Ist Ruh,
In allen Wipfeln
Spürest du
Kaum einen Hauch;
Die Vögelein schweigen im Walde.
Warte nur, balde
Ruhest du auch.

Der Vater schwieg, und seine Ergriffenheit übertrug sich auf mich. Wir verharrten eine Weile, schlossen dann den Fensterladen wieder und wanderten durch den Wald nach Ilmenau zurück. Dies war meine erste Begegnung mit Johann Wolfgang Goethe.
Die Kommentare zu dem Gedicht in den neuen großen Editionen besagen, daß es der dreißigjährige Goethe tatsächlich beim Übernachten in der Jagdhütte auf dem Kickelhahn schrieb und wirklich an die Bretterwand. Die Schriftzüge verblaßten natürlich, aber man besserte sie immer wieder nach. 1870 brannte die Hütte ab, und was ich mit meinem Vater seinerzeit und mit meiner Frau neuerdings fand, war ein nachgebautes Häuschen. Das hier am 1. 9. 1780 verfaßte Gedicht hat über mehr als zweihundert Jahre hin nichts von seiner Eindringlichkeit und Vollkommenheit verloren. Es hat auch mich begleitet durch mein Leben.

Max Kruse

Erinnerungen

Als das Jahr 1932 kam, ich war elf Jahre alt, beging ganz Deutschland Goethes hundertsten Todestag. Es war ein Jahr voller Weihe auch für die Mutter, trotz aller geschäftlichen Sorgen. Es wurde ein schöner, ein warmer Sommer, und glücklicherweise hatte Goethe ja auch noch im August Geburtstag gehabt – alles was dieser große, wundervolle Geist tat, war weise, so auch der Tag, den er sich ausgesucht hatte, um auf die Welt zu kommen. Die Mutter fuhr mit uns zum „Kickelhahn", dem bewaldeten Hügel, wo er „Über allen Gipfeln ist Ruh" geschrieben hatte. Ich sah die Holzhütte auf der Höhe und wußte, daß ich auf heiligem Boden stand.

Die Mutter fuhr mit uns zu den Dornburg-Schlössern, die hoch und steil über dem Saaletal stehen. Wir gingen zwischen den geschnittenen Hecken, den Laubengängen, den Rosenspalieren und Rabatten, den Skulpturen und Brunnen, wohin Goethe sich nach dem Tode seines Freundes, des Großherzogs Karl-August, zurückgezogen hatte; sie wanderte mit uns durch den Park von Tiefurth, dort standen die Marmornymphen hinter den Büschen. Am Abend kam der Nebel auf, der Nebel stieg aus der Ilm, und die Ilm war das Flüßchen, über dem der Mond so rund stand, als Goethe die Frau von Stein liebte. „Füllest wieder Busch und Tal still mit Nebelglanz, lösest endlich auch einmal meine Seele ganz", das hatte Goethe geschrieben – übrigens noch mit einer Entenfeder, und nicht mal gekleckert.

Und „Ja" sagte der Bruder Friedebald, das Gedicht hatte er in der Schule auch gelernt: „Füllest meinen Suppentopf still mit Ochsenschwanz, und ich neige meinen Kopf und ich schlürf sie ganz!"

„Ach, Friederle, Herzblatt!" rief die Mutter und blickte erschrocken. „Und so was ist nun der Sohn eines deutschen Bildhauers!"

„Es könnte auch, und ich schlürf *ihn* ganz' heißen", sagte der Bruder treuherzig, „es kommt darauf an, ob der Schwanz oder die Suppe gemeint ist!"

Im Goethe-Haus am Frauenplan stand eine gewaltige Büste der Göttin Juno aus Gips, die hatte sich der große Geist aus Rom mitgebracht. Ich fand, es war ein monströser Kopf und jedenfalls viel größer als die Marmor- und Holzköpfe vom Vater, die bei uns auf den Wandschränkchen standen und auch nichts sagten. Der berühmte Dichter hatte doch einen sonderbaren Geschmack gehabt. „Eine Geliebte hat er gehabt, in Rom", wußte Friedebald, aber war die denn auch so voluminös gewesen?

Auf der Türschwelle zu Goethes Gemächern, gleich wenn man die Treppe hinaufgestiegen war, stand das Wort „Salve" zur Begrüßung der Gäste.

„Siehst du, mein Herzblatt, das ist lateinisch", erklärte die Mutter und fügte pädagogisch hinzu: „Goethe hat natürlich Latein gekonnt."

Das „Salve" hatte ich schon lange vor ihr entdeckt. „Es heißt ‚Sei gegrüßt!'", sagte ich zum Bruder und nickte bedeutend.

Aber Goethe war tot, weshalb auch ganz Deutschland seinen Todestag beging mit Feiern und Reden. Überhaupt, so schien es mir, waren sehr viele Dichter schon tot.

Da standen sie nun im Bücherschrank.

Herrmann Peter Piwitt

In den Nachmittag geflüstert

1998. Im Sommer wieder einmal nach Assisi rübergefahren, um Peter Kammerer zu treffen, den Freund, der in Urbino Philosophie und Wirtschaftssoziologie lehrt. Treffen wir uns doch beim Minerva-Tempel, sagt er am Telefon; ja, der, den Goethe so schön fand. Auf dem Platz davor, draußen vorm Café, K., die FAZ aufgeschlagen auf den Knien. Ein deutscher Professor in Italien, sage ich, als wir uns umarmen, mit dem Zentralorgan der Deutschen Bank in der Hand. Wir lachen. Es gibt hier leider nichts besseres aus Deutschland, sagt er, außer BILD. – Die Säulenfront des Tempels: elegant und lässig, so postmodern-imperial, wie sich's manchmal bauen läßt, wenn ein Staat militärisch oder ökonomisch den Rest der Welt sich tributpflichtig weiß... Der Meister selbst begegnete aller anderen Kunst in Assisi „mit Abneigung". Es sei ihm verziehen; war der Tempel doch das „erste vollständige Denkmal der alten Zeit", das er erblickte.
Wieviel man ihm hat verzeihen müssen, da er doch ein Wegbegleiter war fast über ein ganzes Leben weg! Mit zwölf „Dichtung und Wahrheit" gelesen. Und ein, zwei Jahre später um Ottilie und das ertrunkene Kind geweint. Und immer entzückt von Mephisto, da er doch in ihm alle Weisheit versteckt, die er als Instanz Goethe sich untersagt.
Warum wollen wir die Meister immer ganz? Den ganzen Fontane? Den ganzen Beethoven? Als rein Entsprungene oder endlich – und sei's durch Leid – umfassend Gerundete? Den Fontane der militaristischen und hurra-preußischen Balladen. Den Beethoven des „Glorreichen Augenblicks" und der „Ruinen von Athen" mit dem saudummen Türkenchor. Und den Sprücheklopfer G., den Dröhnkopf in Sachen Lebenshilfe, den vom Fleisch gefallenen Klassizisten der „Wanderjahre", den Zelter-Freund und Schubert-Ignoranten; und den, der 1808 so aufs Realitätsprinzip hin verödet war, daß er an Kleist schrieb so, als sei er selbst nie jung gewesen und habe das Unmögliche gewollt. Wie habe ich ihn gern stattdessen, den Behinderten, Widerspruchsvollen, mit dem man partout keinen Staat machen kann: den ergreifend Hinfälligen und Vergeblichen, der nicht

immer schon auf alles eine Antwort hat und stattdessen seine Mignon beherzigt, ihr: „so laßt mich scheinen, bis ich werde".
Und wie mag ich das Denkmal am Eingang der Villa Borghese: Auf den drei Kanten des Sockels hier Mignon mit dem Harfner: Da Lotte, bitter und traurig dem nackt in ihren Schoß gebetteten Werther sich verweigernd (wenn sie es denn sind, die beiden!). Und nur Mephisto und Faust sind die Gesichter zerschlagen mit allen Spuren immer wieder vergeblicher Reparaturen; so, als hätte dummes Volk durchaus gespürt, daß es so einfach nicht ist: sich aufzuspalten in einen hochweisen Grübeltitanen und einen teuflischen Einflüsterer; kennen Italiener doch nun mal für „Bewußtsein" und „Gewissen" nur ein Wort: „coscienza"; geradeso, als könne – wovon ich überzeugt bin – ein abgrundtiefes Bewußtsein – gelänge es – Gewissen tatsächlich überflüssig machen.

Elisabeth Plessen

Goethes Verben

Mit 14 las ich das „Schloß", mit 16 „Krieg und Frieden" – das „Schloß" im Internat, in dem ich, unglücklich, mich eingesperrt fühlte, so träumte ich mich in Kafkas beklemmende Welt weg, Tolstois Roman 1960 in Rom während der Olympiade, ich sehe mich noch auf dem Bett in der Pension nahe der Via Veneto und vor mir meine Eltern, die mich auf eine Cocktailparty mitnehmen wollten – sie überzeugten mich nicht, ich blieb, wo ich war und las mit einem Hunger auf (und nach) Leben. Aber wann kam Goethe in mein Leben? Die Frage kann ich nicht beantworten oder nur mit einem vagen „Er war immer da". Als Einzelausgaben oder die Cottasche Erstausgabe, auch in Kleinoktav, standen seine gesammelten Werke in der Bibliothek meines Vaters, nicht, daß letzterer viel darin las, aber sie waren ererbt und also da, da für mich, um später darin zu lesen, und ich nahm die hellen Lederbände sehr gern in die Hand und, was verboten war, also heimlich geschah, auf mein Zimmer. Meine Kinderschwester konnte „Die Glocke" auswendig hersagen, Schillers Ballade: ihre größte Gedächtnisleistung, aber sie sagte auch den „Erlkönig" auf und Gretchen-Stellen aus „Faust". Ein Großonkel rezitierte aus dem Anfang „Naht ihr euch wieder, schwankende Gestalten..." und blickte auf sein Leben zurück, als er es mir vortrug, und er war 80. In der Unterprima schrieb ich im Deutschunterricht eine Jahresarbeit, die Arbeit war Pflicht, das Thema frei, ich schrieb über Goethes Begriff des Dämonischen, dargestellt an Faust und Mephisto als dialektische Spannung, als Kontrahenten. Mein Deutschlehrer in dem Jahr war Anthroposoph und ich Ägyptologin (die ich damals werden wollte), also war ich tief eingetaucht in den Isis-Osiris-Kult und Alt-Ägyptisches überhaupt und in Freimaurer-Mysterien. Aber wie ich dazu kam? Ich weiß es heute nicht mehr. Im Internat fing ich an, Gedichte zu schreiben. So durchforschte und liebte ich Goethes Gedichte. Und diese Liebe, für mich entdeckt, konnte mir kein Unterricht oder keine Deutschlehrerin nehmen, wie es ihnen mit den Stücken gelang, die man traktierte und in Besinnungsaufsätzen zu behandeln hatte, ob es nun „Egmont", „Iphigenie" oder „Faust 1. Teil" war – später haßte ich Schule, Deutschunterricht und Lehrerin dafür, daß sie getan, was gewiß nicht persönliche Absicht, sondern nur dumm gewesen war, aber sie hatten mir Goethe als Stückeschreiber vergiftet, indem sie ihn auf einen unerträglichen Predigersockel hievten (nicht nur ihn) und ihn tottrampelten – mit Erfolg: es dauerte immerhin 10 Jahre, bevor ich mir die Aufführung eines Stücks zumutete, in „Iphigenie" ins Deutsche Theater in Ostberlin ging und den Worten wieder zuhören konnte.

Goethes Prosa mußte ich mir nie rückerobern, weil kein Lehrer sie je weggenommen hatte. Kein Pensum erstreckte sich so weit.

Ich hatte Prosa zu schreiben angefangen. Ein Freund, Ernst Schnabel, ein ausgesprochener Goethe-Verehrer, unterstützte dies, und er erzählte aus seinem Leben Geschichten, in denen Goethe eine Rolle spielte, vielleicht sogar eine Hauptrolle. Ernst Schnabel und Gregor von Rezzori, Freunde, hatten ein Spiel erfunden: Was würde Goethe, der Dichter, der Berichterstatter, Korrespondent, Fragensteller, Naturwissenschaftler, Minister in Weimar etc, fragen bei ...? Aber prekärer war, was würden sie ihm antworten – antworten können? Und überhaupt? Das leuchtete mir ein. Die Frage war also: Wie erkläre ich Goethe die Elektrizität. Er geht nachts die Straße entlang, die Laternen brennen, aber woher kommt das Licht, und wie entsteht es, und wieso geht es jeden Abend um die gleiche Uhrzeit an? Und überall ist Licht in den Fenstern von Millionen von Häusern, und die Scheinwerfer der Autos strahlen... Es entspann sich ein langes Gespräch, da der Fragende kaum oder schwer zufriedenzustellen war. Ernst Schnabel und ich spielten dieses Spiel viele Jahre.

Wir fuhren auf der alten Brennerstraße nachts über den Paß nach Italien. Schnabel steuerte den offenen MG, ich lag zurückgelehnt, beguckte die Welt und fühlte, wie sich der Norden vom Süden schied (oder umgekehrt). Gegen vier Uhr morgens oben angekommen, stiegen wir aus und setzten uns auf einen Felsvorsprung oberhalb der Straße und bewunderten die vom Vollmond erhellte Gegend, auf Goethes Spuren, der geschrieben hatte: „Und nun erwarte ich, daß der Morgen diese Felsenkluft erhelle, in der ich auf der Grenzscheide des Südens und Nordens eingeklemmt bin." Ich sehe noch heute die zerfetzten Wolken über die Mondscheibe ziehen. Es war warm, es war im Sommer, es war Juni. Ich war verliebt und sehr ehrfürchtig in dieser Nacht.

Palermos alter Hafen war, als ich ihn zum ersten Mal sah, „sein" Hafen. Später trübte sich das Gedächtnisbild. Es bildeten sich eigene

Erinnerungen darüber. Die ersten Sätze meines ersten Romans „Mitteilung an den Adel" versuchte ich in der Wortmelodie des Anfangs von „Wilhelm Meister" zu schreiben.

Die stärkste Wirkung auf mich ging von Goethes Gebrauch der Verben aus. Seine Sprache ist nicht nur höchst anschaulich, ihre Einzigartigkeit beruht, so meine ich, vor allem auf der Aktion, der Tätigkeit, den Tuwörtern, wie es früher einmal hieß, denn seine Sprache tut etwas, sie tut mir etwas, tut mir auch etwas an, sie versetzt mich in innere Spannung und Wachheit – sie strafft meine Sinne und schärft den Blick kraft der Verben und ihrer Bildkraft. Sollte ich jetzt Beispiele nennen, wäre ich in ihrer Fülle „eingeklemmt".

Gertrud Seehaus

Erziehung durch Goethe

Im August 1949, als Goethe zweihundertsten Geburtstag hatte, war ich vierzehn Jahr alt. Weihnachten desselben Jahres, ich war gerade fünfzehn geworden, bekam ich die soeben erschienene sechsbändige Goethe-Ausgabe des Insel-Verlags und damit ein Stück reinen Glücks geschenkt. Seit damals nehme ich die sechs Bände immer wieder in die Hand, blättere und lese mich durch *Wilhelm Meister*, *Die Wahlverwandtschaften* und den *Faust*. Viele der Gedichte gehen mir zeilenweise immer wieder durch den Sinn. *Ich ging im Walde so für mich hin* flüstere oder murmele ich, wenn mein Turnschuh gelegentlich – nicht so oft, wie ich möchte – auf moosgepolsterten oder mit knackenden trockenen Zweigen belegten Waldboden tritt. *Über allen Wipfeln ist Ruh*, sage ich leise, niemand soll Zeuge meiner unzeitgemäßen Regungen sein, vor mich hin.

Auf den jeweils ersten Blättern der sechs Bände steht mein Mädchenname in der vorsichtigen Handschrift von damals. Ich hatte sie gerade erst erworben, diese Handschrift. In den Jahren zuvor, unsicher und pubertär, nicht wissend, aber ausprobierend, wer und was ich war, habe ich mit immer neuen Handschriften experimentiert – linksgeneigt, rechtsgeneigt, mit langen oder kurzen Ober- und Unterweiten. Das war jetzt vorbei. Meine Schrift, wenigstens ein Anteil meines schwankenden Ichs, hatte sich zu konsolidieren begonnen. Ich weiß, daß ich noch in den Weihnachtsfeiertagen zu lesen begonnen habe: *Die Leiden des jungen Werther*.

Jetzt, da ich die Bände noch einmal in der Hand halte, mit den Fingerspitzen über das vergilbte grobe Nachkriegspapier fahre, sehe ich, daß ich mich getäuscht habe: 1949 lagen noch nicht die ganzen sechs Bände der Ausgabe vor. Während der Herausgabe des Werks starben vier seiner Bearbeiter, Katharina Kippenberg, Hans Wahl, Anton Kippenberg und Walther Ziesemer, was immer wieder zeitliche Verzögerungen bedeutete. Und so werde ich den *Werther*, der erst in Band drei erschien, wohl später gelesen haben. In welchem Jahr auch immer, jedenfalls habe ich ihn an den Weihnachtsfeiertagen gelesen, und er verbindet sich mit der Erinnerung an den Genuß wundervoller

dicker reifer Apfelsinen, die wir zu Weihnachten aus dem damals wirtschaftlich an Frankreich angeschlossenen Saarland, meiner Heimat, nach Bonn geschickt bekamen. Im Saarland bekam man in jenen Jahren die besseren Nahrungsmittel, die besseren Textilien.
Wieweit meine „Menschwerdung“, die Ausbildung meiner Identität, gediehen war, als ich den *Werther* zu lesen begann, weiß ich also nicht mehr mit Sicherheit. Aber bereits die von Goethe dem Werk vorangesetze kleine Ansprache an den Leser rührte mein Herz. Ja, in diesen altmodischen Worten muß ich es ausdrücken: sie rührte mein Herz. Ich wiederhole sie deshalb hier:
Was ich von der Geschichte des armen Werther nur habe auffinden können, habe ich mit Fleiß gesammelt, und lege es euch hier vor, und weiß, daß ihr mirs danken werdet. Ihr könnt seinem Geiste und seinem Charakter eure Bewunderung und Liebe, seinem Schicksale eure Tränen nicht versagen.
Und du, gute Seele, die du eben den Drang fühlst wie er, schöpfe Trost aus seinem Leiden, und laß das Büchlein deinen Freund sein, wenn du aus Geschick oder eigener Schuld keinen näheren finden kannst.
Goethe hatte mich angesprochen. Er hatte mich gemeint. Und so folgte ich der Geschichte *Werthers* mit der kompromißlosen Unbedingtheit meines jugendlichen Herzens und mit wahren Tränenströmen. Ich weiß nicht, ob ich jemals später im Leben wieder einmal so gelesen habe, vielleicht ein-, zweimal, öfter sicher nicht. Manchmal, wenn ich unschlüssig in einem Buchladen stehe und eine aufmerksam gewordene Verkäuferin mich fragt, was ich suche, sage ich: „Ein Leseerlebnis“. Aber in meiner Stimme liegt bereits die Verzagtheit, die anzeigt, daß ich an die Erfüllung dieses doch durchaus normalen Wunsches nicht recht glaube. Was ist mir im Laufe der Jahre nicht alles empfohlen worden, von Hemingway und Frisch in den Sechzigern bis Begley und Marias in den Neunzigern. Warum konnte mich nichts mehr anrühren wie damals der *Werther*?
Vor einem Jahr war ich mit der Literarischen Gesellschaft Köln auf den Spuren Goethes am Mittelrhein unterwegs, in der Gerbermühle und dem Turm bzw. seiner Nachbildung, in dem Goethe und Marianne von Willemer sich so nahegekommen waren, als sie von dort die Lichter der Freudenfeuer zum Gedenken an die Schlacht bei Leipzig betrachtet hatten. Selbst der Gingkobaum (oder ein Nachfahre wie der Turm) stand noch im Garten. Schwer vorstellbar, daß nach den Sommer- und Herbsttagen 1814/1815 diese beiden Menschen, die sich literarisch so sehr befruchtet, auf einzigartige Weise als Hatem und Suleika einander geantwortet haben, niemals mehr trafen. Auch

das scheint ja heute unmöglich: aus einem zeitlich so begrenzten Zusammentreffen so ungeheuer viel An- und Aufregung herauszuholen. Wie viel wir doch verbrauchen heute! Nicht nur Energie und Bodenschätze und Nahrung, sondern auch von dem, was Menschen einander zukommen lassen. Wer einen anderen anrühren will, muß heute laut und schrill oder tabubrechend werden. Auch die Themen der Literatur sind schrill geworden.

Den *Faust* hatte ich bereits gelesen, bevor ich die Goethe-Gesamtausgabe bekam. Ich war zwölf, und meine Freundin Ille und ich schwänzten mit den unter Mädchen monatlich geltenden Gründen den Turnunterricht. Wir lasen in einem dunklen kleinen Verlies hinter der Aula-Bühne das Stück, von dem wir außer Gretchens Drama vermutlich nicht viel verstanden. Doch, wir verstanden etwas: daß man außer unter Hunger und Durst und Krieg und Gewalt an etwas anderem leiden konnte: an Erkenntnisdurst. Daß man dafür seine Seele verkaufen konnte. Und wir waren trunken von Sprache – von Worten, Melodie, Metrik, Rhythmus. Wir sprachen seitenweise Text vor uns hin, ohne ihn zu verstehen, weil es *schön* war, so zu sprechen, weil es *wunderbar* klang. Es war eine Art Doping, es war unser Highsein.

Goethe zu lesen war meine Schulung von Geist und Gefühl. Es war ein Stück Erziehung, was meine Mutter mir mit diesem Geschenk hat zukommen lassen. Für das, was sie mir an Bildung gab, habe ich, wie das oft geschieht, nicht zeitig gedankt. Im Turm neben dem Gingkobaum habe ich mir vorgenommen, den *West-östlichen Divan*, den sie liebte, nach der Rückkehr vom Goethe-Ausflug noch einmal zu lesen – als kleine Referenz sozusagen. Gut, daß meine Mutter nicht wußte, wie prosaisch der alte Goethe seiner Muse und Mitgestalterin Marianne gegenüber mit den Jahren wurde. Briefliche Bestellungen für bestimmte Dinge des täglichen Bedarfs, Nahrungsmittel, Spielzeug für die Enkel, trafen in Frankfurt ein. Recht bald war es dem Dichter gelungen, in der Kreativen die Hausfrau zu sehen, da war er nicht anders als andere Männer. Mariannes durch keine profanen Ansinnen gestörte Bezauberung dagegen hielt länger, hielt ihr ganzes Leben lang an.

Natürlich hat Goethe auch meine Vorstellung von dem geprägt, was ein Dichter sei. Ein Dichter, dachte ich, sei einer, der, seinen kreativen Launen und Befindlichkeiten folgend, Romane, Erzählungen, Dramen, Gedichte, Essays, Reiseberichte, wissenschaftliche Abhandlungen schreiben könne – alles eben, wonach ihm der Sinn stünde. All

das, dachte ich, würden ihm die Verlage freudig abnehmen, dankbar für ein solches Universalgenie. Da wußte ich noch nicht, wie weit sich das Verlagswesen am Ende meines Jahrhunderts vom dem der Goethezeit entfernt haben würde. Leichter kommt ein Autor auf den Mond als zu einem Verlag, der ihn nach einem erfolgreichen Romanerstling nicht ermuntert, schnell einen zweiten ähnlichen zu schreiben. Und einen dritten. Einen vierten. Und wer mit einem Roman auf dem Kamm der Woge ist, soll um Gottes willen nicht mit Gedichten herumlaborieren! Haben schreibende Anfänger überhaupt noch eine Chance auf Vielfältigkeit? War die durch Goethe vorgegebene Anschauung von dem, was einen Dichter (oder wenigstens einen Schriftsteller) ausmache, für Schreibende am Ende des Jahrtausends eine fatale Orientierung?
Was soll und kann mit Schreiben noch erreicht werden?
Kann im Ernst einem Lesenden noch anempfohlen werden, dem Romanhelden *Bewunderung und Liebe, seinem Schicksale die Tränen nicht zu versagen? Trost aus seinem Leiden zu schöpfen?*
Manchmal, wenn ich auf ein Buch gestoßen bin, dessen Lektüre mich für eine Weile gefesselt hat, will ich mirs merken. Leider notiere ich mir Titel und Autor nicht. Nach einer Weile habe ich das Buch vergessen, den Titel, den Autor oder die Autorin. Den *Werther* vergesse ich nicht. Und als ich kürzlich *Die Wahlverwandtschaften* in einer Einrichtung fürs Theater gesehen, die psychologischen Finessen des feinziselierten Anfangsdialogs zwischen Eduard und Charlotte gehört habe, bin ich danach zuhause wieder bei Goethe eingekehrt, Band Vier der Inselausgabe. Ich schlug willkürlich auf – S. 145, *Aus Ottiliens Tagebuche: Man weicht der Welt nicht sicherer aus als durch die Kunst, und man verknüpft sich nicht sicherer mit ihr als durch die Kunst.*

Joachim Seyppel

Daß die Lippen schweigen – Sagen was wir leiden?

Versuch über das Doppelgesichtige

Wer Shakespeare eigentlich war, darüber ist zwischen zwei Gelehrtenschulen eine erbitterte Feindschaft ausgebrochen. Von Homer wird behauptet, die ihm zugeschriebenen Epen hätten überhaupt mehrere Urheber. Was Goethe betrifft, so kennt der Wissenschaftler dessen Vita fast komplett – eine Situation, die Curt Goetz zu der Groteske veranlaßt hat, den guten Johann Wolfgang durch ein Examen fallen zu lassen, weil der im Gegensatz zum Professor sich nicht der Daten seiner Reisen entsinnt.
Aus Häme womöglich oder aus dem Mißtrauen des Stubenhockers gegenüber dem Reichtum an Weltläufigkeit unseres Dichterfürsten haben emsige Forscher gierig jede Chance ergriffen, jenem am Zeuge zu flicken. Oder aber, ganz im Gegenteil, seine Anbeter interpretierten Irrtümer, Fehlverhalten, Faibles und Ungereimtheiten aus dem unerschütterlichen Glauben heraus an seine souveräne Räson von schier päpstlicher Infallibilität. Urteile reichten von „Genie an Begriffsstutzigkeit" bis hin zu „geniale Sensibilität". Wenn Weltgeltung unabhängig ist von Chroniken: Wozu eigentlich und immer mehr Biographisches? Und könnte die private Peep-Show-Lust unseres Info- oder Desinformations-Äons nicht dahin treiben, daß wir bald alles vom „Erlebnis" wissen und nichts mehr von der Dichtung?

Wege zu Goethe?

Es war auf der Friedrich Wilhelms Universität Berlin, zu Kriegsbeginn, als der Kommilitone Rudolf Noelte – er wurde einer unserer bedeutendsten Regisseure, reüssierte mit Kafka, doch scheiterte am „Egmont" – amüsiert empfahl, die Biographie von Lewes zu lesen; der schildere hinreißend die nächtlichen Eskapaden von Herzog und Poet inklusive lautem Peitschenknallen in den engen Gassen der

Hauptstadt zwecks Provokation der Philister. Im Germanischen Seminar, Direktor war der Goethe-Gesellschaft-Präses Julius Petersen, erhielt ich als Arbeitsthema den „Urfaust"; der junge Dozent F. W. Wenztlaff-Eggebert in Feldwebelmontur (er wird sich nach dem Krieg erneut habilitieren müssen, mit „Schillers Weg zu Goethe") gab mir für die Arbeit ein „Sehr gut", obwohl er an den Rand schreiben zu müssen geglaubt hatte bei meiner Erwähnung des Juden Gundolf: „Brauchen wir den?" Aber was uns wirklich mitriß, war dies: Der Dozent stieg, nach dem Abend in Werder-Caputh bei den Karl May-Festspielen, am Morgen aufs Katheder, klopfte sich zünftig mit der Hand auf die Lippen zu der Rothaut Winnetou Kriegsruf „Hihihihi" und eröffnete uns programmatisch, unser „Faust-Bild" zerstören zu wollen, um ein neues zu schaffen, wozu es nicht mehr langte. Daß Märker ein „verwegener Schlag" sein sollten, hat dem jungen Märker früh imponiert. Der Götz vor dem kaiserlichen Armeetrompeter, dessen Hauptmann könne ihm „im Arsch lecken", ward Leitfigur meiner Wehrmachtskarriere mit kriegsgerichtlichem Todes- oder aber Frontbewährungsurteil wegen „Gehorsamsverweigerung und Stiftung von Mißvergnügen", hatte ich doch mein Credo abgelegt: „Vorm lieben Gott und der Verpflegung sind alle Menschen gleich, auch Unteroffiziere und Soldaten!" Keine Festrede meines Vaters im Familienkreis der zwanziger/dreißiger Jahre endete ohne das triumphale „Hier bin ich Mensch, hier darf ich's sein!" Kamen wir also zu dem Dichter weniger über das gesammelte Werk als über das Leben – übers Leben selber mit seinen Zitaten, Figuren, Ereignissen, seiner Welt?

Normaler homo sapiens?

Was Wunder denn, wenn man neugierig wurde und herauszufinden begehrte, was für ein Typ dieser seltsame Heilige im Grunde gewesen war. Nach dem Krieg, als angestammte Idole von Siegfried über „das Faustische" bis hin zum Übermenschen Nietzsches oder dem Cornet Rilkes als „Vorläufer" der Barbarei oder doch als anrüchig ad acta gelegt werden mußten, suchte man im Vakuum des Augenblicks nach einer Möglichkeit des Verweilens. Hatte uns nicht der Weise aus Weimar gewarnt, er werde mit vielleicht nach wenigen der letzte sein einer Epoche, die „so bald" nicht wiederkehre? Und Amerika habe es besser? Hoffnung zu Neuer Welt? (Obwohl doch schon die Atom-

bombe gefallen ist, die Gustav Gründgens in seinem Faust-Film zum Hexenfest zündet?)
Jedenfalls, 1949 also, zweihundert Jahre lag der Geburtstag zurück, setzte sich ein knapp Dreißigjähriger in zerbombter Wohnung an den Schreibtisch und versuchte es mit „Neugeburt"; das Zeugnis davon erschien im „Mittags-Echo" Berlin von britischer Lizenz Gnaden. Der Gefeierte sei ein Mensch wie jeder andere auch, nur eben in einzigartiger Wirklichkeit. War Prometheus sein Halbgott und Mephisto sein Teufel, müsse *er* als Mittelmensch gesehen werden. Er habe weder an Gretchens Himmel geglaubt noch an Faustens Hölle, aber er glaubte an die Liebe zwischen Faust und Gretchen – er, der Prototyp des *homo sapiens normalis*. Entdeckten wir so in seinem Sein die Idee eines möglichen Vorbilds für den Alltag?

Alter als Schuld?

Da ist nun freilich ein Treuebruch, den die Friederike bei Straßburg nie verwinden wird. Ist da nicht die für ein Bürgersöhnchen befremdende Flucht aus der freien Reichsstadt an einen herzoglichen Hof mitsamt der dort unvermeidlichen Liebedienerei? Die nächste Flucht nach Italien mit den selbstgefälligen Ausschmückungen eines Eros, den die Recherchen als Wunschträumerei entlarvt haben? Ist nicht der ganze Eros dieses launisch oft Verliebten, Verlobten und erst Verheirateten, als seine Nachfahren schon die Schleppe der Braut tragen konnten, in Zweifel gezogen worden? Haben gründliche Psychoanalytiker nicht den zahnmedizinischen Befund für eine gewisse biogenetische Impotenz auf den Seziertisch gelegt? Und wie war das denn mit der Frau v. Stein und seinem ambivalenten Verhältnis zu der Verehelichten? War ihm Schiller nicht „nun einmal im Wege"? Soll er nicht daran mitgewirkt haben, Kleist zu zerstören? Lag der Greis, der unersättliche, nicht dem Kinde Ulrike v. Levetzow zu Füßen? Ja, und die Feindschaft ausgerechnet zu Herder? Er will im Walde so für sich hin gegangen sein, der Lyriker – hat er nun seine Christine wahrhaftig geliebt?
Jedenfalls, er hat alles überstanden. Nächste überlebt. Er ist nicht an zu viel Vernunft ausgedörrt, wie Lessing. Nicht verzweifelt wie Lenz. Hat nicht Hand an sich gelegt wie Kleist. Nicht dem Wahnsinn stattgegeben oder diesen vorschützen müssen wie Hölderlin. Sich nicht ausgezehrt wie Schiller. Wurde nicht steckbrieflich gesucht wie Büch-

Lag der Greis, der unersättliche, nicht dem Kinde Ulrike zu Füßen?

ner. Nicht wie Fichte, der Atheist, aus Weimar verbannt und nicht früh in vaterländischen Diensten vom Typhus geholt. Nicht wie Kollege Schubart zehn Jahre eingekerkert in herzoglich-württembergischer Feste Hohenasperg (noch kein Writers-in-Prison-Komitee in Sicht), freilich genau damals vom Kaiser geadelt.
Hätte sich da jemand vor Konsequenzen gedrückt? Durch Abschieben von Schuld auf Titelhelden Alibis verschafft? Aber müssen wir, selbstgerecht, ihm alles vorhalten? Übrigens erschrickt man, spät in der Lebensbahn, darüber, welch Hort von Unheil, welch Spital oder Tollhaus das Heilige Römische Reich Deutscher Nation gewesen zu sein scheint mit seinem „Idealismus", seinem „Humanismus", mit unserer „Klassik". Nimmt man das Elend des ach so früh zu den Göttern zurückgerufenen Mozart dazu, Mißgunst und Haß und gemeine Nachrede (es ist ja sogar von einem „Giftmord" an Schiller gefaselt worden) – welch Zerrbild hatte man sich eigentlich zurecht gezimmert? Und darin der vom Glück nicht eben ausgesparte Olympier? Wenn alt werden kein Verdienst ist, muß es dann gleich schon eine Schuld sein?

Irrte hier Goethe?

Aber eben – wer lange lebt, macht länger Fehler. Über acht Jahrzehnte läßt sich kein schwankendes Gemüt verbergen. Irgendwann kommen Blößen zum Vorschein. Sie summieren sich im hohen Alter zum Bild des Scheiterns. Wenn Leben Krankheit ist zum Tode, Dasein nur Mühe und Arbeit in Resignation, so schlägt schon zum Wiegenfest unsere Stunde: „O wär' ich nie geboren!" lautet die Verwünschung des Heinrich, vor dem uns graut. Und hat er es nicht doch getragen? Wäre Goethe jener annähernd Untadelige gewesen, zu dem ihn seine Verherrlicher hochfälschen, er könnte nicht halb so groß sein, wie er wirklich ist. An seinem Leiden hat er sich, haben wir uns aufgerichtet. Perfekter Marmor? Ein Heiligenkranz? Superman? Ich lieb ihn, wie er ist. Was rührt uns denn an seinen Leistungen, in Existenz oder Kunst? Anders als etwa in Schillers hehren Abstraktionen, anders vielleicht als im gnadenlos Ausformulierten der hölderlinschen Artistik des Elfenbein-Turms oder in der rasenden Heroik kleistscher Figuren gewahren wir bei *ihm* das Menschlich-Allzumenschliche mit seiner (wie etwa sagte Böll?) „Stall"-Wärme, Intimität, Verstehbarkeit. Dieser alte Adam aus Frankfurt am Main läßt das Ursprüngliche durch-

schimmern. So fragil er war, so stabil bleibt er über die Epochen hinweg. Eins bedingt das andere.
Brüche aus seiner Biographie – Schienen des Opus. So geht das Dialektische zuweilen gar in etwas Schizogenes über, um aber die Schizophrenie fernzuhalten. Wer nun unbedingt wieder eine philosophische Anthropologie der *Identität* entwerfen möchte (wie z.B. auch Schelling es unternahm), könnte denn der unseren Doppelkopf mit den zwoo Seelen in seiner Brust und seinen Ambivalenzen zum Beispiel nehmen? Wie schrecklich haben zu seiner Zeit die Kritiker gezetert nach dem „Werther“: Sei ein *Mann* und folge mir *nicht* nach? Eigentlich weigerte sich alles in mir, dieses so wundersam brüchige Individuum gegen seine Lobhudler in ihrer Sterilität zu verteidigen. Hätt' er's nötig?
Auf die groben Klötze ein grober Keil: Schwäche dieses Ich ist jene weite Brücke zu Stärke über Strömen, die vergehn. Der Warnruf *Hier irrte Goethe!* Klang ja dann auch gar nicht als gegen diesen gerichtet als vielmehr gegen jene, die ihn ewig zitierten und zur Ordnung gerufen werden sollten. Natürlich ist der Verfasser eines so umfangreichen Werkes unschuldig daran, daß man seine Sprüche immer wieder in Almanachen versammelte für Volksausgaben, die ohne Platitüden nicht auszukommen scheinen. Oftmals sind sie durchaus lustig. Hier, lest das mal! rufe ich vor Freunden aus, und wir stoßen an aufs Wohl des alten Herrn. Auch er einer von uns, uns wird's warm ums Herz. Um so lieber greifen wir dann zu seinen Meisterstücken.

Beredtes Schweigen?

Goethes eklatante Unvollkommenheit steht seinem Geist kongenial zur Seite. Wären da nicht alle die Belege seiner Irrungen, man müßte sie erfinden. Um ein Gedicht wahrhaft perfekt zu machen, komponierte Heine am Ende noch einen kleinen Fehler hinein, man sollte seine Handschrift erkennen. Im Gegensatz zum Maschinellen wird Schöpfung kaum ohne Webfehler sein (woraus auch Perserteppiche und Theodizee ihr Kapital schlagen). Kein Trost für Dilettanten, zu denen sich unser Spötter ebenfalls zählen wollte – der Schelm war ein Profi.
Einerseits kann man bei ihm lesen, ein Gott habe dem Genie gegeben zu sagen, was es leide. Andererseits findet sich an einem Sonntag, einem 28. August, die Notierung: „Da ist's den Lippen besser, daß sie

schweigen". Die Welt mag sein, wie sie ist, zum Unsäglichen und Unsagbaren tritt noch ein Drittes, das schlechterdings Nichtgesagte. Das Unsägliche als Produkt von Scham oder Schock, das Unsagbare antithetisch verweisend auf das Sagbare von Welt – alles *aufgehoben* im Totalen des Nichtgesagten, dem auch Nichtgedachten, vor dem die *oratio_silentii* der Kreatur verweilt, das ach so beredte Schweigen. Es bleibt womöglich unseres Dichters, eines Sprachkönners Größtes, daß er den Finger auf die Lippen legt und damit auf die Wunde in unserem Schaffen. Das Nichtgesagte als Pendant zum absolut Unbekannten, das Nichtgesaagte als so unendlich viel mehr als alles Gesagte – der Meister des „geliebten Deutsch" mußte uns daran erinnern.

Und wenn unsereiner mit seinem Latein am Ende ist, tritt er seinen Canossa-Gang zum Jüngsten an, der ist neunzehn und hat eben sein Abiturium gemacht am hiesigen Goethe-Gymnasium. „Wie hältst du's mit ihm?" Der Jüngste läßt ab vom Üben am Schlagzeug seiner Band. „Werther? Mit dem konnten wir nicht viel anfangen!" Und sonst? „Urfaust? War gar nicht schlecht." So schließt sich ein Ring. Nochmals greife ich zu dem Kalender „Mit Goethe durch das Jahr", Zürich und München 1982:

> „Da ists den Lippen besser, daß sie schweigen,
> Indes der Geist sich fort und fort beflügelt.
> Aus Gestern wird nicht Heute; doch Äonen,
> Sie werden wechselnd sinken, werden thronen."

Juri Elperin

Nur Eindrücke Verschiedenenorts

Berlin. Anfang der Dreißiger Jahre. Es war am Kirschner-Oberrealgymnasium, Obertertia. Der sportliche Deutschlehrer, der mit freundlicher Ironie von „William" Tell sprach und uns mit den deutschen Klassikern bekanntmachte. Natürlich lernten wir „Sah ein Knab ein Röslein stehn ..." und „Füllest wieder Busch und Tal ..." Unser Verhältnis zur Klassik war eher distanziert, näher standen uns Pennälern Erich Kästner und Kurt Tucholsky, da zeitbezogener und somit moderner. Was Zeitbezogenheit in Wirklichkeit bedeutet, erkannte ich später, nach der Verbannung aus Hitlers Drittem Reich. Sinngehalt überdauert Sprachform.

Es war in Paris, für mich überwältigend mit seinem Louvre, den Seine-Brücken, dem Bois de Boulogne, der Atmosphäre dieser einmaligen Stadt, und doch war's die Fremde. Ich rettete mich in die deutsche Muttersprache, die einzige Zuflucht. Wer drückt das Gefühl Schmerz besser aus als der Dichter? Rose Ausländer schrieb:

„Mein Vaterland ist tot
sie haben es begraben
im Feuer
ich lebe in meinem Mutterland
Wort."

Warum ich in der Bibliothek der Sorbonne ausgerechnet zum „Werther" griff, weiß ich nicht mehr. Ich las ihn, mir ging die Musik, die Schönheit des Deutschen auf. Muß man erst in fremder Ferne sein, um das Verlorene und doch Unverlierbare zu schätzen, zu erkennen?

Zu DDR-Zeiten Besuch des Bert-Brecht-Hauses in Berlin. Das Haus geschlossen, die Besuchszeit vorüber. Nach der Erklärung meines Begleiters, ich sei Gast aus Moskau, ließ der gutmütige Wärter augenzwinkernd hören: „Mann, wat der hier in seinem kleenen Bungalow allet anjestellt hat, und dabei, det de Waigel nischt merkt. Wenn mehr Zeit wär, könnt ick Bände erzählen."

Und da kam die Erinnerung an zwei in Weimar verbrachte Tage, an Goethes Gartenhaus, die Spiegel, vorsorglich an den die Allee säumenden Bäumen befestigt, die vom eigentlichen Wohnhaus zu seinem Refugium führte, damit rechtzeitig erkannt wurde, wenn Gefahr im Anzug war. Goethe als Mensch.
Wie fröhlich-frivol wird einem dabei ums Herz.
Damals in Weimar. Auf der Straße fragte ich einen zufällig des Wegs kommenden Schüler der Oberstufe, ob er einige Zeilen irgend eines Goethegedichts aus dem Gedächtnis hersagen könne. Die Anwort war ein verneinendes Kopfschütteln. Schade.
Woran mag es liegen, daß Puschkin dem Russen nah geblieben ist? Weil sich Puschkins Sprache kaum vom heutigen russischen Sprachgebrauch unterscheidet? Aber vor allem ist es doch wohl die bleibende Zeitbezogenheit. Eben darum steht Goethe stets griffbereit nicht nur in meinem Bücherschrank.

Faust, natürlich immer wieder Faust. So auch in Rußland.
Die Übersetzerin eines nicht unbekannten Romans eines nicht minder bekannten und nicht bestens beleumdeten DDR-Autors übersetzte die Passage (ich zitiere nur nach dem Gedächtnis, also nur sinngemäß und bei weitem nicht wörtlich): „Wir mußten Formeln, Physik und Geometrie büffeln, und natürlich auch das „Habe nun ach ...", übersetzte also unbedenklich ins Russische drauflos: „Wir mußten Formeln, Physik und Geometrie büffeln, und natürlich auch *verschiedene Volkslieder* ..."
Die Gute glaubte wohl, aus dem Deutschen ins Russische übersetzen zu dürfen, ohne der deutschen Kultur- und Geistesgeschichte teilhaftig geworden zu sein.
Aber das nur ein Einzelfall. In Rußland wird viel klassische und moderne Literatur übersetzt und in der Regel nicht nur gut, sondern ausgezeichnet. Man denke nur an „Lotte in Weimar". Goethe erging es in Rußland gut. Puschkin hatte sich mit ihm beschäftigt. Aber jetzt um Gottes willen keinen Exkurs in die Literaturwissenschaft!

Nur ein persönliches Erlebnis, diesmal mit einem Großen der russischen Literatur, mit Boris Pasternak, dessen Faust-Übertragung mich zutiefst beeindruckt hatte. Auf einem Spaziergang in Peredelkino – einem Schriftstellerdorf bei Moskau –, bei dem er mir von seiner Marburger Studienzeit, der Beziehung zu Rilke und zur deutschen Literatur erzählte, kam das Gespräch auf den „Faust“ und Pasternaks überragende Übertragung. Ich fragte nach den Schwierigkeiten im zweiten Teil. „Tatsächlich, das reinste Abrakadabra“, war die Antwort. „Aber um zu übersetzen, muß man doch hinter den Sinn kommen, muß ihn ausloten?“ Pasternak lachte: „Ganz einfach, aus Abrakadabra habe ich Abrakadabra gemacht!“

Jetzt nach Bayern. Ein mir sehr naher, sehr lieber Freund, Gelehrter und Professor für Staats- und Kirchenrecht, war befremdet, als ich ihm meine Lieblingszeilen zitierte: „Wer nie sein Brot mit Tränen aß, wer nie die kummervollen Nächte ...“ Waren es die nachfolgenden Worte von den himmlischen Mächten: „Ihr führt ins Leben uns hinein, ihr laßt den Armen schuldig werden, dann überlaßt ihr ihn der Pein ...“, Worte, die sein stark ausgeprägtes religiöses Gefühl verletzten? Klangen ihm die Zeilen zu atheistisch? Aber ist Leben nicht ständige Versuchung, der bei weitem nicht immer widerstanden wird? Sind wir, wenn auch nicht schuldbeladen, so doch in manchem unseren Mitmenschen gegenüber schuldig? Und ist Versuchung nicht auch Prüfung unserer inneren Stärke?

Fragen, immer wieder Fragen. Darin liegt wohl die Größe unseres Klassikers, daß er uns Fragen stellen und Antworten suchen läßt, die wir teils auch bei ihm finden.

Leona Siebenschön

Verführt, ermutigt, angestiftet ...und noch immer nicht am Ende

Daß einer aus lauter Freude irdenes Geschirr hinaus auf das Hirschgrabenpflaster schmettert ...
Daß einer erzählenderweise sich selbst einen Liebling der Götter nennt ...
Daß einer – Prophete rechts, Prophete links, das Weltkind in der Mitten – neugierig durch deutsche Lande wandert ...
hat mich früh für ihn eingenommen. Mehr noch: Das Weltkind habe ich beneidet. Weil da einer in anderer Zeit auch so viele Fragen hatte, aber offenbar immer im rechten Moment die richtigen Menschen traf und die notwendigen Bücher bekam. Mir fehlte beides; ich war etwa zwölf, als ich zum ersten Mal von diesem Liebling der Götter hörte.
Weil es keine Schulbücher gab, damals 45/46, auch keine Hefte, kaum Papier, hat uns eine Lehrerin Goethe vorgelesen. Bildet immer, hat sie wohl gedacht. Und da hatte sie recht. *Dichtung und Wahrheit.* Damals im grausam kalten Winter nach dem letzten Krieg. Nichts zum Heizen. Nichts zum Beißen. In Bayern ist der Chiemsee zugefroren. An der Ruhr sinkt die Temperatur auf minus 35 Grad. Tagesration für Normalverbraucher: 100 gr Brot, 10 gr Fleisch, 5 gr Fett, 32 gr Nährmittel, 16 gr Zucker. Massensterben in den Städten. Und ich, vertraut mit dem Tod, heißhungrig auf Leben, will unbedingt diesen Goethe haben. Will weiterlesen und herausfinden, was ist, was bleibt, da sich alles ändert. Hunger nach Wissen, das einem hilft, vielleicht, wenn man schon leben muß und doch nicht weiß wie. *Dichtung und Wahrheit.* Wenn ich das hätte, ich hätte für mein Leben genug. Jahrelang zu Weihnachten, zum Geburtstag, zur Konfirmation gewünscht und nicht bekommen. Auch nicht ausleihen können. Besagte Lehrerin hat ihr Exemplar gehütet und gab es nicht her. Ansonsten literarischer Notstand. Wo ich leben mußte, hatten die Leute keine Bücher. Außer derBibel; die lag in jedem Haushalt herum. Romane waren grundsätzlich Schund. Bücher überhaupt nur faule Ausreden für Drückeberger.

So stiftet man Lesesucht. Bei mir hat es funktioniert. Der Goethe, den ich so lange nicht haben konnte, gewann eine Strahlkraft, die mich antrieb, bis er endlich (sehr viel später) reihenweise in meinen Regalen stand und nicht aufhört, mich einzuladen, anzustiften, zu ermutigen.
Die guten Leutchen haben keine Ahnung davon, wieviel Zeit und Mühe es kostet, lesen zu lernen und mit Verstand zu lesen; ich habe achtzig Jahre dazu gebraucht, hat er selbst gesagt, der Weise aus Europas Kulturhauptstadt Weimar, auch wenn er, der junge Johann Wolfgang, nicht gerade das genossen hat, was man gemeinhin einen ordentlichen Bildungsgang nennt. Ein solcher verdirbt bekanntlich nicht wenigen leidgeprüften Schulopfern die Lust am Lesen. Und zu loben sind jene rücksichtsvollen Germanisten, die nie sezierende Interpretationen der Werke und Aufsätze über jene Dichter schreiben lassen, von denen sie gern hätten, daß sie auch nach der Penne noch gelesen werden. Die beste Methode, einem Lehrling der Lektüre den Spaß an Gedichten, Dramen, Novellen zu vergällen, liegt ja häufig im Zwang, dergleichen in Deutschstunden durchzunehmen oder später in Seminaren nach dem Sinn eines jeden Kommas abzuklopfen.
Das richtige Lesen, heißohrig und zeitvergessen über dicken Schmökern und phantastischen Schwarten, wo die Nacht noch voller Mein-schönes-Fräulein-darf-ich's-wagen-Herren ist, wo man auf einer Bohnenranke über Wolken klettern, auf einer Kanonenkugel direkt in den Himmel reiten kann und zum verheißenen Luftschloß gelangt gleich neben dem Paradies – ein solches Lesen findet vorzugsweise heimlich statt, oft jenseits von Lehrplan und Paukerei, oft im Verborgenen der Umwelt abgetrotzt, wenn dieselbe wenig märchenfreundlich, gar abenteuerfeindlich ist.
Viele Autobiographien, vor allem armer Leute Kinder und sonst aus der Art Geschlagener haben verraten, wie sie aus einem tristen Alltag, einer bedrückenden Umgebung in die ermutigende Welt der Bücher geflohen sind und mit Hilfe heimlicher oder auch unheimlicher Lektüre die Anpassung an das ihnen nicht genügende Milieu verweigern und Hoffnung auf ein besseres Morgen nähren konnten. Nicht zu vergessen Gedichte. Wieviel Mut hat *Prometheus* mir, der Fünfzehnjährigen, vermittelt. Wieviel Trotz und Eigensinn. Und *Selige Sehnsucht* zur steten Bestätigung für den Rest des Lebens auswendig gelernt, aus Spaß und nicht als Hausaufgabe.
Daß Literatur in bedrängter Situation, vor allem in finsteren Zeiten, tatsächlich zum Überleben taugt mitten im Alltag der Barbarei, haben Betroffene, etwa Peter Brückner, der Soziologe, in seinem Bericht

über das Aufwachsen im NS-Staat, geschildert; wie einer, der nicht dazugehören will, verborgene Freiräume sucht und sie im Abseits findet. Die Bude einer alten Schneiderin, offene Bücherregale mit dem ganzen damals verbotenen Schrifttum der Verfemten. Das anarchische Kind lebte auf und lernte begeistert.
Das Versteck wird zum Ereignis wie möglicherweise gut zweihundert Jahre zuvor die Nicolaische Buchhandlung in Berlin dem Alten Fritz, als er noch junger Kronprinz war und sich bei Nicolai die vom Vater König verbotenen Schriften besorgte.
Das Verbotene besonders hat ja so manchen Wohlgeborenen oder Schlechtbehausten aus der Herkunft entführt. So wäre von Ernst Bloch, dem früh schon aufsässigen Sohn und Philosophen aus Ludwigshafen, mitzuteilen, wie er konfirmiert wurde und am Altar die Glaubensformel aufzusagen hatte, dabei aber leise hinzufügte: Ich bin ein Atheist! Ich bin ein Atheist! – das e-i wie Ei gesprochen, weil er das Wort nie gehört, wohl aber gelesen hatte in geheimen, freireligiösen Traktätchen, welche höllische Botschaften enthielten. Da möchte man doch wirklich einen Goethe schlankerhand verbieten, damit er mehr gelesen werde.
Das Verbotene als Motivation hat sich häufig bewährt, auch wenn es danach nicht jedem zum Prinzip Hoffnung gereichte. Von Lenin beispielsweise wird berichtet, er habe ins Exil das Werk von Puschkin und den *Faust* mitgenommen. Was mag er davon erwartet haben, hat man gefragt und geantwortet: wahrscheinlich einen Kräftezuwachs.
Poesie im Exil, in Gefangenschaft. Poesie wurde einmal die Muttersprache der Menschheit genannt. Gerade in unserem Jahrhundert der Flucht und Verfolgung, der Kriegslager und KZ-Aufenthalte haben Zeugen, Gepeinigte und dann doch Überlebende verraten, wie sie der Verzweiflung und tötlichen Resignation widerstanden, wie sie ihren Geist in der äußersten leiblichen Not lebendig zu halten wußten: sie rezitierten oder erfanden Gedichte. Die große literarische Tradition Rußlands kennt einige Beispiele davon.
Poesie als Medium der Überlebenschance. Literatur als Insel, die einer braucht, um zu sich zu kommen – sei es gegen die Misere oder den Ekel oder ganz einfach die Langeweile des Lebens. Die Krankenstube wird zum Orientbasar, das alleinige Bett zum minnegeschwängerten Palais d'amour. Tausendundeine Nacht und kein Ende. Wer liest, ist nie allein. Und schlimm für den, der hungrig ist und keinen Stoff bekommt.

Das wird ja heute noch mit leuchtenden Augen erzählt und glaubhaft klingt es auch: Nie habe es eine begierigere Generation gegeben, begierig zu lesen, zu studieren, als die aus dem Krieg zurückgekommene Heimkehrerjugend. Sie habe sich, ausgehungert, über Benn, Heidegger, Hemingway hergemacht, die Kahlschlag- und Trümmerliteratur verschlungen, die längst klassischen Ausländer und Existentialisten adoptiert, die vormals Verfemten und Verbannten und Verbrannten wieder hervorgeholt. Hungerjahre als kulturell kulinarisches Ereignis. Dichtung als eine Insel der noch einmal Davongekommenen.

Man mag darüber spotten oder mit Recht behaupten, es müsse einer nicht in der Schlacht gewesen sein oder bibbernd im Bombenkeller gekauert haben, um wissen zu wollen, was geschrieben steht. Man kann es auch mit Brecht halten und sagen: *glotzt nicht so romantisch*. Die Bibliotheken füllen sich und werden gebraucht, der Arche Noah gleich, damit nichts untergehe, auch die Ratten und Schmeißfliegen nicht.

Der kritische Kopf entwickelt eine gehörige Portion Skepsis und wiederholt pessimistische Prognosen, wonach es mit den Schönen Künsten bald vorüber sei; jeder dritte Deutsche lese gar nicht mehr, jeder vierte nehme Belletristik nie in die Hand; die Literatur habe ihre Rolle an andere Medien abgegeben, sie erreiche die Masse, das Volk nicht mehr – sie habe versagt.

Dergleichen wird gern behauptet. Es soll auch keineswegs geleugnet werden, daß mancher von Berufs wegen lesen muß und dafür auch noch bezahlt wird. Mag sein, das verdirbt einem die Lust und manchmal auch den Charakter. Der Liebhaber liest im Programmheft, da habe man einen Döblin, einen Dostojewski und jetzt wieder einmal etwas aus Goethes Leben verfilmt. Das interessiert einen denn doch. Man schaut sich die verfilmte Dichtung an, die keine mehr ist. Und spätestens wenn man das merkt, holt man sich das Original, um die eigene Phantasie wieder aufzufrischen oder authentisch zu erfahren, was der Autor und nicht der Bilderfritze mitzuteilen hat.

Die Wechselwirkung von Fernseh- und Literaturkonsum, die verkaufsfördernde Wirkung der Medien überhaupt ist unbestritten. Sie nützt aber nicht allein dem Neuen, sie reizt auch zu Rückgriffen und Vergleichen. Noch reizvoller die Informationen aus dem Hintergrund der Historie, dem Alltag der tapferen Steigbügelhalter großer Herren, der mutigen Frauen an ihrer Seite, Musen und Mütter, Damen und Dirnen, die dem berühmtgewordenen Genie dienten. Was wäre ein

Karl Marx ohne seine unermüdliche, schamlos ausgebeutete Jenny? Was war mit Elise Lensing, Friedrich Hebbels ungeliebter Geliebten, daß von ihr der anrührende Satz übrigblieb: „Lieben ist ein einsames Geschäft." Und wer war jene hehre Person, von der die Nachwelt nicht eben mehr weiß, als daß sie Goethe geliebt habe, hoffnungslos: Charlotte von Stein. Eine verspätete Biographie gibt Aufschluß und Rechenschaft. Da denkt der Jetztmensch: Das wird aber auch Zeit.
Ob Seelenfreundin oder Bettschatz, wer „Goethes Christiane" in einer vergnüglichen Ehrenrettung von Wolfgang W. Parth oder „Christiane und Goethe" in einer Recherche von Sigrid Damm kennenlernt, wird vielleicht auch verführt, den beiden über die Schulter und in *Die römischen Elegien* zu blicken.
Solche Mitteilungen, wie es verkannten oder großen Berühmtheiten ergangen ist, solche Lebens- und Zeitbeschreibungen erfreuen sich gerade im deutschen Sprachraum einiger Beliebtheit. Das muß etwas zu tun haben mit der allgemeinen Einschätzung, das eigene Dasein sei mindestens auch ein Roman und einer schriftstellerischen Würdigung wert. Wer hätte das nicht schon gehört oder gesagt: „Also mein Leben, mein Lieber, wenn Sie das aufschreiben würden..."
Denn von solcher Art ist Literatur, daß sie das Leben zeigt, wie es ist und auch wie es sein sollte, aber nicht ist. Das macht das revolutionäre Element, das gefangennimmt: die Perspektive über das mühselige Heute und die schleppende Zeit hinaus. Die Mutter, wie sie Maxim Gorki in solcher Qualität vorgestellt hat, findet doch immer noch, auch heute, auch hierzulande ihre bescheideneren Schwestern. Frauenschicksale unserer Zeit und keine erfundenen. Mutter Courage und ihre Kellerkinder sollen nicht umsonst gelitten haben.
Denn von solcher Art ist Literatur, daß sie nachdenklich und betroffen macht, daß sie mitreißen und herausreißen will, daß sie der Wut Worte gibt und der Hoffnung auch. Unzufriedenheit oder Empörung oder Leiden an der Wirklichkeit hauen auf die Pauke oder in die Tasten, greifen zum Griffel oder Gänsekiel, reißen das Maul auf und sagen, was ist, aber nicht sein sollte. Und manchmal bewegt ein Buch sogar die Welt, nicht unbedingt gleich die ganze, aber doch einen entscheidenden Teil.
Von Karl Marx sprachen wir schon, der ist hier nicht gemeint. Auch der junge *Werther* nicht, der so gelitten und immerhin einen Napoleon nach eigener Aussage in die Schlachten begleitet hat, was weder der Welt noch Napoleon nützte. Aber da war einmal ein junger Journalist, ein sehr engagierter, der 26jährig zum Griffel greift und auf die Pauke

haut. Sein Präsident, Roosevelt, nennt ihn deshalb einen Dreckwühler und beschwört ihn in einem Brief: „Geben Sie Ruhe, Sinclair, und überlassen Sie das Regieren des Landes eine Weile mir." Doch Upton Sinclair hört nicht auf den Herrn im Weißen Haus. Sein Sensationsbuch *Der Dschungel*, Tatsachenbericht aus den Schlachthöfen Chikagos, *die* Erregung öffentlichen Ärgernisses, wird zum Klassiker der sozialkritischen Weltliteratur und bewirkt unmittelbar, daß Präsident Roosevelt gegen den Widerstand der Wirtschaftsbosse ein neues Lebensmittelgesetz erlassen muß. Auch in Deutschland gehörte Upton Sinclair, pulitzerpreisgekrönt, zu den meistgelesenen Autoren, bis er 1933 ebenfalls verbrannt und mithin vergessen wurde. Sein *Dschungel* liest sich so aufregend, aufrüttelnd wie damals, als Arbeiter der Fleischfabriken in die Brühkessel stolperten, mitgekocht, eingedost und als „Armours Feinschmalz" in die Welt verkauft wurden; was, das wollen wir hoffen, heute nicht mehr passiert.

Der reine Narr, der Büchernarr, ist so unerschütterlich auf der Suche und so unbelehrbar wie der Kettenraucher, der nie genug bekommen kann. Auch von solcher Art ist Literatur, daß sie lechzen macht nach mehr und immer wieder ausgegraben wird. Und wie der Verfolgte in bedrängter Lage ein Königreich hergeben würde für ein Pferd, mag auch der Lesesüchtige ein Königreich für ein paar Bücher hergeben wollen, zumal wenn er beides nicht hat.

Denn höchst erfreulich und belehrend ist es doch für jedermann, wenn er allerlei Geschichten lesen oder hören kann. Wilhelm Busch, der das bemerkte, vergaß nicht, seinen Lesern das Lesen auch seiner Kollegen sehr zu empfehlen, zum Beispiel den *Werther* als ein Stück herz- und sonnenwarmer Prosa; mittels solcher Lektüre könne der Kranke seine Schmerzen, der Einsame sein Alleinsein, der Enttäuschte seinen Kummer unters Kopfkissen packen.

Von solcher Art nämlich ist Literatur auch, daß sie träumen und nachdenken, lachen und weinen und mutig macht. Dazu das Vergnügen, bangendes Mitleiden, nachttiefe Seufzer: Was es nicht alles gibt! Die schrecklichen Schauergeschichten monddurchbleichter Geisterwelt in Spukschlössern und Pastorenschuppen. Die gute alte Räuberromantik am Lagerfeuer der armen Teufel, der Theaterleute, die sich mit Mignon nach jenem Land sehnen, wo die Zitronen blühn. Traumkitsch der Jahrhundertwende, etwa der Marlitt, naiv erzählt mit der feinen Distanz zwischen niederer Daseinsmisere und hohem Hoffnungsbild.

Also jenen Unken ist nicht zu trauen, die gern vom Niedergang literarischer Neugier reden. Da sprechen allein schon die Gewinne der Verleger eine andere Sprache. Und wären die Bücher billiger, würden sie auch mehr gekauft. Obwohl ja nicht die gekauften, sondern die gelesenen Bücher das Vergnügen entscheiden. Und die lassen sich unter Bücherfreunden tauschen. Womit dann das Vergnügen sowohl ein geteiltes als auch ein doppeltes und dreifaches und die Teuerung überlistet ist. In der Statistik tauchen solche Doppel- und Dreifacheffekte nicht auf.
Kurzum: Die Leute lesen mehr, als sie verraten, zum Beispiel ich nun schon so lange diesen Goethe, mit dem ich noch immer nicht am Ende bin.

Erfundenes Gefundenes

Jürg Amann

Ich war die Bettine

Weimar,
Ende Oktober 1821

Goethe. Mit Dir muß ich noch einmal sprechen. Das kann doch nicht sein, daß Du so bist, wie Du scheinst: hart, kalt wie Stein. Doch sagen es auch die Leute. Und ich, die ich um so viel besser sein wollte als sie, darf ihnen nicht widersprechen. Mein Mund bleibt geschlossen, wenn der Volksmund Dich lästert. Ich sehe das Richtschwert der bösen Zungen über Dir blitzen – und schlage es nicht beiseite mit einem scharfen Wort, wie ich es früher getan hätte. Ich bin verletzt, verstehst Du? Ich bin verletzt durch Dich.
Weißt Du noch, wie ich sie aufnahm wie die Brosamen vom Tisch meines Herrn, Deine Briefe, als sie mir zuflogen? jetzt bin ich durch sie verletlzt, in denen ich wieder lese. Jetzt bin ich verletzt durch ihre geringe Zahl im Vergleich zu den meinen. Jetzt bin ich verletzt durch dic Schrift Deines Dieners, von dem Du sie schreiben ließest, oder zumindest kopieren, in seinem oder Deinem Perückenstil, der mich beleidigt, der eine Ohrfeige wäre in jedes ungepuderte, ungeschminkte Gesicht. Jetzt bin ich verletzt durch die Art, wie Du aus Worten und Gedanken und Gefühlen, die ich Dir anvertraute, Gedichte gefertigt hast, und nicht einmal an mich. Durch die das Selbstgefühl nicht gerade stärkende Tatsache, die ich mir aber nicht länger verbergen kann: daß Du mir nichts zu sagen hast. Der Weise der Närrin, der Meister der Schülerin. Dies allerdings sprachgewaltig und wortreich. Sage Dir alles selbst, schreibst Du, was ich Dir sagen möchte, wozu mir der Platz hier oder die Zeit jetzt nicht vergönnt sind. Aber wie und woher soll ich denn wissen, was Du mir sagen willst, sagen

kannst, sagst, wenn Du es nicht einmal wenigstens tust? Bist Du so geizig, daß Dich der Tag reut für mich oder der Abend oder die Nacht? Oder sogar das Papier? Schreib mir bald wieder und liebe mich, das ist Dein Ton. Wo bleibe ich? Und Deine einzige, ewige Sorge: daß ich zu Deiner Mutter, die nun längst tot ist, recht gut bin. So brauchst Du es selbst nicht zu sein. Statt Dir legst Du mich ihr ans Herz. Und daran bin ich wohl selbst schuld. Es soll ja eine Eigenheit der Männer sein, sagt das Gerücht, daß sie um so weniger lieben, je mehr sie geliebt werden. Ich bin verletzt durch Dein nun schon Jahre dauerndes Schweigen.

Habe ich denn jemals mit Dir gesprochen, oder habe ich nur die Stimme erhoben vor Dir? Vor Jahren hatte ich einen Traum, in dem ich Dir auf den Knien saß an einem langen, gedeckten Tisch. Ich schlief. Ich erwachte. Du zeigtest auf eine Kerze, die weit herabgebrannt war. Du sagtest, so lange habest Du mich ruhen lassen an Deiner Brust. Die Gäste waren alle gegangen. Um meinen Schlaf nicht zu stören, warst Du sitzen geblieben. Nun durfte ich Dir nicht mehr vorwerfen, Du habest mit mir keine Geduld.

Ich hatte immer geglaubt, hatte mir immer eingebildet, daß die Freundschaft den Briefwechsel zwischen uns führte, wenn auch die Freundschaft zwischen ganz ungleichen Freunden. Nun war es auf Deiner Seite die Freundlichkeit. Die hat freilich Grenzen. Das sehe ich ein. Aber wenn Du nun wirklich, wie mich die Mutter warnte, nur ein Interesse an mir gehabt hättest wie der Vater am Kind, das noch mit der Puppe spielt, es würde mich kränken. Auch wenn man natürlich ein Kind nicht verlieren will. Jede Wolke hat das Kind doch um Rat gefragt, jeden Baum, jedes Kraut um Belehrung gebeten, jedem Lichtstrahl und jedem Stein seine Geheimnisse abgelistet. Das hättest Du sehen sollen. Um mit Dir sprechen zu können, auf Deiner Höhe.

Aber Du sprichst nicht mit mir. Du hast nie mit mir gesprochen. Du sprichst nur mit Dir selbst. Und ich muß es wohl auch. Ob ich will oder nicht.

Manchmal denke ich, auch Du habest vielleicht nie eine Liebe erfahren, die bis ans Ende ging. Und der alte Mann hatte recht, von dem ich Dir einmal schrieb, der von Dir sagte, Du seist wie der Rhein, der mächtigste Strom im Land. Vom Urgestein kommend, zum ewigen Wasser gehend. Und die Flüsse, die Du unterwegs aufnimmst: die Thur und die Töss und die Glatt, die Aare und die Queich und die Lauter, die Mosel und die Nahe und die Nette, die Saar und die Elz und die Kinzig, die Murg und die Lahn und die Dreisam – lauter

Du seist wie der Rhein

weibliche Namen, und sicher habe ich viele vergessen –, das sind die Geliebten. Erinnerst Du Dich? Ich war die Bettine. Jetzt kommen andre.

Ich weiß nicht, ob ich Dir dieses Blatt schicke. Tränen fallen darauf und verwischen, was ich geschrieben habe. Ja, Goethe, ich weine.
Dein großes Kind weint. Es weint vor Trauer. Wie es früher vor Freude geweint hat. Sein Kleid ist zu hoch gegürtet. Dir zu Gefallen. So daß das Herz keinen Platz hat.

Günther Grass

Goethe oder eine Warnung an das Nationaltheater zu Mannheim

Ich fürchte Menschen,
die nach englischem Pfeifentabak riechen.
Ihre Stichworte stechen nicht,
sondern werden gesendet,
wenn ich schon schlafe.

Wie fürchte ich mich,
wenn sie aus Frankfurt kommen,
ihren Tabak mitbringen,
meine Frau betrachten
und zärtlich von Büchern sprechen.

Furcht, Pfeifenraucher
werden mich fragen,
was Goethe wo sagte,
wie das, was er meinte,
heut und in Zukunft verstanden sein will.

Ich aber, wenn ich nun meine Furcht verlöre,
wenn ich mein großes Buch,
das da neunhundert Seiten zählt
und den großen Brand beschreibt,
vor ihren Pfeifen aufschlüge?

Furcht, fängt mein Buch an,
bestimmte Herrn Goethe,
als er mit Vorsatz und Lunte
Weimars Theater in Flammen
aufgehen ließ –
wie ja schon Nero auch Shakespeare
Brandstifter waren und Dichter.

Ich fürchte Menschen, die nach Pfeifentabak riechen

Sibylle Knauss

Der Ehrengast

Goethes Diener Stadelmann

Drehbuch für einen Kurzspielfilm

1.

1844. Dachboden des Arbeitshauses (Armen- und Altersheim) in Jena. Ein geräumiger Dachboden mit dem üblichen Gerümpel. Undeutlich sehen wir eine Gestalt, die wie der alte Goethe aussieht. Dann erkennen wir, daß es ein am Dachgebälk aufgehängter Anzug Goethes ist – grauer Gehrock, gelbe Weste, violettes Halstuch –, der im Luftzug hin- und herweht.

GOETHES STIMME
Geb er mir die Weste, Stadelmann.
Hat er sie auch ausgebürstet?
Wir wollen doch eine respektable Figur machen.
Jetzt binde er mir die Krawatte, aber recht sorgfältig...

Eine Hand greift nach den angesprochenen Kleidungsstücken. In einem Standspiegel sehen wir dann den alten STADELMANN, wie er sich selbst damit angezogen hat. Er bindet gerade das Halstuch.

STADELMANN
Zu dienen, Exzellenz, zu dienen. Ergebenster Diener, Exzellenz...

Ein Gong ertönt. STADELMANN fährt zusammen. Er wendet sich zur Treppe.

2.

Speisesaal des Arbeitshauses. An langen Holztischen sitzen armselige Gestalten und schlürfen ihr Essen aus Blechnäpfen. Schmatzgeräusche. Zwei ALTE FRAUEN stoßen sich an und kichern: STADELMANN tritt ein, als „Goethe“ verkleidet.

ALTE FRAU 1
Sieh mal, der Karl... Hast dich wieder fein gemacht?

ALTE FRAU 2
Suchst einen Schatz, Karl? Hier bin ich.

STADELMANN, ganz Würde, stolziert durch die Reihen und scheint sie nicht zu bemerken, als sie ihn nachäffen. Er öffnet eine Tür. am Ende des Saals.

3.
Büro des Arbeitshausinspektors. Der INSPEKTOR sitzt hinter seinem Schreibtisch und sieht KARL eintreten.

INSPEKTOR
Schon wieder, Stadelmann? Haben wir uns wieder verkleidet?

STADELMANN
Herr Stadelmann!

Der INSPEKTOR macht ihm klar, daß ihn diese Maskerade nicht beeindrucken kann. Es sei doch nur zu gut bekannt, was Stadelmann um seine Stellung im Hause Goethe und ins Arbeitshaus gebracht habe: der Alkohol.

STADELMANN beschämt, aber aufbegehrend: Das habe sich geändert. Ob der Herr Inspektor nicht wisse, welche Ehre ihm zuteilgeworden sei: die Einladung nach Frankfurt als Ehrengast bei der Einweihung des Goethe-Denkmals.

Wie er – der *Herr* Stadelmann – denn seine Reise nach Frankfurt bezahlen wolle? Der Lohn für seine gelegentlichen Arbeiten, Holzhacken, Äpfel pflücken, die Höfe der anständigen Bürger ausfegen, gehe ja aus guten Gründen direkt an ihn, den Inspektor, denn man wisse ja wohl, daß er, Stadelmann, ihn wieder nur ausgeben würde, um sich den nächsten Rausch anzutrinken. Was er wohl glaube, wer denn

Kost und Logis für solche nutzlosen Subjekte wie ihn bezahlen würde?

Der Ton, in dem der INSPEKTOR redet, ist scharf und verachtungsvoll. STADELMANN zieht wie einen Trumpf einen Brief aus dem Ärmel: Der Inspektor möge nur lesen, wie er andernorts geachtet sei.

INSPEKTOR
Liest
Sieh an. Soso. Als Ehrengast also.

4.
Das höhnische Lachen des INSPEKTORS hallt nach. STADELMANN in der Kutsche, die ihn nach Frankfurt bringt. Einem REISENDEN, der ihm gegenübersitzt, fällt sein Spazierstock zu Boden. STADELMANN bückt sich beflissen und hebt ihn auf.

REISENDER
Sie sind kein Herr. Stimmt's? Sie sind kein Herr.

STADELMANN sieht aus dem Fenster. Die Menschen am Straßenrand könnten dem Arbeitshaus in Jena entstammen.

5.
An der Rezeption des Gasthofes in Frankfurt. Es ist ein teures Haus. Der Kontrast zum Ambiente des Arbeitshauses in Jena könnte nicht größer sein. Ein LIVRIERTER hält dem Gast eine Gänsefeder hin:

LIVRIERTER
Herr Stadelmann? Bitte sehr. Wenn Sie die Freundlichkeit besitzen, hier unterschreiben zu wollen. Man erwartet Sie schon.

STADELMANN unterschreibt mit Schwung und bombastischer Handschrift, der Goethes nicht unähnlich. Er bückt sich nach seiner Reisetasche, doch der LIVRIERTE hat sie schon genommen. Man merkt, wie ungewohnt das für STADELMANN ist.

6.
Bei der Einweihung des Goethe-Denkmals. Lauter honoratiorenartig gewandete würdige Herren, welche sich um das noch mit einem Tuch bedeckte Denkmal versammelt haben. Unter ihnen STADELMANN, der sich unter den überwiegend Schwarzbefrackten durch seine farbige Goethe-Montur abhebt. Der PRÄSIDENT der Goethe-Gesellschaft hält seine große Rede. Bestimmt redet er schon seit eineinhalb Stunden.

PRÄSIDENT
... Und so beugen wir uns vor dem Genie, dem wir Deutschen unsere größten Dichtungen verdanken. Von Frankfurt ging es aus, und nach Frankfurt ist es nun in der Gestalt, die unser würdiger Schwanthaler ihm gegeben hat, wieder zurückgekehrt, ein Denkmal, sicherlich, eine Statue, in Bronze gegossen, doch in unseren Herzen, wo es schon lange errichtet ist, da verwandelt sich die Materie in Geist, da lebt es fort und fort...

Die Worte verlieren sich, Wind scheint aufgekommen zu sein, sein Brausen verschluckt die Worte des Redners, wir folgen dem Blick, mit dem STADELMANN zum immer noch verhüllten Denkmal aufblickt: Es scheint sich unter seiner Hülle zu bewegen – doch das wird wohl nur der Wind gewesen sein.

... Und so bitten wir nun unseren verehrten Gast, Herrn Stadelmann, der aus Jena zu uns gekommen ist, wo er seinen verdienten Ruhestand genießt. Wir bitten ihn, der dem Dichter im Leben so oft behilflich war, seinem Herrn auch in dieser Gestalt den Dienst nicht zu versagen und ihn gewissermaßen zu entkleiden, wie es als Kammerdiener einstmals zu seinen Pflichten gehört haben mag. Es ist uns eine Ehre, den leibhaftigen Diener Goethes unter uns zu wissen ...

STADELMANN tritt zum Denkmal heran. Alles sehr feierlich. Man gibt ihm einen Seilzug in die Hand. Doch die Stoffbahnen wollen sich nicht sogleich lösen. Wieder scheint es, als bewege sich die Gestalt darunter.

7.
Sommer 1824. GOETHE mit seinem Sohn AUGUST in einem Arbeitskabinett.

GOETHE
gereizt
Was ist das für ein Lärm auf der Gasse?

Man hört ein unangenehmes Poltern und Gesang.

AUGUST
Das ist nicht auf der Gasse, Vater. Das ist in unserem Haus.

GOETHE
Schon wieder der Karl?

AUGUST
Ja, Vater.

GOETIHE
scharf und bestimmt
Es ist genug! Schaff ihn mir fort, August, hörst du? Es ist deine Aufgabe. Schaff ihn mir aus dem Haus! Und diesmal für immer, August? Hast du gehört?

AUGUST
der ein paar Blätter mit Kupferstichen vor sich ausgebreitet hat
Ja, Vater.

8.
1844. Denkmalsenthüllung. STADELMANN zeigt Anzeichen von Panik, als er es nochmal versucht. Das Gefühl seiner Gefährdetheit und Unsicherheit ist sehr stark in diesem Moment. Aber in den Gesichtern des Publikums drückt sich Erleichterung aus, und ein bewunderndes Ahh bricht sich Bahn, als die Hülle fällt. Wir sehen nur den Widerschein auf den Gesichtern, nicht die Figur selbst.

9.
Empfang der Goethe-Gesellschaft anläßlich der Denkmals-Enthüllung. STADELMANN leert den Champagner, den man ihm reicht, auf einen Zug. Bald ist er von einer Anzahl ehrerbietiger Mitglieder der Goethe-Gesellschaft umringt. Man befühlt den Stoff seines Gehrocks.

> ... ist es wahr, daß der Dichter dies selbst getragen hat? Erhebend. Wahrhaft erhebend ...
>
> Wie sehr muß er Sie, lieber Herr Stadelmann, geschätzt haben, daß er ihnen ein solches Andenken nicht vorenthielt ...
>
> Verehrtester, darf ich Sie bitten, mir dies Werk des Meisters persönlich zu signieren? Man sagt, daß Sie eine recht schöne Hand schreiben, der seinen nicht unähnlich...

STADELMANN, der inzwischen ein weiteres Glas Champagner geleert hat, greift sich Buch und Feder und legt einen überaus schwungvollen riesigen Namenszug hin. Mehrere der Anwesenden beugen sich eifrig darüber ...

> Ungewöhnlich ... Ganz erstaunlich ...

Andere drängen herzu und wollen auch Signaturen. Doch STADELMANNS Blick schweift zu dem jungen MÄDCHEN, tiefer Ausschnitt, dicke weiße Schleife auf dem Po, die den Sekt ausschenkt. Er zwinkert ihr zu, daß sie kommen und ihm das Glas erneut vollschenken soll.

> STADELMANN
> *indem er ihr die Hand unter die Poschleife schiebt*
> Mamsellchen? Da haben wir unsere Arbeit, wenn sich die Herrschaften amüsieren, nicht wahr?

Sie knickst irritiert und macht sich los. STADELMANN fährt fort, schwungvoll Bücher zu signieren. Es scheint ihm immer besser zu gefallen.

Stadelmann als Goethe im Arbeitshaus

In einer anderen Ecke des Saales stößt der Baron VON ROTHSCHILD den Buchhändler VARENTRAPP an, indem er ihn auf die Szene um STADELMANN aufmerksam macht.

ROTHSCHILD
Sehen Sie, Varentrapp, so ließe sich der Verkauf von Büchern in ihrer Buchhandlung befördern. Reklame, Varentrapp, Reklame. Auch Bücher sind eine Ware. Oder nicht? Er ist übrigens ein armer Hund. Ein ganz armer, wenn Sie mich fragen. Tritt im Goethe-Kostüm auf, weil er keinen einzigen anständigen eigenen Fetzen am Leib hat. Man sollte etwas für ihn tun, anstatt ihn wie einen Pfau auszustellen. *Flüsternd*: Es entbehrt nicht ganz der Peinlichkeit, finden Sie nicht?

Er macht dem MÄDCHEN, das STADELMANN schon wieder herbeigezwinkert hat, ein Zeichen, ihm nichts mehr zu geben.

Kümmern Sie sich darum, Varentrapp. Wir haben soviel Geld für das Denkmal aufgewendet, daß für dies lebende Denkmal dort auch noch etwas übrig sein sollte.

Ein JUNGER DICHTER drängt sich zu STADELMANN.

JUNGER DICHTER
zu den Umstehenden
Bitte. Es ist wichtig. Ich muß mit ihm sprechen.

Er beginnt Verse zu deklamieren.

Sagen Sie mir nur ein Wort! Nur ein Wort! Ist das gut?

STADELMANN
ganz Kammerdiener
Junger Freund. Nur ruhig. Beruhigen Sie sich. Wir haben alle einmal poetische Aufwallungen. Selbst mir ist dergleichen nicht unbekannt. Darf ich Ihnen einen Stuhl holen? Sie sehen nicht wohl aus.

Bevor er das vor den entgeisterten Blicken des JUNGEN DICHTERS in die Tat umsetzt, hält VARENTRAPP ihn auf.

VARENTRAPP
Wohin, lieber Stadelmann?

Der scheint sich auf seine Rolle des Ehrengastes zurückzubesinnen. Während wir sehen, daß der Buchhändler ziemlich ernst auf ihn einredet, schnappt sich STADELMANN fix ein volles Glas vom Tablett des MÄDCHENS, das eben vorbeikommt.

VARENTRAPP
Es ist uns eine Ehre, Monsieur Stadelmann, eine Ehre. Es ist, als wenn wir es dem verehrten großen Dichter selbst darbringen dürften. Wie ein Kranz, den wir am Fuß seines Denkmals niederlegen. So ähnlich jedenfalls. Machen Sie uns die Freude, eine bescheidene Gabe entgegenzunehmen, die Ihnen zugedacht ist als kleine Hilfe... äh... als ein Notgroschen...

(VARENTRAPP ist das alles ziemlich peinlich)

10.
Zurück in Jena im Arbeitshaus. Speisesaal.

STADELMANN
der offenbar sein Gespräch mit Varentrapp wiedergibt
... als ein Ehrensold in Anerkennung ihrer großen Verdienste um die deutsche Dichtkunst. Machen Sie uns die Freude, hundert Gulden jährlich zu nehmen, jedes Jahr, solange Sie leben, lieber Herr Stadelmann ... Ja, das sagte er.

Mit offenen Mündern hören ihm ein paar zerlumpte Gestalten zu, darunter die beiden ALTEN FRAUEN aus 2. STADELMANN merkt nicht, daß der INSPEKTOR hinzugetreten ist.

STADELMANN
Natürlich sollt ihr alle auch etwas abkriegen. Ich lade euch ein. Wir machen ein Abschiedsfest.

INSPEKTOR
So?

STADELMANN fährt herum. Einen Augenblick Stille. Die ALTEN sehen sich vielsagend an. Ein bißchen Schadenfreude wird auch dabei sein.

STADELMANN
Ja, ich kündige.

INSPEKTOR
so weit von oben herab und verletzend, wie es geht
Er kündigt! Hat er es noch nicht begriffen: Die Maskerade ist aus, *Herr* Stadelmann! Jetzt ist er wieder bei uns zurück. Was *Herr*? Was *Ehre*? Was *Dichtkunst*? Was glaubt er, wer er ist? Wir, Stadelmann, wir beide, wissen es leider nur zu genau. Geh er! Zieh er sich endlich um! Dies ist ein Arbeitshaus und kein Honoratiorenclub.

STADELMANN
Ich kündige.

Der INSPEKTOR bricht in böses höhnisches Gelächter aus.

STADELMANN
mit dem Rest seiner Würde
Von nun an kann ich für meinen Unterhalt aufkommen.

INSPEKTOR
Seinen Unterhalt! Die hundert Gulden, meint er. Nun, hat er schon ausgerechnet, wieviel Schnaps er dafür bekommt? Da wird er sich ein paar kräftige Räusche antrinken. Das reicht fürs Delirium, falls er weiß, was ich meine. Ex, Stadelmann. Ex. Wär vielleicht das Beste. Aber Ihre Durchlaucht, die Großherzogin, hat dies Haus dazu bestimmt, euch Gesindel daran zu hindern, euch zu Tode zu saufen. Weiß Gott warum. Die hohen Herrschaften habe oft seltsame Einfälle. Das kommt von zuwenig Sorgen, die sie selber haben, sage ich.

STADELMANN
empört
Ihre Durchlaucht hat oft sehr huldreich zu mir gesprochen, als ich noch beim Geheimrat in Diensten war. Auch der Groß-

herzog. Seine Durchlaucht geruhte sogar meinen Namen zu kennen und alle meine Nachfolger mit Karl anzureden.

ALTE FRAU 1
Ist ja auch einer von euch wie der andere.

Kichern. Die Stimmung kehrt sich langsam gegen STADELMANN.

ALTE FRAU 2
„Ehrensold". Mir haben sie auch Geld für meine „Ehre" gegeben.
ALTE FRAU 3
Das muß aber schon lange her sein. Seit ich dich kenne, machst du's umsonst.

STADELMANN
an den Inspektor gewandt
Sobald die Geldsendung eintrifft, ziehe ich aus.

INSPEKTOR
Hat er vergessen, daß ich das Geld erhalte? Er ist im Arbeitshaus. Alles, was er erhält, geht zu meinen Händen. Das weiß er doch. Und ich bin nicht verpflichtet, es ihm auszuhändigen. Im Gegenteil. *Zu den anderen:* Wißt ihr überhaupt, wieviel Schulden ihr alle beim Herzog habt, der euch kleidet und nährt und ein Dach über dem Kopf gewährt? Wenn sich je herausstellt, daß ihr Geld habt, bekommt ihr die Rechnung für Kost und Logis in diesem Etablissement, und zwar für jeden Tag eures Faulenzerlebens, den ihr hier zugebracht habt.

Die Anwesenden ziehen einer nach dem anderen mit gesenkten Köpfen ab, bis STADELMANN allein mit dem INSPEKTOR übrig bleibt. STADELMANN versucht noch einmal aufzubegehren:

STADELMANN
Aber der Baron von Rothschild... Der Buchhändler Varentrapp... Seine Excellenz...

INSPEKTOR
ihm das Wort abschneidend
Der Bürgermeister hat nach jemandem geschickt, der die Pfuhlgrube leert. Der Auftrag ist für ihn, *Herr* Stadelmann. Und wenn er sein Gewand nicht wechseln will, so gehe er doch im Dichterrock! Allerdings wird der wohl statt Tinte ein paar Spritzer Jauche abkriegen. Mach er nicht so ein Gesicht, Stadelmann! Wir alle füllen die Grube. Da sind wir alle gleich. Nur in Hinsicht auf das Leeren derselben herrscht Ungleichheit: Das ist für ihn bestimmt. Für ihn und Seinesgleichen. *Verächtlich*: Und wenn ihr einmal so tief gesunken seid, riecht man es euch an. *Schreit ihn an:* An die Arbeit! Was steht er hier noch rum!

Der INSPEKTOR entfernt sich. STADELMANN bleibt erstarrt zurück.

11.
Dachboden des Armenhauses. STADELMANN steigt die Treppe hinauf. Wir sehen ihn zwischen großen, dort aufgehängten Wäschestücken verschwinden.

GOETHES STIMME
Karl ... Karl ... Wo bleibt er denn? ... Es ist schon spät, Karl ...

Mit STADELMANN irren wir zwischen den Wäschestücken umher, Stoffbahnen, die uns an die Enthüllung des Denkmals erinnern. Auch diese scheinen etwas zu verdecken, das darunter lebt. Vielleicht begleiten wir auch schon STADELMANN auf seinem Weg in die andere Welt...

GOETHES STIMME
Was säumt er? ... Was läßt er mich warten? ... Karl? ...

12.
Wie in 1. sehen wir undeutlich eine Gestalt, die wie der alte Goethe aussieht. Dann erkennen wir, daß es der am Dachgebälk aufgehängte Anzug Goethes ist, der im Luftzug hin- und herweht. Doch diesmal steckt der alte STADELMANN darin.

Franz Liebl

Sesenheimer Elegie

Dein knappes pralles Mieder
mich an Bettina band.

Die nettsten flinken Füßchen,
die ich bei Ulrike fand.

Gretchen, mein armer Engel,
klagt an mit deinem Mund.

Ach, in Faustinas Armen
von scheuen Schwüren wund.

All über den Wipfeln du, Friede –
Hauch aus der holdesten Zeit.

Du trugst eine schwarze Schürze
über dem weißen Kleid.

Hauch aus der holden Zeit

Siegfried Obermeier

Der Schlüssel zu allem liegt in Sizilien ...

Goethes Sizilienreise mit Chr. H. Kniep

1

Vor einigen Wochen erhielt ich Post aus Weimar. Mein Herz klopfte wie wild, denn es sind schon etliche Jahre vergangen, seit sich der berühmte Dichter seines damaligen Reisegefährten entsann. Je älter ich werde, desto häufiger denke ich an jene Tage zurück, und so schrieb ich nach langer Zeit wieder einmal nach Weimar mit der höflichen Anfrage, ob die einstmals gedachte Veröffentlichung der „Italienischen Reise" noch zu erwarten sei und wann, da ja nun immerhin fünfundzwanzig Jahre seitdem verflossen seien. Nun hielt ich die Antwort in Händen, vom Sekretär geschrieben und von Goethe eigenhändig um die Zeilen ergänzt: „Ich bitte um Geduld, lieber Kniep, und bin mit den besten Wünschen Ihr alter Goethe".

Sein langes Zögern löste in mir den Entschluß aus, nun meinerseits mit dem Schreiben zu beginnen, um jene Sizilienreise aus dem Dunkel der Vergangenheit zu holen. Ich lebte damals schon seit über vier Jahren in Neapel, war fast dreißig Jahre alt und brachte mich mühsam mit Zeichenstunden und Auftragsarbeiten durch. Die Kunst ist ein hartes Brot – jeder, der sich mit ihr einläßt, wird es wissen. Mein Glück war, daß ich Hackert und Tischbein gut kannte, denn letzterer kam eines schönen Tages – es muß im März gewesen sein – in mein kleines Atelier und machte mir einen Vorschlag, der verlockend klang. Ich sollte den Geheimen Rat Goethe aus Weimar auf eine Sizilienreise begleiten.

„Doch nicht den Verfasser des *Werther*? fragte ich.

„Denselben!" sagte Tischbein.

Ein paar Tage später lernten wir uns kennen; auf Wunsch Goethes fand das Treffen im Atelier statt.

Seine großen, dunklen Augen nahmen mich sofort gefangen. Er suchte meinen Blick und hielt ihn lächelnd fest.

„Sie sind also Kniep."
Ich verbeugte mich leicht. „Christoph Heinrich Kniep."
Er streckte mir die Hand hin. „Goethe – kann ich etwas von Ihrer Hand sehen?"
Ich brachte die Mappe, und er blätterte sie langsam durch, besah manche der Arbeiten sehr genau. Das Blatt mit der Ansicht des Golfs von Neapel und dem Vesuv legte er beiseite, um es am Ende wieder und noch ausführlicher zu betrachten.
„Ich wollte, ich könnte so zeichnen", sagte er.
„Ich wollte, ich hätte den *Werther* geschrieben", fuhr es mir heraus.
Goethe lachte. „Wünschen Sie sich das nicht! Das Buch hat mir viel Ärger eingebracht."
„Aber auch viel Ruhm", wandte ich ein.
Er winkte ab. „Der wird nicht lange anhalten und ist manchmal recht lästig. Alle fragen, wann ich eine Fortsetzung zum *Werther* schreibe. Als sei ich ein Lohnschreiber, der nach der Laune des Publikums schielt. Man wird sich sehr wundern, wenn meine neuen Arbeiten ans Licht kommen! Ich hätte Sie gerne als Begleiter, Kniep. Wenn Sie mich auch mögen, brechen wir in etwa einer Woche auf."
In diesem „wenn Sie mich mögen" war unmißverständlich die Forderung enthalten: du mußt mich mögen – es bleibt dir nichts anderes übrig. Nun, ich mochte ihn wirklich, den Rat Goethe – er hatte etwas ungemein Anziehendes, auch etwas Geheimnisvolles an sich.
Fürs erste war ein Ausflug nach Salerno und Paestum geplant. Unterwegs besprachen wir, wie es auf der künftigen Reise zu halten sei. Goethe bot mir an, für alles aufzukommen, die für ihn gefertigten Veduten sollten am Ende ausgewählt und gesondert honoriert werden. Ihm kam es nur darauf an, daß ich in Sizilien alles Wichtige für ihn aufnahm, daneben blieb noch genug Zeit, um nach Belieben für meinen eigenen Bedarf zu arbeiten.
Es war leicht, mit ihm auszukommen, wenn man seine Art einmal kannte und auf seine meist nur angedeuteten Wünsche willig einging. Niemals sprach er im Befehlston, immer waren seine Forderungen in die Form einer Bitte gekleidet, doch auf eine Art, daß sich ein Widerspruch ganz von selber ausschloß. Übrigens erging es nicht nur mir so. Ich konnte während unserer ganzen Reise dieses Phänomen beobachten: Goethe setzte immer seinen Willen durch. Er äußerte seine Wünsche auf eine harmlos-naive Art, die den anderen von vorneherein entwaffnete und zugleich an sein Verständnis, seine Vernunft, seine Einsicht appellierte.

Einmal darauf angesprochen, gab er bereitwillig seine Methode preis. „Einen Befehlston, lieber Kniep, kann ich allenfalls anschlagen, wenn ich von meinem Diener oder meiner Köchin etwas will, nicht aber Leuten gegenüber, die mir freiwillig etwas leisten sollen, die möglicherweise nein sagen können, sei es auch zu ihrem Nachteil. Da kommt man viel weiter, wenn man an ihre Vernunft appelliert und sie – wenn auch nur für Augenblicke – zu sich emporzieht, sich ihnen gleichstellt. Damit bin ich immer gut gefahren – zu Hause und anderswo."

2

An einem Donnerstag sollten wir abfahren, es war einer der letzten Märztage. Das Wetter zeigte sich von seiner besten Seite, doch leider wehte – wie so oft um diese Zeit – der falsche Wind. Wir pendelten zwischen einem Caféhaus am Hafen und der Ablegestelle hin und her, wobei Goethe aber keineswegs die Laune verlor, ja sogar die Situation zu genießen schien.

Zwar durften wir um die Mittagsstunde unser Schiff, einen in Amerika gebauten Schnellsegler, besteigen, doch der Kapitän hielt es für geraten, erst in den Abendstunden die Anker zu lichten.

Der Wind wuchs sich am übernächsten Tag zu einem heftigen Sturm aus. Trotzdem kletterte alles an Deck, denn neben einer Schar spielender Delphine war schon in der Ferne die Küste Siziliens zu sehen.

Goethe, seiner Art entsprechend, blickte nur auf die über die Wellen springenden Meeressäuger; denn, wie er meinte, man solle seinen Blick immer auf das Nahe und Deutliche richten und das ferne Verschwommene erst in Augenschein nehmen, wenn es schärfere Konturen gewänne. Diesen Gefallen tat uns die Insel bald. Wir umsegelten das Capo Gallo und hielten Kurs auf Palermo, was bei dem noch immer anhaltenden Sturm gar nicht so einfach war. Der Kapitän kreuzte hin und her, um in den Hafen zu gelangen, während ich die in der Ferne zu Füßen schwarzer, hochgetürmter Berge liegende Stadt mit dem Stift aufzunehmen suchte.

Am Nachmittag gelangten wir mit vieler Mühe in den Hafen, und Goethe gab immer wieder seinem Erstaunen Ausdruck, wie anmutig Palermo sei.

Am nächsten Tag besichtigten wir die Stadt, die mit vier aneinander kreuzenden Hauptstraßen recht übersichtlich angelegt ist. Verläßt man freilich diese vier Corsi, so gerät man in ein enges Gassenwerk, das zu Füßen des alten Königspalastes besonders verwinkelt und irreführend ist.
Wir aßen in einer schattigen Osteria zu Mittag, und danach trennten wir uns, denn ich wollte mich in aller Ruhe mit dem Monte Pellegrino beschäftigen, während Goethe plante, mit Hilfe eines kundigen Führers die Stadt weiter zu erforschen. Der Jahreszeit entsprechend war es noch nicht zu heiß geworden, so daß wir beide mit Lust darangingen, unsere Pläne zu verwirklichen.
Am Abend tauschten wir unsere Erlebnisse aus, doch Goethe wußte nicht viel zu berichten. Den vor kurzem im Stil des Barock umgebauten Dom fand er scheußlich; auch das halbverfallene Schloß der einstigen Normannenherrscher konnte ihm nichts abgewinnen. Ich verstand ihn gut, beide waren wir innige Verehrer des großen Winckelmann und zogen die einfachen, klaren Linien klassischer Formen allem anderen vor. Doch um auf Sizilien unser Arkadien zu finden, mußten wir noch andere Teile der Insel aufsuchen.
Wir blieben etwa zwei Wochen in der Stadt, deren Lage so heiter und anmutig ist, daß man sich ihrer immer gerne erinnert. Goethe war im christlichen Sinn nicht religiös, das bemerkte ich schnell, er hat von Gott einen zu hohen Begriff und fand keinen Gefallen an der Art, wie die Kirchen mit Ihm, dem unfaßbaren Wesen, umgingen. Doch er besaß viel Verständnis für die sinnlichen Seiten der katholischen Religion, und so zog es ihn bald hinauf zur Grotte der Stadtheiligen Rosalia. Ihre Gebeine wurden hier vor etwa hundert Jahren entdeckt, und so ist aus ihrer Wohn- und Grabhöhle eine Kirche, ein Wallfahrtsort geworden. Mit brennendem Interesse lauschte Goethe den Erklärungen des Priesters, und so wunderlich diese auch klangen, ich konnte auf seinem schönen Antlitz kein Lächeln der Belustigung oder gar der Verachtung entdecken. Später sagte er zu mir:
„Auch wenn dergleichen mir selber nichts bedeutet, so erregt es doch mein Interesse, weil es anderen Menschen wichtig – ja lebenswichtig ist. Gerade die katholische Religion hat für einfache Gemüter eine Faszination, die ich allmählich zu verstehen beginne. In dieser Einsicht ist es dann schon ganz recht, daß alle Religionen nicht unmittelbar von Gott selber gegeben wurden, sondern daß sie, als das Werk vorzüglicher Menschen, für das Bedürfnis und die Faßlichkeit einer großen Masse ihresgleichen berechnet sind. Wären sie ein Werk

Gottes, so würde sie niemand begreifen. Übrigens sollten wir einmal die Villa Pallagonia in Bagheria besuchen. Jeder in Palermo fragt, ob man sie schon gesehen hat."

Ich habe Goethe auf dieser Reise selten so zornig gesehen als beim Anblick der krüppel- und fratzenhaften Gestalten, mit denen der damalige Besitzer Park und Villa geschmückt hatte. Der Fürst Pallagonia war offenbar so stolz auf das von ihm inspirierte Werk, daß er seinen Garten mehrmals in der Woche den Schaulustigen öffnete.

„Wenn es wenigstens Afterkunst wäre", sagte Goethe empört, „dann könnte man sagen: Da wollte einer, aber sein Talent hat nicht hingereicht. Doch hier wird das Absurde noch von der schlechten Arbeit übertroffen. Das Widerliche dieser Pfuschereien wird noch dadurch vermehrt, daß sie aus dem weißen Muschelkalk gefertigt sind, was das Häßliche dieser Ungeheuer und Gnomen noch erhöht."

Wie ich trug auch Goethe meist einen Skizzenblock mit sich und versuchte nun mit angeekelter Miene, einige dieser Krüppel- und Fabelwesen aufs Papier zu bringen. Als auch ich nach dem Stift griff, meinte er:

„Für mich brauchen Sie es nicht zu tun, Kniep, ich will diesen Anblick nicht auch noch verewigt wissen – wenigstens nicht von Ihrer begabten Hand."

Doch dann ließ es ihm keine Ruhe, und er bat mich, wenigstens eine dieser Fratzen für seine Sammlung aufzunehmen. Ich tat ihm den Gefallen und zeichnete eine Art Pferdeweib ab, das mit einem Mann Karten spielte, der auf seinem Greifenkopf eine riesige Perücke trug.

Wir waren schon eine Woche in Palermo, doch Goethe hatte den Besuch des Klosters Monreale immer wieder verschoben. Aber ich wollte es mir nicht nehmen lassen, die weithin gerühmten Mosaiken der Kirche aufzusuchen, und so beschloß ich, mich allein auf den Weg zu machen. Das aber paßte meinem Begleiter auch wieder nicht.

„Ich komme mit", sagte er kurz entschlossen, „wenn Ihnen so viel daran liegt. Die Aussicht von dort oben soll ja recht bedeutend sein."

Ich schwieg, denn ich fühlte seinen leisen Spott über mein Interesse an einem Bauwerk des Mittelalters, was er offenbar als Verrat an den Lehren Winckelmanns empfand. Ich hatte inzwischen längst bemerkt, daß Goethe vor jedem antiken Säulenrest in Ehrfurcht erstarrte, während er die schönsten normannischen Kirchen in Palermo einfach übersah.

Nicht anders verhielt er sich jetzt in Monreale, als wir den Dom betraten. Die herrlichsten Mosaiken bedeckten Säulen, Wände und Apsis, wo der gewaltige Pantocrator segnend die Hände ausbreitete.
„Da lassen Sie besser Ihr Skizzenbuch stecken, Kniep“, meinte Goethe anzüglich. „Bei diesem barbarischen Gewimmel weiß man nicht, wo anfangen und wo aufhören. Da ist das Prinzip ‚edle Einfalt, stille Größe‘ fast auf den Kopf gestellt, denn diese chaotische Vielfalt hat wahrhaftig nichts Edles.“
„Jede Zeit drückt sich auf ihre Art aus, und diese Mosaikbilder sind dennoch nicht ohne Größe.“
Goethe drohte scherzhaft mit dem Finger.
„Kniep, Kniep, da dreht sich unser guter Winckelmann ja im Grabe herum.“
„Soll er es!“ sagte ich störrisch. „Man kann nicht nur die Kunst der Antike gelten lassen und alles andere beiseite schieben, als sei es nutzloses Gerümpel. Winckelmanns Forderung, durch Nachahmung der alten unnachahmliche Kunst zu schaffen, ist ja eigentlich ein Paradoxon.“
„Da haben Sie auch wieder recht“, sagte Goethe versöhnlich. „Bleiben Sie hier, solange Sie wollen, ich sehe mir einstweilen die Sammlung im Kloster an.“
Goethe mit seinem unstillbaren Hunger nach außerordentlichen Menschen und ihren Schicksalen ging den Spuren des Schwindlers Cagliostro in Palermo nach und machte dabei dessen Mutter ausfindig.
Um sich bei der Familie einzuführen, trat er als Engländer auf, der Cagliostro aus London kannte und von ihm beauftragt sei, Grüße an die Angehörigen zu überbringen. Dort traf Goethe die Mutter des Betrügers und dessen verwitwete Schwester in mißlichen Umständen an. Bei seinem letzten Aufenthalt in Palermo hatte Cagliostro Schulden hinterlassen, für die nun die Schwester bürgen mußte. So bat man den angeblichen Engländer, einen Brief nach London mitzunehmen, um den Bruder an seine Verpflichtungen zu erinnern. Goethe sah sich damit in eine Rolle gedrängt, die er nun ehrenvoll zu Ende spielen wollte. Er nahm den Brief, hielt es jedoch für sinnlos, ihn dem irgendwo herumabenteuernden Cagliostro zuzustellen, wollte aber andererseits der armen und anständigen Familie helfen. Jahre später schrieb mir Goethe, er habe den Fall beinahe vergessen gehabt, als ihm zu Hause dieser Brief unter die Hände kam. Da sei sein Gewissen erwacht, und er habe sofort den Schuldbetrag im Namen

Cagliostros nach Palermo übersandt und sei dafür mit einem rührenden Dankesbrief belohnt worden. Im übrigen habe ihn das aberteuerliche Leben des Grafen Cagliostro zu einem Bühnenstück angeregt, das den Titel „Der Groß-Cophta“ tragen solle.
Später geriet der Erzgauner dann doch noch in die Hände der Inquisition, die ihn zum Tode verurteilte, doch Papst Pius milderte den Spruch auf lebenslanges Gefängnis. Etwa vor einem Jahrzehnt ist Cagliostro im Kerker gestorben, aber es wird noch viele Menschen geben, die sich seiner – im Guten oder Bösen – lebhaft erinnern werden.

3

Warum spreche ich nie von Goethe, dem Dichter? Sah ich ihn doch oft genug während unserer Sizilienreise stundenlang schreiben und verbessern, ganz seinem Werk hingegeben. Dazu muß ich sagen, daß Goethe mir den Zugang zu seiner Arbeit versperrte. Für ihn war ich der Maler und Zeichner, dessen Rat und Ansichten er geduldig lauschte und dem er – meist vergeblich, wie er selber zugab – nachzueifern suchte. In seine Dichtung aber verkroch er sich und schlug die Tür hinter sich zu. Für ihn war das etwas ganz Privates und Intimes, und so wußte ich nur, daß er seinerzeit an dem Schauspiel „Torquato Tasso“ arbeitete.
Gegen Ende April zogen wir weiter nach Alcamo, einem ruhigen Bergstädtchen, und hier wurde uns bewußt, wie mangelhaft Sizilien mit allem versorgt war, sobald man sich von der Hauptstadt entfernt hatte. Unser Gasthof war schmutzig und verkommen, das Essen sehr bescheiden. Wir speisten auf einer Art Terrasse, und schon bei den ersten Bissen erschienen Kinder, Bettler und streunende Hunde, um unsere Mahlzeit mit hungrigen Augen zu verfolgen. Mir war gar nicht wohl dabei, doch Goethe ließ sich nicht stören.
„Was wollen Sie, Kniep? Ob wir uns Sorgen machen oder nicht, wir werden die Zustände auf Sizilien nicht ändern können. Geben Sie den Leuten ein Stück Brot – gut, das mag recht human sein, aber es macht wenig Unterschied; das ist nur der berühmte Tropfen auf dem heißen Stein. Man müßte das Übel an der Wurzel fassen, aber dazu sind wir nicht berufen.“
„Ich glaube, da machen wir es uns zu leicht...“

Goethe zuckte die Schultern. „Das läßt sich bisweilen nicht vermeiden, ich möchte sogar sagen, auf dieser Reise müssen wir es uns leichtmachen. Wir werden hier speisen, übernachten und morgen weiterziehen. Da ist zuwenig Zeit, um sich mit Problemen zu befrachten, zu deren Lösung wir nichts beitragen können."
„Mich stimmt das traurig", sagte ich zu Goethe.
„Mich auch, lieber Freund, aber in meine Trauer mischt sich auch Zorn, weil ich weiß, daß es dieses Elend nicht geben müßte. Wen aber dafür verantwortlich machen, wo sich beschweren? Beim König in Neapel? Beim Vizekönig in Palermo? Bei den Großgrundbesitzern, die den Zins ihrer kleinen Pächter mit solchem Unfug vertun, wie wir es in der Villa Pallagonia gesehen haben? Lassen wir es gut sein."
Damit war für Goethe das Thema abgeschlossen, und er wollte auch nicht mehr darauf zurückkommen. Sein Geist war schon vorausgeeilt und schwebte um den Tempel von Segesta, den wir am nächsten Morgen aufsuchten. Goethe beschaute ihn aufs genaueste, um bestätigt zu finden, was Fachleute herausgefunden hatten, nämlich, daß die Bauarbeiten vor der Fertigstellung beendet wurden. Die Wände der Cella fehlten, und die Zapfen zum Tranport der Steine waren noch nicht weggehauen, die Säulentrommeln nicht kanneliert.
Schließlich nahmen wir gut zweihundert Schritt von seiner Vorderseite Stellung und konnten so auch noch einen Teil des felsigen Hanges in seinem Rücken auf das Blatt bringen.
Wie immer, wenn Goethe ernsthaft ans Zeichnen ging, ärgerte es ihn, daß er, der so viel über die Theorie der Zeichnung wußte, nicht imstande war, sie in die Praxis umzusetzen.
„Da kenne ich genau die Regeln einer Komposition, weiß auch mit dem Stift umzugehen, und wenn ich's dann auf das Papier bringen soll, will es einfach nicht werden. Ich weiß, daß man in der Natur nie etwas als Einzelheit sehen darf, sondern seine Verbindung mit dem, was neben, hinter und über ihm ist. Ich weiß das alles, Kniep, und bringe dennoch nichts Gutes zustande."
Er tat mir leid in seiner, wenn auch nicht sehr ernstgemeinten Verzweiflung. Ich versuchte ihn zu trösten.
„Sie können und wissen viel, Herr von Goethe, da darf es ruhig auch schwache Stellen geben. Im übrigen geht es schon recht passabel, und bei längerer Übung..."
„Ich weiß schon, mein Freund, Sie wollen mich über diese Schwäche hinwegtrösten. Sie haben freilich recht: man darf und muß nicht alles können; übrigens haben gerade die Dilettanten oft Beachtliches

geleistet. Ich plane darüber einen Aufsatz, und man wird sich wundern, was da zutage kommt."

Ich schüttelte den Kopf.

„Da tun Sie dem Gegenstand aber zuviel Ehre an..."

Goethe ließ den Stift sinken. „Ganz und gar nicht. Dilettanten haben oft viel bewirkt, jedenfalls zeigen sie produktive Kraft und kultivieren also etwas Wichtiges am Menschen, abgesehen davon, daß sie nicht selten echte Talente anregen und zu ihrer Entwicklung beitragen."

„Sie können mich nicht überzeugen, Herr von Goethe. Der Unterschied ist doch augenfällig! Vergleichen sie Ihre Zeichnung mit der meinen, oder lassen Sie mich ein Schauspiel über Torquato Tasso schreiben. Jeder Kenner wird meine Zeichnung und Ihr Stück loben. Das Publikum – Sie wie ich sind darauf angewiesen – wird sich stets dem Talent, dem Professionellen zuwenden."

„Im allgemeinen mag das für die Kunst gelten. Aber in den Wissenschaften haben gerade Dilettanten viel bewirkt, haben unbekümmert einen kühnen Schritt vorwärts getan. Ich werde mich später ausführlich damit befassen."

Schweigend machten wir uns beide wieder an die Arbeit.

Über Castelvetrano und Sciacca setzten wir die Reise nach Girgenti, dem alten Agrigentum, fort. Da es dort nicht einmal einen Gasthof gab, nahmen wir in einem Privathaus Quartier, bei einer Familie, die zu Hause Nudeln aus Weizengries herstellte.

Wie es seine Art war, begann Goethe sofort ein intensives Gespräch über Nudelherstellung, und die ganze Familie zeigte sich überrascht und erfreut, daß dieser vornehme Fremde an ihrem Handwerk so großen Anteil nahm.

Bei Sonnenaufgang stand unser Führer, ein kleiner, schon älterer Geistlicher, frisch und munter vor der Tür. Er war sehr beschlagen und gab nur fürs erste einen Überblick, damit wir uns bei dem halben Dutzend mehr oder weniger gut erhaltener Tempel einigermaßen zurechtfanden. Ich wählte im Geist schon die geeignetsten Punkte aus, von denen ich anderntags die schönsten Veduten aufnehmen wollte.

Der Tempel des olympischen Zeus muß von allen der gewaltigste gewesen sein, doch gerade von diesem Bauwerk war nichts weiter übrig als ein gestürzter Atlant und der Rest einer kannelierten Halbsäule, deren Umfang Goethe stumm werden ließ. Er stellte sich in eine der Kannelierungen wie in eine Nische und sagte fassungslos, daß zweiundzwanzig Männer im Kreis geordnet den Umfang dieser gewaltigen Säulenschäfte wiedergäben.

„Für Sie ist da nichts zu holen, Kniep, man hat den Tempel offenbar über Jahrhunderte als Steinbruch benutzt, und nun muß man leider mit Shakespeare sagen: Der Rest ist Schweigen ..."
Am nächsten Tag trennten sich unsere Wege, denn ich zog schon bei Morgengrauen mit meiner Zeichenmappe los, die mir ein Junge aus unserer Gastfamilie nachtrug. Später erschien Goethe; von Zeit zu Zeit blickte er mir über die Schulter und drückte sein Wohlwollen aus. Ich weiß noch genau, welchen Stolz ich damals empfand, wenn der Hochberühmte und Hochgebildete meine Arbeit lobte, und sie war ja tatsächlich das einzige, wo ich ihm voraus war, wo er von mir lernen konnte.
Auch am nächsten Tage sahen wir uns nur flüchtig, denn ich hatte mir so viel vorgenommen, daß ich mir wünschte, der lichte Tag möchte bis gegen Mitternacht anhalten, so wie man es aus skandinavischen Ländern hört.
Aber dann mußten wir doch weiter, denn Goethe war, wie er mir sagte, schon mit dem Vorsatz aufgebrochen, nicht mehr als vier bis sechs Wochen auf Sizilien zu verwenden. Von Agrigentum ritten wir nach Nordosten und durchquerten dabei die Kornkammer Siziliens. Die großen Getreidefelder – vornehmlich Weizen und Gerste – bedeckten wie ein sanfter, goldener Flor das weite Tal und die Hügel, wobei durch das Fehlen jeglicher Bäume oder Sträucher der Eindruck einer – wenn auch fruchtbaren – Wüstenei entstand. Das Korn ging dort Ende April schon seiner Reife entgegen und wurde bereits im Mai geerntet.
Unser Ziel war Caltanisetta, eine ansehnliche Provinzhauptstadt mit gewiß nicht weniger als zwanzigtausend Einwohnern, doch nach einer Herberge suchten wir vergebens. Unser Vetturino, der Maultiertreiber, hatte sich noch nie so weit von seiner Heimat entfernt und kannte hier keinen Menschen. Wir gingen also wie weiland die heilige Familie auf Herbergssuche. Obgleich sich an solchen Orten immer Familien fanden, die uns gegen wenig Entgelt ein Zimmer überließen, waren diese Räumlichkeiten nicht sofort zu beziehen. Sie mußten erst gereinigt und „möbliert" werden, was darin bestand, daß man irgendwelche rohen Holzböcke aufstellte, Tische und Stühle waren in der Regel nicht vorhanden. Das konnte unseren Goethe aber nicht erschüttern. Doch er staunte nicht schlecht, als man uns von allen Seiten nach dem Wirken König Friedrichs von Preußen befragte. Die Legende vom Großen Friedrich war auch hierher gedrungen, und jeder wußte so ungefähr, welche unfaßbaren Neuerungen er in Preußen, eingeführt

Wenn es wenigstens Afterkunst wäre

hatte: Abschaffung von Folter und Hexenprozessen, Gleichheit vor dem Gesetz, religiöse Toleranz und andere Neuerungen, die man hier scheu bewunderte und insgeheim fürchtete. Dabei flüsterte mir Goethe auf deutsch zu: „Ich wage es nicht, den guten Leuten vom Tod des Königs zu berichten. Sie würden uns aus der Stadt jagen ..."
So taten wir, als lebe der alte Fritz noch, und rühmten mit dem Volk von Caltanisetta seine Größe und Weisheit. König Friedrich war im vergangenen Jahr gestorben, und es war bemerkenswert, daß die Todesnachricht noch nicht hierhergedrungen war.
Auf der Weiterreise gerieten wir in einen Regensturm, der das bisher fast trockene Flußbett des Salso mit schäumenden Fluten gefüllt hatte. Auf dem Weg nach Enna aber mußten wir hinüber, und eine Brücke war weit und breit nicht zu entdecken. Plötzlich tauchten mehrere Männer aus den Regenschleiern auf und erboten sich in schwer verständlichem Dialekt, uns hinüberzuhelfen. Unser Vetturino war keineswegs erstaunt, sondern grinste recht erleichtert. Je zwei von ihnen nahmen Maultier samt Reiter in ihre Mitte und trugen mehr, als daß sie schoben, Mensch und Tier durch den reißenden, aber nicht sehr tiefen Fluß.
Das alte Castrum Henae nennt sich jetzt Castrogiovanni, aber es ist auch der Name Enna im Gebrauch. Unsere Herberge erwies sich als halbe Ruine ohne Glas in den Fenstern, so daß wir die Wahl hatten, im Finstern zu sitzen oder die Regenschauer hereinzulassen.

4

Gleich am nächsten Morgen verließen wir das unwirtliche Bergnest, und der sonst so beherrschte Goethe verbarg seinen Unmut nicht.
„Sie werden sich fragen, Kniep, warum ich so nachdrücklich darauf bestanden habe, dieses abgelegene Enna aufzusuchen. Mich hat der altehrwürdige Name gelockt, denn durch seine leicht zu verteidigende Höhenlage ist es wohl der älteste Siedlungsplatz auf der Insel. Dort bauten sich schon die Sikuler ein festes Nest, und Demeter hatte unter den Griechen hier ihr Haupttheiligtum; für die Römer war es eine wichtige Festung. Daß der Ort bis heute ununterbrochen besiedelt war, macht ihn aber für uns wenig ergiebig, weil man das Alte immer wieder fortschaffte, um Neues darüber zu bauen. Da war kein Platz, es ging nicht anders. Die Versprechung des alten Castrum Henae ist so falsch wie sein jetziger Name, den die Araber aus dem Lateinischen

zu Casrjanni verstümmelt haben. Daraus haben nun die Heutigen ihr Castrogiovanni gebildet, das ja nun wirklich nichts mit einer Burg des Johannes zu tun hat. Lassen wir es uns als Lehre dienen, Kniep."

Mit der Feinfühligkeit des Südländers muß unser Vetturino etwas von der Verstimmung gespürt haben. Er versicherte uns eifrig, daß er auf dem Weg nach Catania eine vorzügliche Herberge wisse, und in der Stadt selber – er küßte vielsagend seine Fingerspitzen – würde er dafür sorgen, daß wir alle Bequemlichkeiten hätten und untergebracht seien wie die Fürsten.

Nun, der erst vor kurzem errichtete Gasthof sah tatsächlich recht passabel aus. Verglichen mit dem, was wir in den letzten Tagen erlebt hatten, war unser Zimmer geradezu komfortabel eingerichtet. Es hingen einige verblichene Stiche mit Heiligen an der Wand, die Goethe interessiert studierte. Plötzlich rief er:

„Kniep, schauen Sie sich das an!"

Da war mit Bleistift und in feingestochener Schrift eine Warnung an die Wand geschrieben, die ich nur noch dem Sinn nach in Erinnerung habe. Ungefähr hieß es da: „Reisende! Meidet in Catania den Gasthof zum ‚Goldenen Löwen' wie die Pest!"

Wir dankten dem unbekannten Reisenden von Herzen und wollten seine Warnung beherzigen. Als es dann in der schönen Stadt zu Füßen des Ätna um die Frage der Unterbringung ging, sagte Goethe, ihm sei jede Herberge recht, nur nicht der „Goldene Löwe". So kam es, daß wir in einer Viehtreiberspelunke landeten, wo uns als Mittagsmahlzeit ein zähes Huhn empfing, das die übermäßige Verwendung von Gewürzen fast ungenießbar gemacht hatte. Nach einer jämmerlich verbrachten Nacht wurde es Goethe zu dumm.

„Schließlich sind wir in Catania", murrte er, „und nicht in einem Bergdorf. Hier muß es doch auch bessere Gasthöfe geben!"

Der Wirt war keineswegs beleidigt, sondern meinte nur, Herren wie wir hätten eben gleich dort drüben Quartier nehmen sollen. Er zeigte auf ein stattliches Eckhaus, und wir gingen sofort hinüber.

Das war nun ein anderes Wohnen, in einem weißen lichten Zimmer, wo ich endlich einmal meine Zeichenmappe auf einen großen Tisch behäbig hinbreiten konnte. Goethe hatte sich gerade auf ein Sofa hingestreckt, als eine junge, recht hübsche Frau hereinplatzte. Sie trug ein weinendes Kind auf dem Arm und tat recht erschreckt, als sie uns sah. Der Bediente kam, entschuldigte sich, sagte, er sei der Vater des Kindes, das er der Frau abnahm und im Nu beruhigte. Er komme gleich wieder, sagte er, und verschwand mit dem Kleinen. Die Frau

aber blieb da, tat recht kokett, blitzte uns mit ihren schwarzen Augen an und deutete kichernd auf das Sofa, von dem Goethe sich der Höflichkeit wegen erhoben hatte. Plötzlich lachte er:
„Wissen Sie, daß wir nun doch im ‚Goldenen Löwen' sind? Draußen steht's über der Tür. Und nun verstehe ich auch die Warnung an der Wand! Der Unbekannte wird ein wenig prüde gewesen sein, und es störte ihn, daß man ihn hier gleich verkuppeln wollte. Der Einfall mit dem Kind ist gar nicht so schlecht. Wenn Sie sich bedienen wollen, Kniep, mache ich inzwischen einen Spaziergang."
Ich war nicht unerfahren, wurde aber trotz meiner dreißig Jahre rot wie ein Schuljunge. Goethe hatte das so offen hingesagt, als handle es sich um ein Bedürfnis wie Essen und Trinken.
„Sie sind der Ältere, Herr von Goethe, ich lasse Ihnen gerne den Vortritt", sagte ich steif.
„Aber Sie werden doch nicht beleidigt sein, mein Freund? Ein junger Mann wie Sie wird doch auch seine Bedürfnisse haben ... Was mich betrifft, so danke ich für Ihr Entgegenkommen, aber mir ist im Augenblick nicht danach, obwohl die Kleine recht passabel scheint."
Er holte ein paar Münzen aus der Tasche, tätschelte dem Mädchen die Wange und schob es aus der Tür.
„Wir sind ja länger in Catania, und sollte einer von uns Lust auf weibliche Gesellschaft verspüren, dann sind wir hier ja bestens versorgt."
Ich schwieg und steckte den Kopf in mein Buch. Daß Goethe von solchen Dingen sprach, enttäuschte mich etwas, aber ich ließ mir nichts anmerken.
Catania war eine düstere Stadt, denn vieles wurde damals nach der Katastrophe aus der weite Teile der Stadt bedeckenden Lava erbaut – Kirchen, Paläste und Wohnhäuser. So hing man dem gepeinigten Catania einen schwarzen Trauerflor um, den es nun tragen muß als stete Erinnerung an sein damaliges Unglück, wie auch als Warnung für künftige Gefahren, denn ein sicherer Ort wird diese Stadt niemals sein. Die Spuren ihrer Zerstörung waren noch allenthalben zu sehen. Wo immer man durch die Straßen ging, plötzlich war die Häuserzeile unterbrochen, und wie eine drohende schwarze Faust zwängte sich ein Lavastrom dazwischen. Freilich täuscht dieser Anblick über die damalige Katastrophe hinweg, denn die Zerstörungen waren weit schlimmer, und was heute von der Lava noch zu sehen ist, hat man aus technischen oder praktischen Erwägungen bis jetzt noch nicht abgetragen.

Der Ausflug zum Monte Rosso ist mir noch in guter Erinnerung, denn ich war froh, aus der düsteren Stadt herauszukommen; überdies hatten mich Goethes Neugierde und Unternehmungsgeist angesteckt. Während des Rittes erzählte er mir einiges über Vulkanismus, eine Wissenschaft, mit der er sich viel befaßt hatte.
Als der eigentliche Aufstieg begann, verstummten wir beide, denn die Sicht wurde von Minute zu Minute großartiger. Wir hatten schon ziemlich an Höhe gewonnen, als ich um einen Halt bat und meinen Stift hervorholte. Vor uns ragte der schneebedeckte Gipfel des Ätna, der damals gerade eine sehr ruhige Phase hatte und kaum Rauch ausstieß. Goethe wollte unbedingt den Doppelgipfel des Monte Rosso erklimmen, doch ich zog es vor, alles Sehenswerte um mich herum aufzunehmen, und hatte mir dazu einen bequemen Aussichtsplatz gesucht. Nach zwei Stunden kam Goethe wieder zurück, ganz durchfroren, aber begeistert von dem, was er gesehen hatte.
„Da oben bläst ein Wind, das können Sie sich nicht vorstellen. Ich mußte meinen Mantel ablegen, sonst hätte es mich in den Krater geweht. Die Küste von Syrakus bis Messina läßt sich von dort überschauen, als blicke man auf ein zierlich gearbeitetes Modell. Ginge nicht ein solcher Sturm, ich würde es nochmals wagen und Sie mit hinaufzerren, lieber Kniep. Aber so reicht es mir für heute."
Mit diesem Ausflug schlossen wir unseren Aufenthalt in Catania ab, um nach dem nur etwa dreißig Meilen entfernten Taormina weiterzuziehen, einem Ort, der ob seiner Lage von jedem gepriesen wird, der ihn sehen durfte. Unser erster Weg führte uns hinauf zu dem vielgerühmten griechischen Theater, dessen einzigartige Lage auf der Welt ihresgleichen sucht. Von der oberen Reihe der amphitheatralischen Sitze blickten wir über die Stadt auf den schneeüberhauchten Ätna, der wie ein unentwegter Tabakraucher seine Qualmwolken in den blauen Äther stieß. Wendete man den Blick ein wenig nach links, so war die vielfach gezackte Küste bis nach Catania zu überschauen. Mir wurde bei diesem Anblick klar, daß ein solches Panorama nicht in wenigen Stunden aufzunehmen sei, und ich sagte zu Goethe, daß ich den ganzen nächsten Tag daran wenden möchte. Wie immer, wenn es ums Zeichnen ging, stimmte er mir sofort lebhaft zu und meinte, er würde sich unterdessen schon zu beschäftigen wissen.
„Uns hat ein Glücksstern zusammengeführt, wobei ich den Vorteil und die Freude, Sie aber die Arbeit hatten. Zudem waren Sie mir immer ein angenehmer Begleiter, niemals verdrossen, immer tätig. Ich hoffe, daß auch Sie Ihr Vergnügen an der Reise hatten?"

Das klang wie eine Frage, und so antwortete ich:
„Mir ist die Arbeit keine Last – im Gegenteil. Ich bin am glücklichsten, wenn ein schönes Motiv vor meinen Augen liegt und ich es aufs Papier bringen darf. Ihnen habe ich schließlich die Sizilienfahrt zu verdanken; wer weiß, ob ich sonst die Insel jemals kennengelernt hätte."
Goethe nickte zufrieden. „Das ist der schönste Handel, wenn beide ihren Vorteil haben. Auf jeden Fall freue ich mich auf das, was Sie morgen von dort oben mitbringen werden."
Durch Goethes Lob angefeuert, wollte ich diesmal an die Grenze des für einen Zeichner Erlaubten gehen und verwendete zwei der größten Blätter, die ich mit mir führte, um ein Panorama aufzunehmen, das unser Auge nicht mit einem Blick erfassen kann. Wie lange ich mich dort oben herumtrieb, weiß ich nicht mehr, aber es muß wohl schon der späte Nachmittag gewesen sein, als ich Goethe im Garten unseres Gasthofes die beiden Blätter zeigte.
„Mein Gott, Kniep, Sie sind ja ein rechter Zauberer! Wie haben Sie das nur in den wenigen Stunden schaffen können?"
„Es ist ja längst nicht fertig, die Feinheiten müssen noch ausgeführt werden", sagte ich bescheiden und strahlte dabei vor Stolz.
Er seufzte leise, doch es klang nicht sehr ernst.
„Ich habe ja leider keine Fortschritte gemacht im Zeichnen, hab's wohl auch eingesehen und bin bei meinen Leisten geblieben. Die gute Angelika Kauffmann hat es mir in Rom auf ihre stille, freundliche Art schon zu verstehen gegeben, daß sie von meiner ‚Iphigenie' mehr hält als von meinen Zeichenversuchen. Aber es juckt mich noch immer, und ich kann es vorerst nicht lassen. Heute aber, während Sie über Ihrer Mappe saßen, habe ich eine Nausikaa-Tragödie entworfen."
Goethe mußte bemerkt haben, daß ich mich auf dem Tisch nach losen Bättern umsah, und lachte leise, wie nur er es konnte, voll Wohlwollen und Freundschaft, im Einklang mit sich selber.
„Sie werden sich vergeblich nach den Früchten meiner Überlegungen umsehen, Kniep, denn alles Schöpferische findet ja zuerst im Kopf statt, und dabei ist es vorläufig geblieben. Aber ich werde mich wohl näher damit befassen."
Nach allem, was ich von Goethe die Jahre über erfahren habe, muß er den Plan zu einer Nausikaa-Tragödie wohl aufgegeben oder zumindest aufgeschoben haben; zur Bühnenreife scheint es jedenfalls nicht gediehen zu sein.

5

Wir wußten natürlich, welches Unglück die Stadt Messina vor vier Jahren getroffen hatte, waren aber nicht auf derartige Schreckensbilder gefaßt. Auf dem Weg zur Herberge – unser Vetturino kannte sie – ritten wir eine Viertelstunde nur durch Trümmer, durch düstere Ruinen, die sich zum Teil in den bizarrsten Formen aus dem schon mit Unkraut überwachsenen Schutt erhoben. Der Herbergswirt hatte als einziger sein Haus wieder aufgebaut, so daß wir aus dem Fenster unseres Zimmers auf eine stille, traurige Totenstadt blickten.
Am nächsten Tag zogen wir in den belebten Teil Messinas. Das war eine aus Brettern errichtete Budenstadt, die wie ein riesiger Markt wirkte und wo die dreißigtausend Obdachlosen eine vorläufige Unterkunft gefunden hatten. Man wagte es damals noch nicht, Messina wiederaufzubauen, da die Erde von Zeit zu Zeit immer noch bebte und niemand besondere Lust hatte, ein steinernes Grab über sich zu errichten. Die zwölftausend Toten waren eine ständige Warnung, und – wie wir sehen konnten –, es lebte sich auch in der hölzernen Stadt recht lustig. Den Leuten aber saß jetzt ein neuer Schreck in den Gliedern, da vor zwanzig Tagen die Erde wieder heftig gebebt hatte, was natürlich den Holzhütten nichts anhaben konnte, aber einige der noch stehenden Häuser zum Einsturz brachte.
Goethe mit seiner fast magischen Wirkung auf andere Menschen fand bald einen Konsul, der, über die Abwechslung erfreut, für uns aufopfernd den Cicerone spielte. Es gab damals kaum Fremde in der Stadt, denn jeder mied den vom Schicksal so schwer gezeichneten Ort. Ich machte ein paar Zeichnungen von der Verwüstung, doch ohne große Freude. Von unserem Konsul erfuhren wir, daß es hier einen wunderlichen alten Gouverneur gebe, der darauf bestehe, daß jeder bedeutende Fremde ihm vorgestellt werde. Mich rechnete man offenbar nicht dazu, doch ich bin nicht eitel, und es machte mir nichts aus, in der Altstadt herumzustreifen, während der Geheime Rat von Goethe seinen gesellschaftlichen Pflichten nachkam. Dabei entdeckte ich, daß die meisten der aus festen Steinquadern errichteten Paläste das Erdbeben gut überstanden hatten, was auch für einige Kirchen galt, so etwa für den Dom und die Jesuitenkirche. Letztere besuchte ich zusammen mit Goethe, der mir unterdes erzählte, was er bei dem schrulligen Gouverneur erlebt hatte.

„Das ist ein seltsamer, alter Kauz, halbtaub, ein schlimmer Despot und von jähem Zorn. Seine Tischgäste wagen kaum eine Unterhaltung, um ihn ja nicht durch ein unbedachtes Wort zu verstimmen. Er erwartet von mir, daß ich nun jeden Mittag erscheine, so lange wir hier sind. Aber schließlich bin ich nicht sein Untertan, und er wird sich mit einem Besuch begnügen müssen."
Am Abend sagte er zu mir:
„Dieser starrsinnige Greis kann einem wirklich den Aufenthalt hier verleiden. Durch den Konsul habe ich einige gute Verbindungen aufgenommen; so hätten wir etwa eine Einladung auf ein reizend gelegenes Landhaus, denn die Umgebung Messinas soll sehr schön sein und wurde vom Erdbeben kaum berührt. Aber ich lasse mich nicht unter Kuratel stellen, und das scheint im Augenblick der Fall. Der Gouverneur verfügt über mich, als sei ich sein Lakai, und ich würde mir das auch eine Weile gefallen lassen, wäre er ein Mann von Geist und Bildung. Das aber gerade ist er nicht. Wenn er den Mund aufmacht, prasseln Schimpfkanonaden hervor – nein, Kniep, das ist kein Vergnügen mehr. Ich habe auf einem französischen Handelsschiff eine Passage nach Neapel gebucht. Morgen früh reisen wir ab."
Ich wurde nicht gefragt, ob es mir recht sei, doch unser Verhältnis war von Anfang an so angelegt, daß ich mich seinen Reiseplänen fügte. Freilich hätte auch ich nichts gegen einen längeren Aufenthalt einzuwenden gehabt, denn da gab es ein Mädchen ... Tempi passati!
Über dieser Schiffsfahrt stand kein guter Stern; um ein Haar wären wir am felsigen Ufer gestrandet, hätte nicht der Wind im letzten Augenblick noch umgeschlagen. Goethe münzte dies scherzhaft auf sich.
„Wie Paulus auf dem Weg nach Rom seinen Mitreisenden immer wieder versicherte, solange er auf dem Schiff sei, werde Gott es nicht scheitern lassen, so wird das Schicksal mich – ehe nicht mein Werk vollendet ist – vor dem Untergang bewahren."
Nun, alles ging gut, und wir kamen, wenn auch etwas verspätet, wohlbehalten in Neapel an. Goethe blieb noch bis Anfang Juni in der Stadt, und wir sahen uns noch mehrmals. Wir einigten uns schnell, welche der Zeichnungen in seinen Besitz übergehen würden, doch da sie alle vor Ort und meist in höchster Eile entstanden waren, hatte ich nur wenige ganz vollenden können. Goethe schien etwas enttäuscht, er hätte die meisten wohl gerne schon jetzt mitgenommen. Ich erklärte ihm, was noch fehlte, und er hatte zuviel Respekt vor dem Professionellen, als daß er es nicht eingesehen hätte. Und dann kam der Abschied. Goethe zeigte sich bewegt und verbarg es nicht,

während mir – ich konnte nichts dagegen tun – die Tränen kamen. Goethe versuchte, mich zu ermuntern.
„Ach, Kniep, es ist doch kein Abschied für immer. Längst habe ich beschlossen, daß dies nicht meine letzte Italienreise sein wird, und in einigen Jahren hoffe ich, Sie frisch und munter wiederzusehen."
Wir umarmten uns, wobei Goethe ein Abschiedswort sprach, das mir erst später zu denken gab. Er sagte:
„Und vergessen Sie nicht, lieber Freund, in Sizilien liegt der Schlüssel zu allem."
Wie vermißte ich seine Gesellschaft in der nächsten Zeit, während ich die Zeichnungen fertigstellte. Seine klugen Fragen, seine wohlüberlegten Anmerkungen, sein immer wacher Sinn, sein Durst nach Menschen, nach Schicksalen, nach Neuigkeiten – all das hatte das Zusammensein mit ihm bereichert und nie eintönig werden lassen.
In den folgenden Jahren stieg Goethes Ruhm ins Unermeßliche, und immer häufiger geschah es, daß mich Reisende in Neapel aufsuchten, um den guten Kniep kennenzulernen, der Goethe durch Sizilien begleiten durfte. Ich wurde dabei alles Mögliche und Unmögliche gefragt, und so mancher zeigte sich enttäuscht, wenn er hörte, daß ich auf dieser Reise nicht jeden Augenblick mit dem Dichter zusammen war. Auch böse und gehässige Worte fielen, da es offenbar nicht nur Bewunderer Goethes gab, sondern auch Gegner, Neider, zu kurz Gekommene. Ich will keine Namen nennen, habe die meisten wohl auch vergessen, doch ich erinnere mich noch gut eines Besuchers aus Deutschland, der, wie es schien, nur gekommen war, um mir einige Zeichnungen aus der Umgebung von Neapel abzukaufen. Er zeigte sich ehrlich begeistert, bezahlte auch anstandslos das Geforderte und sagte plötzlich:
„Und diese Kunst haben Sie an einen Menschen verschwendet, der Sie nur betrogen und ausgenützt hat?"
Ich lächelte töricht und fragte:
„Wer soll das gewesen sein?"
Der andere schüttelte ungläubig den Kopf.
„Goethe! Wer sonst? Der schleppte Sie durch Sizilien, mutete Ihnen allerlei Aufregungen und Anstrengungen zu und verschwand für Gotteslohn mit Ihren besten Zeichnungen."
„So sehe ich das nicht!" sagte ich zornig.
„Wie sehen Sie es dann? Hat der Olympier Ihnen das bezahlt, was ich Ihnen gebe?"

„Nein, aber unser Verhältnis war auch ein anderes. Ich wurde nicht nach Sizilien geschleppt, wie Sie sich auszudrücken geruhen, sondern habe die Reise mit größtem Vergnügen unternommen. Außerdem hat sich Goethe lange um eine Anstellung für mich in Weimar bemüht."

Der andere lachte spöttisch. „Aber ohne Erfolg, denn Sie sind ja nie mehr aus Neapel herausgekommen. Nein, nein, mein Lieber, damit sollten Sie sich abfinden: Goethe hat Sie schamlos ausgenützt."

Und selbst wenn er das getan hätte, dachte ich später, so war diese Reise an seiner Seite doch ein Gewinn für mich.

Wir führten noch einige Jahre einen lockeren Briefwechsel, und da habe ich Goethe einmal gefragt, wie sein Abschiedswort zu deuten sei: „In Sizilien liegt der Schlüssel zu allem".

Mit großer Neugierde sah ich seiner Antwort entgegen, doch diese enttäuschte mich, und ich konnte mit ihr nichts anfangen. Er schrieb:

„Das ging mir damals plötzlich durch den Kopf, und Sie wissen, wie sehr mich die Geologie seit jeher fesselte. Mit dem Schlüssel war der Kalk gemeint, der für die Stetigkeit der Erdentwicklung eine bedeutsame Rolle spielt, eben eine Schlüsselrolle."

Da hatte ich nun die Antwort, die ich mir ganz anders dachte.

So wie Goethe – wenigstens bis jetzt – nicht mehr nach Rom oder Neapel kam, habe ich seither Sizilien nie mehr bereist. Es wäre auch nicht mehr das Sizilien von damals, Goethes Sizilien.

Hans Peters

Das literarische Oktett

REIZWORTE:

Grillparzer: Sein Name wird noch vor seinem Leben aufhören.

O.L.B. Wolff: Er hat den Ruhm, den seine Zeit ihm gewährte, überlebt, und doch wird eine Zeit kommen, wenn er schon längst von der Erde geschieden ist, wo der ihm mit Recht gebührende Preis neue Knospen treibt

Goethe: Später wollte es dem armen Fouqué mit nichts mehr so gut gelingen. Und das merkte er nicht, aber es ist nicht anders

O.L.B. Wolff: Dennoch ist und bleibt er ein großer und wahrer Dichter

MODERATOR:
Marcel Arm-Schelmuffsky, ein „alter" Goethe, mit Eckermann auf dem Schoß

TEILNEHMER:

Elise von Hohenhausen-Öffler, unterhielt um 1822 in Berlin einen viel beachteten Salon; übersetzte Byron

Hauff, Spukspezialist und Dichter

Heine, Spottdrossel und Dichter (im Quartett auch Parasekt genannt)

Grillparzer, k.u..k. Grämling und Dichter

Hebbel, Zerdenker und Dichter

Eckermann (von Goethes Schoß herab):
Ich sprach diesen Mittag (3. Oktober 1828) bei Tisch mit Goethe über Fouqués „Sängerkrieg auf der Wartburg", den ich auf seinen Wunsch gelesen. Wir kamen darin überein (das folgende gemeinsam sprechend), daß dieser Dichter sich zeitlebens mit altdeutschen Studien beschäftigt, und daß am Ende keine Kultur für ihn daraus hervorgegangen.

Goethe (sich an das Publikum wendend):
Wollen Sie aber von Fouqué eine gute Meinung bekommen, so lesen Sie seine „Undine", die wirklich allerliebst ist! Freilich (und Schelmuffsky wäre denn nicht Schelmuffsky!) war es ein guter Stoff, und man kann nicht einmal sagen, daß der Dichter alles daraus gemacht hätte, was darinnen lag; aber doch, die „Undine" ist gut und wird Ihnen gefallen. (Zu Frau von Hohenhausen:) Sie haben es übernommen, dieses Werk uns vorzustellen, wenngleich es, dank Lortzing, zu großem Teil in aller Mund und Kehle ist (Versucht anzustimmen: ‚O kehr zurück, mein heißes Sehnen' ... wird aber „gestillt"): Sie müssen sich dieses Werk, meine Damen und Herren, einmal in der Vertonung von E.T.A. Hoffmann anhören: es gibt da eine gute Aufnahme mit ... mit na ja, ist ja auch egal – jetzt reden Sie, Frau von Hohenhausen, bitte!

Darf man in der Runde auch was sagen?

Frau von Hohenhausen (die schon resignierte):
Nun also! Die Wassernixe Undine, die sich in das Reich der Menschen verirrte und bei alten Fischersleuten liebevoll aufgezogen wurde, erhält erst in dem Augenblick eine menschliche Seele, als sie zum erstenmal Liebe empfindet. Der Geliebte ist ein Ritter, der sie in der Fischerhütte antrifft und auf sein Schloß führt. Mit der Liebesfreude muß sie aber auch Liebesleid verspüren. Als schließlich ihr Gatte während einer Donaufahrt ihre Warnung vergißt, sie nie auf dem Wasser zu schelten, muß sie die Welt verlassen und in das nasse Geisterreich zurückkehren. (Schließt das Programmheft und kommt zu dem Fazit): Mit der Erzählung „Undine" hat Fouqué *sein einziges*, nicht nur literarhistorisch bemerkenswertes, sondern dichterisch bedeutendes Werk geschaffen!

Alexis (protestiert, auch Eckermann will aufspringen, wird aber niedergehalten):
Das nenne ich nicht urteilen, sondern verurteilen! (Wendet sich an den Moderator): Ich bitte darum, jetzt sofort über die Geschichte „Das Galgenmännlein" referieren zu dürfen, die Sie mir ja zur besonderen Bearbeitung zugewiesen haben.

Goethe:
Bitte! Auch mir scheint die Bewertung der Frau Elise reichlich übertrieben, zumindest sehr einseitig zu sein!

Alexis:
Es handelt sich um eine psychologisch gut durchdachte Zaubernovelle, der übrigens E.T.A. Hoffmann zu Recht volles Lob gespendet hat!
Die Geschichte vom „Galgenmännlein", die wirklich stark an den „Gespensterhoffmann" erinnert, gehört zu den Geistergeschichten, in denen diese Geister, Kobolde, Zwerge – meist böse, ja teuflische in unserm Fall – in das Leben von Menschen eingreifen, sie Verlockungen preisgeben, Gefahren für Leib und Seele (Höllenpakt) auslösen, so daß es zu schlimmen Verwicklungen kommt, aber zuletzt auch, wie hier, zu einem guten Ende.
Der „Held" unserer Geschichte heißt Richard, der im Einleitungssatz dem Leser so vorgestellt wird: „In Venezia, die weit und breit berühmte welsche Handelsstadt, zog eines schönen Abends ein junger deutscher Kaufmann ein, gar ein fröhlicher und kecker Gesell."

Zwischen ihm, „der sich gern einen lustigen Tag machte", und einem „liebreizenden Fräulein" entwickelt sich ein Liebesabenteuer. Zu spät bemerkt Richard, daß es sich nicht um Liebe, sondern um eine „gemeine Buhlschaft" handelt, denn er ist nicht einer Prinzessin, sondern der stadtbekannten Courtisane Lucrezia in die Hände gefallen und muß nun 50 Dukaten bezahlen! Als sein Geld bald verbraucht ist, kommt ihm ein hispanischer Hauptmann zu Hilfe, und die Geldquelle sieht nun so aus: gewisse kleine Kreaturen, die man Galgenmännlein heißt. „Es sind schwarze Teufelchen in Gläslein eingeschlossen. Wer ein solches besitzt, vermag von ihm zu erhalten, was er sich nur Ergötzliches im Leben wünschen mag, vorzüglich aber unermeßlich vieles Geld"; dafür bedingt es sich die Seele für seinen Herrn Luzifer aus; er kann es aber auch rechtzeitig, d.h. vor dem Tode, loswerden: und zwar immer um einen geringeren Preis, als erworben!
Richard frönt nun allen sinnlichen Genüssen auf das Unmäßigste; er wird krank. Sein Arzt, der ein großer Freund von all den seltenen Kreaturen war, die man in Spiritus aufbewahrt, erwirbt das Galgenmänlein, verkauft es aber, wieder um einen geringeren Preis, an Richard zurück. Er geht nach Rom, wo es zu weiteren Erlebnissen kommt. Es folgt die Teilnahme an einem Kriegszug. Zuletzt kommt das Galgenmännlein wieder in seinen Besitz – für einen Heller! Wie wird er es nun los, da es keine kleinere Münze gibt? Der Rest der Geschichte handelt davon, wobei ganz wesentlich die Beteiligung eines schwarzen Reiters ist. Unser Held überwindet die dunkle Höhle, und wird endlich und für immer das schwarze Tier im Glase los. Und dann ein wirklich köstliches Schlußbild: „Ins hohe Gras legte er sich vor Freuden, streichelte die Blumen und warf der Sonne Kußhände zu." Er heiratet und erzählt seinen Enkeln die Mähr von dem verfluchten Galgenmännlein.
Ich komme zum Schluß: Das ist alles frisch-flüssig erzählt, mit genauer Wiedergabe von Details, äußeren und psychologischen (Gewissensangst, Alpträume), und auf keinen Fall Produkt einer uferlosen Vielschreiberei, für die in schöner Einstimmigkeit diverse Literazziatoren glauben, Fouqué tadeln zu müssen ... Primum legere, tum iudicare!

Heine:
Aber Tatsache ist doch, daß er mit seinen zahllosen Ritterromanen bald aus der Mode gekommen ist.

Hauff (der Fouqué schon 1826 in den „Memoiren des Satans", I 19, etwas verspottet hatte – alle in der Runde wissen das natürlich!):
Es war die Zeit, wo nach dem Frieden von Paris die Fouquéschen Romane anfingen, in meinem *Vaterland* Mode zu werden... Was ist das, Fouquésche Romane, fragt der Lord. Das sind lichtbraune, fromme Geschichten... Herr von Fouqué ist ein frommer Rittersmann, der, weil es nicht mehr an der Zeit ist, mit Schwert und Lanze zu turnieren, mit der Feder in die Schranken reitet und kämpft...

Frau von Hohenhausen (fällt ein):
...wie der edle Don Quijote!

Heine (für sich):
...aber auch so lächerlich!

Hauff (fährt ungerührt fort):
Er hat das ein wenig rohe und gemeine Mittelalter modernisiert oder vielmehr unsere heutige modische Welt in einigen frommen Mystizismus einbalsamiert und um fünfhundert Jahre zurückgeschoben. Da schmeckt nun alles ganz süßlich und sieht recht anmutig, lichtdunkel aus; die Ritter, von denen man vorher nichts anderes wußte, als sie seien derbe Landjunker gewesen, die sich aus Religion und feiner Sitte so wenig machten als der Großtürke aus dem sechsten Gebot, treten hier mit einer bezaubernden Courtoisie auf, sprechen in feinen Redensarten, sind hauptsächlich fromm und kreuzgläubig. Die Damen sind moderne Schwärmerinnen, nur keuscher, reiner, mit steifen Kragen angetan und überhaupt etwas ritterlich aufgeputzt. Selbst die edlen Rosse sind glänzender als heutzutage und haben ordentlich Verstand!

Goethe (wie gewohnt ehrlich, offen, vor allem nie zimperlich):
Ich weiß ja nicht, lieber Herr Hauff... aber ich habe den Eindruck, daß Ihre Kenntnisse vom Mittelalter freilich nicht sehr bedeutend sein können!

Hauff (davon unberührt):
Dann lassen Sie, großer Meister, doch einmal Freund Heine zu Worte kommen, was er in seiner „Romantischen Schule" über den ingenioso Hidalgo so ausführt!

Goethe (giftig):
Sind *Sie* hier der Moderator?

Heine (deutlich froh, endlich reden zu können):
Ich schwärme für die „Undine“, damit dies ganz klar ist, und Madame von Hohenhausen hat uns die zauber- und märchenhaften Vorgänge ja noch einmal deutlich vorgestellt, aber: Die Ritterromane sind schlicht ungenießbar! Seine Rittergestalten bestehen nur aus Eisen und Gemüt; sie haben weder Fleisch noch Vernunft. Seine Frauenbilder sind – nur Bilder oder vielmehr Puppen, deren goldene Locken gar zierlich herabwallen über die anmutigen Blumengesichter. Wie die Werke von Walter Scott mahnen auch die Fouquéschen Ritterromane an die gewirkten Tapeten, die wir Gobelins nennen.

Frau von Hohenhausen (sichtlich erregt):
Jetzt zeigt sich aber freilich schon, daß der geschätzte Freund Heine nichts versteht oder verstehen will – Fouqué und Scott!

Heine (versucht gutzumachen):
Von seinen metrischen Dramen, die freilich nicht für die Bühne bestimmt sind, behaupte ich, daß sie große Schönheiten enthalten! Besonders „Sigurd der Schlangentöter“ ist ein kühnes Werk, worin die altskandinavische Heldensage mit all ihrem Riesen- und Zauberwesen sich abspiegelt. Die Hauptperson des Dramas, der Sigurd, ist eine ungeheure Gestalt. Er ist stark wie die Helden von Norweg und ungestüm wie das Meer, das sie umrauscht. Er hat so viel Mut wie hundert Löwen und so viel Verstand wie zwei Esel. (Mimt zu Madame den Kühleborn aus „Undine“): Vergib, und magst du mich auch grausam wähnen ...

Goethe (greift in den Disput der beiden ein):
Ich vermute stark, lieber Herr Heine, obwohl Sie soeben über das Nibelungenlied gesprochen, die Identität von Sigurd und Siegfried nicht einmal erwähnt, Fouqués Nibelungendrama auch kaum gelesen haben!

Frau von Hohenhausen (streitbar in die gleiche Kerbe hauend):
Ebenso traue ich ihm nicht zu, daß er Fouqués Gedichte und Lieder kennt, die er einmal – parbleu! – „süße lyrische Kolibris“ genannt hat,

wo doch Fouqué so herrliche Lieder gedichtet hat, die wir heute noch singen, wie z.B. das „Jagdlied“:

Frischauf zum fröhlichen Jagen,
Frisch auf, ins freie Feld!
Es fängt schon an zu tagen.
Das Waidwerk mir gefällt.
Auf, bei den frohenStunden,
Mein Herz, ermunt're dich!
Die Nacht ist schon verschwunden
Und Phöbus zeiget sich.

Grillparzer (ergreift unaufgefordert das Wort):
Das ist nun doch wohl ernster zu nehmen! Ich habe über Fouqué 1820 geschrieben (kramt einen Zettel hervor): Wie dieser Fouqué den Stoff hinwirft und in seiner rohen Gewalt wirken läßt, als Stoff; und weil nun die Leute beim Lesen eine Wirkung spüren, so meinen sie, ein Kunstwerk vor sich zu haben; aber eine Hinrichtung wirkt auch. Da ist keine Verbindung der Teile, keine strenge Motivierung der Leidenschaften, und weil es in der Natur Wirkungen gibt, deren Ursachen sich oft nicht nachweisen lassen, so glaubt er, es ginge in der Kunst auch so, indes die Kunst gerade darin besteht, dasjenige, was in der Natur als unzusammenhängende Teile erscheint, zu verbinden als ein Ganzes. Daher bewegt er sich auch so gern in der Zauberwelt, weil hier ein das Verschiedenartigste leicht verbindendes Gefühl des Wunderbaren in der Brust des Lesers die Mühe des Verknüpfens am besten erspart. Nur wo die Natur selbst schon poetisch geworden ist und als Mythe und Sage aus der Vorwelt herüberklingt, wird er, durch Aneignung der Naturpoesie, poetisch. Überhaupt hat er nie unmittelbar aus der Natur geschöpft, sondern immer nur fremde Behandlung der Natur nachgeahmt. Sein Name wird noch vor seinem Leben aufhören.

Goethe (der schon lange unruhig auf seinem Stuhl hin und her gerutscht war, so daß einmal beinahe Eckermann heruntergefallen wäre):
Ich weiß nicht, Herr Grillparzer, ob Sie einmal in Jean Pauls großartiges Werk „Vorschule der Ästhetik“ hineingeschaut haben – Zeit genug hätten Sie ja bei Ihrer k.u.k. Kanzleimuße! Dort zählt er einmal Fouqués Romane unter die besseren Schülerwerke meines „Meisters“

auf und lobt die nordischen Dramen sogar im Vergleich mit Schiller. In seinen Nordtrauerspielen, heißt es u.a. in der „Vorschule", stehen oft Knaben ohne Taten durch bloße Schlagworte als junge Löwen da und zeigen die kleine Tatze -- das ist eine sehr gute Bemerkung!

Hebbel (mehr als beleidigt!):
Darf man vielleicht in dieser hehren Runde auch einmal etwas sagen, sozusagen als Spezialist durch meine Nibelungen?

Heine (beiseite):
...die nie gelungen ...

Hebbel:
Ja, es ist bekannt, daß Fouqués „Held des Nordens", eine Trilogie, die sich freilich nicht unmittelbar an das Nibelungenlied anschließt, sehr warm von Jean Paul belobt wurde, und das sogar auf Kosten Schillers ... Fouqués Dichtung ist auch wirklich nicht arm an einzelnen charakteristischen Zügen, aber sie leidet an jener gesuchten Erhabenheit, die ebenso einförmig als unerträglich ist und die Zirkulation des Blutes aufhebt, so daß die Menschen erfroren umfallen wie auf hohen Alpen. Er stellt Geschöpfe hin, die mit uns gar nicht mehr verwandt sind, weil sie, wie die Bewohner des Mondes, wenn er deren hätte, ohne Luft und Wasser leben können... Fouqué motiviert gar nicht, er stellt seine Helden wie mathematische Größen hin, und wenn sie nun im Tode den Hauptspaß des Lebens erblicken und im Schlangenturm, von den Würmern schon angefressen, noch Kampf- und Schlachtlieder singen, so überrascht uns das sowenig wie irgendeine neue Bestätigung des alten Satzes, daß zwei mal zwei vier sind – es rührt und erschüttert uns aber auch ebensowenig.

Eckermann (endlich auf eigenen Füßen stehend, aber nur wörtlich, denn...):
1815 bereits hatte mein Herr und Meister bei Betrachtung der Zeichnungen von Julie von Egloffstein zu Fouqués „Zauberring" erklärt: Ich kenne den „Zauberring" nicht und werde ihn niemals lesen; denn das ist mir verboten von meinen Oberen.
Und 1827 hat er mir gegenüber wieder dem Urteil Carlyles über den Dichter Fouqué zugestimmt, der dessen Talent mit der Stimme eines Sängers von keinem großen Umfange, aber gut und wohlgebildet verglichen hatte.

Frau von Hohenhausen (wendet sich noch einmal an Goethe):
Haben Sie nicht auch einmal gegenüber Holtei die „Undine“ gelobt, wie übrigens immer wieder, mit diesen herzlichen Worten: „ Seine Undine ist ein anmutiges Büchlein und trifft so recht den Ton, der einem wohltut“? – Freilich muß auch ich feststellen, daß es Fouqué, nachdem seine Modezeit vorüber war, in Deutschland im allgemeinen sehr schlecht ging.

Alexis:
Mag noch eine geraume Weile der Strom der Zeit über ihn fort sich wälzen, vernichten kann sie ihn nicht. Seine Erinnerung wird leben, sein Name bleibt in der Literatur, und viele seine Dichtungen werden die kommenden Geschlechter wenn nicht berauschen, doch erfreuen.

Frau von Hohenhausen:
Ich bitte darum, das Literarische Oktett mit dem Vortrag eines Gedichtes (Kolibri-Heine zuckt sichtlich zusammen) für diesmal abschließen zu dürfen, und zwar (an den alter, nicht alten Goethe gewendet) mit dem Gedicht „Thurmwächterslied“, das mich deutlich erinnert an Ihr berühmtes Türmerlied im 2. Teil des „Faust“!

Am gewaltigen Meer
In der Mitternacht,
Wo der Wogen Heer
An die Felsen kracht,
Da schau ich vom Thurm hinaus.
Ich erheb' einen Sang
Aus starker Brust,
Und mische den Klang
In die wilde Lust,
In die Nacht, in den Sturm, in den Graus.

Eckermann (begeistert):
Fouqué – der Lynkeus des Nordens!

Goethe (hält sich zurück, hat aber, wie immer, das letzte Wort als Moderator):

Frisch auf zum kritischen Sagen,
frisch auf, Fouqué gesellt!
Fängt's an, um ihn zu tagen?
Doch Streit uns wohl gefällt!
Auf, bei den frohen Runden,
mein Geist, ermuntre dich:
Der Vorhang ist verschwunden –
und *Fragen* öffnen sich!

Hans Peter Renz

Goethes Leiden
oder
Die Kanonade von Valmy

In der Nacht noch werde man aufbrechen und gegen den Feind vorgehen, so lautete, verwegen geflüstert, unter den Kameraden die Parole. Allein, die Zeit verstrich mühsam, schon dämmerte der Tag. Goethe, nicht ohne Kummer, beschloß, die Socken, die gänzlich durchnäßt waren, an einem Feuer milde zu trocknen. Das mißlang. Der Wind, der ausdauernd blies, löschte jede Flamme. Ein feiner Sprühregen strich über die Äcker. Die Kürassiere der sechsten preußischen Armee, unter dem Kommando des Herzogs Carl August von Weimar, froren in ihren blechernen Harnischen erbärmlich und drängten dicht aneinander. Und beteuerten eifrig, daß kein widriges Wetter sie abhielte, auf die Franzosen mit dem gesamten deutschen Heere tapfer loszuschlagen. Der Aufbruch galt nun sechs Uhr früh. Goethe stieg in die feuchten Stiefel. Inzwischen war es hell geworden. Eben hatte sich auf der gegnerischen Seite, nahe einem nebeligen Waldsaum, der Marschall François Christophe Kellermann, Oberkommandierender des französischen Revolutionsheeres, mit dem General und Kriegsminister Charles François Domouriez vereinigt, um kräftigend dessen linken Flügel zu bilden, dem Führer des preußischen Heeres, Herzog Carl Wilhelm Ferdinand von Braunschweig, zu trotzen, als Goethe erneut, und leidig genug, der Durchfall plagte. Fast hätte der Dichter den Abmarsch der deutschen Truppen versäumt. Die Reiter stiegen auf die Rösser. Notwendig half Paul Goetze, der Diener, Goethe in die klamme Hose. Den Vortrab der Hauptarmee, westlich der Avantgarde Hohenlohes, hatte, wie befohlen, des Herzogs von Weimar Regiment. Der Leibschwadron aber, als der vordersten der Kolonne, gab man Husaren mit, die den Weg wiesen und das Ziel, den Feind. So ritt man, im scharfen Trab, durch hügeliges Land, über Felder ohne Busch und Baum. Der Dichter, der sich gesammelt hatte, setzte übermütig an die Tete. Das reute ihn bald. Lästig blies ihm der Wind den Regen ins Gesicht. Auch fehlte ein Taschentuch, dringlich benötigt. So lief die Nase, und die Augen tränten.

Über Stock und Stein jagte man dahin. Die Pferde schnaubten. Die Waffen klirrten. Schwerfällig folgte die Armee. Fernab, im Dunst, schwiegen die Argonner Wälder. Schon nahte die Chaussee von Châlons nach Sainte Menehould, die Straße von der Hauptstadt her. Eine Allee mit Pappeln, schlank und hochgewachsen. Die Stämme, die Zweige, die Blätter vor Nässe triefend. Man führte quer darüber hin. Ins Graue. Den Gegner schluckte Nebel. Dennoch, die Reiter drängten hitzig vorwärts. Goethe, während des gestreckten Galopps im Sattel ein wenig angelüftet, stellte schmerzlich fest, daß er sich durchgeritten. Namentlich der linke Schenkel blutete häßlich. Überdies begann, augenblicklich und gewaltsam, die Kanonade. Unverdrossen stürmte man gegen Westen zu, die Leibschwadron voran. Schon lagen die Chaussee, die Pappeln, weit entfernt. Die Franzosen standen unvorteilhaft. Doch hatte Kellermann, auf dem Windmühlenberge, klug, eine Reserve auf die Anhöhe La Lune geschickt, die heftig um sich schoß. Überrascht prallte man zurück. Da kam ein Adjutant vom Führungsstab gesprengt, des Herzogs Carl Wilhelm Ferdinand von Braunschweig, schweißüberströmt, der Herzog von Weimar habe die Vorhut, und übereilt, zu tief geführt auf feindliches Gebiet. Gab unmißverständlich Ordre, umzukehren, über die Chaussee, unmittelbar an deren Seite den Flügel dort zu lehnen, sich auf den Nebenfrontabschnitt, und tunlichst, zu beschränken. So beschied man sich. Griff in den allgemeinen Kampf nicht ein. Machte Front gegen das Vorwerk La Lune, dem alten Wirtshaus, das auf der Höhe, eine viertel Stunde wegs, zwischen kräftig wechselnden Regenschleiern, deutlich zu sehen war. Die Kolonne stockte. Man blieb, für eine Weile, unschlüssig. Die Ordonnanzen eilten. Der Dichter, verstimmt und leicht erkältet, schneuzte sich vom Pferd herab. Schließlich kam der Befehl, im Schutze der Kanonen vorwärts zu gehen. Der Herzog von Weimar selbst, als wehrhaftes Beispiel, schaffte eine halbe Reitende Batterie, die von Meier, hügelwärts. Sichtlich ernüchtert, ohne rechten Kampfesmut, kletterten die Regimenter bergan. Tüchtig feuerten die Geschütze. Die Wirtschaft rückte näher. Unterwegs fand man einen alten Schirrmeister, auf dem Acker hingestreckt, die Därme hingen ihm aus dem Leibe, das erste Opfer dieses frühen Tages. Goethe zügelte das Pferd. Starrte versonnen auf die blaue Uniform, die goldenen Knöpfe, das rote Blut. Und ritt getrost den Kameraden nach. Schon sah man das Vorwerk liegen. An den Fronten indessen tobte die Schlacht. Deutsche und Franzosen beschossen einander gegenseitig, über eine Entfernung, die beträchtlich war. Die Deutschen, welche die Höhe La Lune zu nehmen versuchten. Die Franzosen, welche auf den Hügeln von Valmy harrten und willentlich nicht wichen. Fauchend, hundertfach, tausendfach, flogen die Kugeln, häufig rekoschettierend, sprangen, klatschten in den Lehm, wühlten die Erde auf, trafen Mann und Tier und rissen tiefe Wunden. In den Tälern wogten wild feindliche Reiterscharen. Menschenmassen, zu Pferd, zu Fuß, waren, umhüllt von Nebelfetzen, ohne sich zu verwirren, ohne sich zu trennen, in ständig flutender Bewegung. Der Dichter, der abseits hielt, fern dem eigentlichen Kampfe, genoß, wenn auch stark hüstelnd, den wunderbarsten Anblick, der sich ihm bot. Sonderlich entzückt von einem schönen Knaben, anmutig die Züge, blondgelockt, kaum dreizehn Jahre alt, Fahnenjunker des Regiments der Kürassiere, der die Standarte führte der Schwadron, Carl Emil von Bechtolsheim, kühn, im ersten Glied, den scheuen Schimmel, der lebhaft widerstrebte, lenkend, die Fahne, schwankend, fest umklammert in den Händen. Herrlich, dieser Jüngling! den er zu Eisenach so oft gekost. Lange blickte Goethe, die Augen leicht gerötet, durch das Glas. Brodelnd brandeten die Scharen auf und nieder. Schlamm und Schmutz, Kot und Blut bespritzten Roß und Reiter. Die Schlacht, das Schlachten wollte nicht enden. Das aber gefiel drei Husaren des Regiments von Eben wenig. Sie entschieden, die Gäule scheuchend, seitab, und unentdeckt, sich in das Gesträuch zu schlagen, in eine Scheune, die zerschossen, sich unter Heu und Stroh zu bergen, verschont vom Feind, von allen Kugeln. Und dachten, daß es nützlicher sei, wenn andere stürben und sie lebendig blieben. Planten, bei Dunkelheit, und unauffällig, sorgsam unter die Kameraden sich zu mischen, falls diese dann noch lebten. Die Kanonade unterdes dauerte an. In den Vormittagsstunden rückten die Regimenter unaufhaltsam, vermeintlich geschützt durch die halbe Reitende Batterie von Meier, avancierend, den Weg hügelwärts auf das Wirtshaus zu. Der Dichter, mit wundem Rachen, wundem Schlund, geriet, vom Berg herab, mit den Begleitern in ein Feuer, das unbegreiflich war. Unaufhörlich flogen und fielen die Kugeln zwischen die Kolonne. Man befahl den Rückzug. Aufatmend, doch in gelassener Ordnung, stiegen die Regimenter dieses Abschnitts, retirierend, talwärts. Nur ein Pferd, das eines Dragoners von Lottum, wurde getötet. Auf die Ebene gerettet, fand man, einigermaßen erschrocken, die Batterie, unter deren Schutz man auf La Lune zu gehen geglaubt hatte, in einer Vertiefung. Die Mannschaft von Meier, vom Vorwerk vertrieben, war unbemerkt in einer Schlucht, auf der anderen Seite der Chaussee, heruntergegangen, und feindliches Geschütz, auf der Höhe, war an die Stelle getreten. So hielten, nach einer kleinen Niederlage, der Herzog Carl August von Weimar, die Offiziere und die Adjutanten, die Kürassiere und Dragoner, fern des Feldschauplatzes, auf der Straße von Châlons neben einem Wegweiser, der nach Paris deutete, und beobachteten betroffen, wer vom Heere im Feuer stand, wer nicht. Goethe nutzte die Gefechtspause, um sich, ungenügend verborgen durch Hollunderbüsche, zu erleichtern. Goetze half ihm wieder in die Hose. Noch regnete es dünn. Wieder und wieder schossen Deutsche wie Franzosen mit den Kanonen, bald abnehmend stark, bald zunehmend. Und von den Erschütterungen, die ungeheuer wirkten, klarte sich der Himmel auf. Kellermann, dem, bei der Mühle von Valmy, die meisten Salven galten, geriet zuweilen in bedrängte Lage. Freudig rieb man sich die Hände. Drei Pulverwagen, berstend, flogen in die Luft. Explosionen, die dem Gegner nur vorübergehend schadeten. Zehntausend Schüsse wurden an diesem Tag verschwendet. Mittags, ein Uhr, war der Donner der Kanonen am gewaltigsten. Die Erde bebte. Doch sah man in den Stellungen, auf beiden Seiten, keine Veränderung. Niemand wußte, was werden sollte. Ungeduldig ging der Dichter, dem die Nase fleißig tropfte, am Wegesrande auf und nieder. Fand einen abgetrennten Arm in einer Ackerfurche, den trug er eine Weile, zerstreut die Reste des Blessierten suchend, doch vergeblich, und warf ihn schließlich fort. Am frühen Nachmittag hatten die Deutschen La Lune erobert und besetzt. Goethe, der mittlerweile fieberte, stieg auf das Pferd. Und ritt, aus Langeweile, und um sich abzulenken, zum Vorwerk hinauf. Auch trieb ihn, wie er merkte, befremdlich Kühnheit, ja, Verwegenheit. Offiziere vom Generalstab und vom Regiment wunderten sich, dem Dichter, in einem seltsamen Zustand, zu begegnen, beschworen ihn, eindringlich, zurückzuweichen. Überließen ihn, da dieser, murmelnd, sprach von Absichten besonderer Art, die Schultern hebend, dem Eigensinn. Goethe, bei der Wirtschaft angelangt, sprang vom Pferd, entblößte, das Hemd aufreißend, die nackte Brust, und gab den heißen Leib dem Wind, dem Wetter, den Kugeln preis. Die Geschosse der Geschütze schmetterten, heulend, pfeifend, durch die Lüfte. Funkelnd brach die Sonne durch die Wolken. Aus den Wäldern stieg ein Regenbogen. Kellermann, zwischen Valmy und Dampierre-Gizaucourt, stand auf dem linken Flügel glückhaft. Die Flure aber rot gefärbt, vom Blut der Toten und Verwundeten. Der Dichter vergaß, verlor sich fast. Begeistert, ja, berauscht betrachtete er durch Scherben eines Flaschenhalses die Brechungen des Lichts, im Farbenspiel das Mündungsfeuer der Kanonen, das Rot, Orange, das Gelb der Blitze. Das Dorf Valmy, und rings die Dörfer, brannten am Horizonte vor ihm auf. In diesem Kriegsbilde taten, wie ihm schien, Flammen und Rauch nicht übel. Er schaute durch das Glas, über die Ebene hin, indes die Kugeln, Tür und Tore krachend spaltend, das Gasthaus in der Nähe trafen, bis neuerlich der Darm ihn mahnte. Er hockte, eilends, hinter einer Mauer. Durchfall peinigte ihn, ärger als zuvor. Allein, kaum daß er das Nötigste, und mißlich, verrichtet hatte, noch sitzend, geschwächt und ohne Hose, klaubte er Brocken auf, silbern glänzend, von tiefem Braun, und freute sich der Farbe. Ein Stück Brot, das ein Kanonier vergessen haben mochte, stark verschimmelt, von sattem Grün, beschäftigte ihn ungemein. Unvermindert schossen die Geschütze, beidseits der Fronten. Fiebrig hüstelnd ritt er die Hügel abwärts, La Lune verlassend, sorglos, und scherte sich nicht um die Gefechte. Der Tag war hingegangen. Unbeweglich standen die Franzosen. Kellermann hatte einen bequemeren Platz genommen. Mit seinen Reiterscharen hielt er die Argonnen von Sainte Menehould bis Grandpré und führte mutwillig einen kleinen Krieg. Die Deutschen zogen sich zurück aus allen Feuern. Es war, als wenn nichts gewesen wäre, die Lage unverändert und, militärisch, beschämend hoffnungslos. Man sprach von einer verlorenen Schlacht. Bestürzung breitete sich über die Armee. Niemand blickte auf, Offiziere nicht, und nicht Gemeine. Und wenn es geschah, nur um zu fluchen. Die Kanonade hatte kaum aufgehört, als Regen und Sturm grimmiger über die Ebene peitschten. An Stellen, wo der Kampf blutig gewirkt, lagen Menschen unbegraben, und die verwundeten Tiere, die sich bäumten, starben nicht. Ein Wimmern hob an, und Weinen. Ein Wiehern, unablässig. Der Wind wehte den Schmerz über die Felder. Dreihundert, vierhundert Mann waren auf französischer Seite gefallen, auf deutscher Seite zweihundert, und vergeblich. Ernüchterung bemächtigte sich des Herzogs von Braunschweig Lager. Jegliche Nahrung fehlte. Der Nachschub blieb aus. Furage für die Mannschaft, die entkräftet. Futter für Pferde und Ochsen, die notwendig die Kanonen, die Lafetten zogen. Der Vorrat an Branntwein, sonst reichlich ausgeteilt, schwand beängstigend. Zornig zerschlugen die Soldaten die leeren Fässer, Kisten. Mitten im Regen mangelte es an Wasser. Der Durst wurde unerträglich. Manch Dragoner trank, unvernünftig genug, aus den Rinnsalen, die sich durch Fußstapfen, Hufabdrücke, Radspuren im morastigen Untergrunde gebildet hatten. Tümpel der Umgebung waren mit toten

Gäulen verunreinigt. Die eingerissene Krankheit, die Ruhr, schon seit Tagen wütend ausgebrochen, griff rasend um sich, machte den drükkend hilflosen Zustand der Armee noch widerwärtiger. Unter grauen Wolken sammelten sich Raben und Krähen. Gegen sieben Uhr abends, als es Nacht werden wollte, hatte man, aber zufällig, einen Kreis geschlossen, in dessen Mitte nicht, des nahen Feindes wegen, ein Feuer, wie gewöhnlich, angezündet werden konnte, obgleich der Regen etwas nachließ. Der Herzog von Weimar, der Stab, die Regimenter standen, durchnäßt und fröstelnd, in kleinen Gruppen ratlos beieinander. Einige sprachen, leise, die meisten schwiegen. Goethe, der stark fieberte, auch den Hut verloren hatte, gesellte sich, durch Schlamm watend, zu den Offizieren, die ihm besonders mutlos schienen, willens, diese, und wenn nötig auch die Mannschaften, durch Sprüche, wie er oft zu tun gepflegt, aufzurichten. Verschleimt, und hörbar durch die Nase sprechend, griff er, das Wasser aus den Stiefeln schüttend, ein wenig hoch, redete wirr von hier und heute, von Epoche, von Weltgeschichte, und schaute, sich machtvoll räuspernd, aufmunternd in die Runde. Die Kommandeure der Regimenter wußten, wie alle, sich geschlagen. Der Dichter, der bitter spürte, daß er sich steigern müsse, um zu überzeugen, erhitzte sich. Heiser pries er nochmals Ort und Zeit. Drang auf die Tapferkeit der Truppe, den Willen, der durch nichts gebrochen, den Gegner, unbeugsam, zu fordern und zu zwingen. Und rief, die nassen Socken wringend, sichtlich bewegt, just jenen drei Husaren zu, die sich gedrückt vom Kampfe: Und ihr könnt sagen, ihr seid dabei gewesen! Wankte erschöpft, und auch beleidigt, da ohne Beifall, aus dem Kreis der Offiziere, der Mannschaft, und tauchte in das Dunkel. Die Nacht düsterte herein. Man hatte hinter einer Erhöhung, die den schneidenden Wind abhielt, notdürftig gelagert. Die Zelte aber waren durchnäßt. Den Soldaten blieb nichts übrig, als sich auf den zähen kalten Boden zu legen. Goethe, mittlerweile vollends krank, suchte, stark niesend, verzweifelt wie vergebens, den Hut, der ihm peinlich fehlte, leichtsinnig mit der Laterne. Unerträglich wurde, für alle, der Zustand unter freiem Himmel. Man schlug vor, wenigstens bis zum Morgengrauen, Schutz und Schlaf suchend, in die Erde tief sich einzugraben. Friedrich Raphael von Gotsch, Oberst des Kürassierregiments von Weimar, warnte dringlich, die Franzosen hätten auf dem Hügel gegenüber, hinter Gehölz, heimtückisch Batterien stehen, die leicht vernichten könnten, was sicher so zu ruhen glaubte. Eine Einwendung, die mißachtet wurde. Man mochte, völlig übermüdet, die Bequemlichkeit, die für das windstillere Gelände ersonnen worden war, nicht aufgeben. Der Herzog Carl August von Weimar selbst verschmähte scherzend nicht die voreilige Bestattung. Man haute Gräber aus, unverzüglich, mit Spaten und mit Schaufel. Seufzend stieg der Dichter in die Grube, warf den feuchten Mantel und die nasse Decke über und bettete, von Schüttelfrösten schlimm gequält, das bloße Haupt in weichem Lehm. Gedachte sehnsuchtsvoll des Herzogs, der benachbart lag, dem er oftmals sonst sich schmeichelnd angeschmiegt, genüßlich den Freund am Busen haltend, in Zeiten, auf dem Chaiselongue zu Weimar, die vergangen. Doch freudlos blieb das Grab. Vom Gebirge, aus den fernen Wäldern, kroch ein Nebelstreifen. In der Nacht, an der Chaussee, bei Fackelschein, fällte man, Brennholz zu schaffen, die schlanken hohen Pappeln. Am Rand der Sümpfe loderten die Flammen. Zwischen Erlen und Weiden, im Schilf, feierten die Franzosen. Kellermann, siegreich, wachte bei Wildschwein und Burgunder. Goethe, in der Grube, röchelte. Über die grauen Wiesen, im fahlen Mondlicht, schleppte sich ein Pferd, aufgebrochen der Leib, im Eingeweide verfingen sich die Hufe. So hinkte es dahin und stöhnte.

Hans E. Schumacher

Mugge un Fehler

Also, über unserm Geheimrat, mit dem se jetzt ja alleweil so schön due, weil er so Drame und allerlei annere Sache geschriwwe hat, da kann isch enne allerhand verzehle. Der hat es ach ganz faustdick hinner de Ohrn und wie der manchmal mit seine Dinstleut umspringt, wenn er seine Laune hat, ach da kann ich ene e ganza Meng von verzehle!

Mei Mann, der Karl, is der Kutscher vom Geheimrat un ich schaff in der Küch und em Haus bei em. Da bekommt mer alleweil e ganz Meng mit, was em Haus passiert, des kann ich enne sache.

Also neulich hat er, unsern Geheimrat, ganz schnell e Kutsch habbe welle. Aber des is grad en dem Aucheblick net so schnell gange, weil der Hans, unser Kutschgaul sich hat net so schnell eispanne lasse derweil er ausgereschnet dann seine Mugge gehet hat. Un wie das so is, wenns schnell gehe soll, dann klappt alles net so wie normal. So is der Karl mit der Kutsch au net gleich ausm Tor komme, weil auf der Gass son Betrieb war. So hats noch e Weil gedauert, bis er vorfahre konnt. Da hat er vieleicht rumgeraunzt met dem Karl, besonders weil er dann net glei ausm Hirschgrabe rauskomme is, denn en der Eck hats e Karambolasch gebbe gehabt un bei eim Lastwage war e Rad gebroche dabei. Un dann is er blos nüber nach Sachsehause gefahre um met e paar Herre vom Rat en Schobbe vom neue Äbbelwei zu dringe. Da währs doch auf de Minut net ankomme mein ich. Aber in solche Fäll hat er kei Geduld gehabt. Aber dann hats gedauert, gedauert und gedauert, bis er widder heimfahre wollt. Un da hat er noch zwei von dene Herre bei sich gehabt, die der Karl anschließend in der Nacht noch durch de halb Stadt gefahre hat, bis se alle daheim gewese sin. Un es is bald Morje gewese, als der Gaul und de Kutsch wieder richtig unnergebracht warn.

Aber e annermal, als er für zehn Uhr de Kutsch bestellt hat und der Karl uf de Minut vorm Haus gestanne is, da hat es fast e Stund gedauert, bis er rausgekomme is und dann aber hat es hopplahopp gehe müsse, doch e vertrödelte Zeit kann mer net mer eihole, beson-

ders wenn es de Berg nauf nach der Fridbercher Wart rauf geht, da kenne de Geul net em Galopp nufrenne.
Manchmal hat er auch de Kutsch vorfahre lasse, für en Wech, den mer schneller zu fuß gehe konnt, blos wege e paar Droppe Rechen oder auch nur wegen der Reputation um zu zeiche wer mer is un daß mer met der Kutsch vorfahre kann. De Kutsch muß dann natürlich warte, bis die Herre fertig sin un desetweche steht der Römerberch oder en annere Platz in der Stadt manchmal so voller Kutsche, daß kei duchkomme mer is. Un wenn dann noch e großer Lastwage von der Brauerei kommt, der sei Bier ablade will, gibts e groß Geschrei und es muß rumrangiert werde bis er vors Wirtshaus kommt, bloß weil einige von de hohe Herre net e paar Minute zu Fuß gehe könne.
Un wenn die Sach dann vorbei is, gibts erst recht Geschrei und Gedrängel, denn jeder will sei Kutsch zuerst vorfahre lasse, weil ers eilig hat und dadurch dauerts erst recht lang. Dabei hats schon solche Zankereien gegebbe, daß de hohe Herre wochelang net mitenanner geredt habbe. Des alles wird dann Ärscher mit de Dinstbodde genannt, obwohl die wahrlisch nix dafür könne.
Also geizich is er ja net, unsern Geheimrat. An de Feiertag, oder am Wälchestag, hat er immer für de Dinstleut was extra gehabt, da kammer em nix nachsage. Er is au net aner, ders Geld mit volle Hand unner de Leut bringt. Es wird auf e sparsamme Haushaltung geacht, da kamme nix sage. Aber manchmal wird doch am verkerte Fleck gespart. So hat der Karl neulich an agescheuert Zugseil von der Kutsch auswechsle welle, da hat er gemeint es kenn noch e weil halde. Prompt is es gerisse, als mer unterwegs gewese is. Der Karl hat zun Glick vorsichtshalber nen Ersatz dabei gehabt un hats dann auswechsele kenne. Nen Aufenthalt hats aber alleweil gebbe. Solche Sache komme halt immer widder vor. Aber de kluge Dinstleut sorge ja zum Glück vor für solche Fall södaß es net so ganz arg gewese is.
Manchesmal kann er au übbergenau sein, unser Geheimrat. Wenn amal des Schawellsche net ganz akurat vor der Kutsch steht, da kann er sich ja ufrege. Bei solche Kleinischkeite da kann er ja übergenau sei un ane Penibilidät entwickele, als wenn er der lieb Herchott wär. Aber wenn mer e annermal versucht ganz akurat zu sein, dann kommts em mitemmal garnet so drauf an, besonners wenn was schnell gehe soll. Wie mers dann macht, is es em net recht.
Ach uf nem anneren Gebiet hats der Geheimrat faustdick hinner de Ohre. Mit de Weibsleut hat er so sei Gewerch gehabt, wenns keiner

gesehe hat wie er gemaant hat. Aber manchesmal is des halt net so gegange wie er sich des woll gedacht gehabt hat.
Amal habbe mer e propper un fleißig Dirnsche von vierzehn Jahrn aus Ginnheim ins Haus bekomme. Die habbe mer all gern gehabt und se wer wohl auch sicher bei uns geblibbe. Doch amal hat se dem Herrn Geheimrat ebbes auf sei Studierstub nauftrage müsse, da is der er doch ans Mieder gegange un des Mädche is ganz rot un verstört widder runner komme. Die Frau Aja hat da abber net lang gefackelt un des Mädche glei am selbige Dag beis Bethmanns unnergebracht. Da isse dann wohl gelitte gewest und geblibbe, bis se nach einige Jahr e gute Partie gemacht hat. En Zimmermann vom Escheheimer Tor hat se gekricht, der fürs Bethmann alleweil gebaut hat. Danach sind junge Dinger bei uns e zeitlang netmer ins Haus gekomme.
Mer kenne uns ja net beklache. Solche Sache komme ja übberall vor, abber se zeiche, daß de hohe Herre und de gnädiche Fraue au nur Mensche sin, de Mugge un Fehler hen.

Des wollt ich ja nur mal gesecht han.

Nicolaus Sombart

Gespräch mit Goethe

Sie wollen ein Gespräch wissen, das ich gerne mit Goethe geführt hätte, wenn ich Gelegenheit dazu gehabt hätte. Ich will Ihnen lieber von dem Gespräch erzählen, das ich mit Goethe gehabt habe.

Es war mir eigentlich immer schon klar: Ein Mann wie er, ein Eingeweihter, stirbt nicht einfach. Sein Tod war fable convenue, wie Dreiviertel dessen, was über ihn erzählt wird. Gewiß, er war aus dem Alter herausgekommen, in dem Repräsentation ihm entsprach, Weimar und die gesellschaftlichen Verpflichtungen eines Dichterfürsten hatte er gründlich leid. Er wollte seine Ruhe, um in Frieden die dreihundert Jahre alt zu werden, die man bekanntlich braucht, um ein ernst zu nehmender Mensch zu werden. Ein Graf von Saint Germain, ein Cagliostro hatten längst dieses Geheimnis gelüftet.

Es mußte also möglich sein, Goethe aufzusuchen, mit ihm zu sprechen, vielleicht bei ihm Trost zu finden ... Aber wo war er? Ich glaubte nicht fehlzugehen, wenn ich ihn in Italien vermutete, und diese Vermutung wurde der eigentliche Grund für meine italienische Reise. Im Ernst, er mußte noch leben, und ich würde nicht der erste sein, den er von uns Heutigen empfing. Sagen Sie selbst, wo sollte Thomas Mann all seine Weisheit für „Lotte in Weimar“ sonst her haben?

Kaum war ich über den Brenner, wurde ich in meiner Annahme glänzend bestätigt. Jeder Italiener, zu dem ich sprach, fragte mich sofort mit einem Augenzwinkern: Er lebt, nicht wahr? Aber natürlich, sagte ich, ich bin überzeugt! Und sofort fielen mir alle um den Hals, und ich mußte auf *sein* Wohl mit ihnen trinken. Ich wußte gar nicht, wie mir geschah, bis ich endlich, da war ich schon kurz vor Rom, meinen Irrtum erkannte. Meine Freunde meinten einen anderen berühmten Deutschen, einen, von dem ich glücklich war zu wissen, daß er endgültig zu leben aufgehört hatte und, der Himmel gebe es, bei seinem Gevatter in der Hölle saß.

Weiß man, wer alles konvertiert, wenn er erst die nötige Reife erlangt hat? Ich begann Goethe im Vatikan zu vermuten. Ewig hätte ich so die Heilige Stadt durchstöbert, wäre ich nicht durch einen Freund (einen Archäologen und, wie sich versteht: guten Heiden) auf die Idee gebracht worden, weiter südlich zu suchen. Im Raume der Tempel von Paestum etwa ... Das leuchtete mir ein, und ich belegte einen Platz im nächsten Pullmann, der gen Mittag fuhr.

Mein Nachbar war einäugig und trug im Knopfloch das Zeichen der Maltheser. Er schwieg beunruhigend, ohne meiner im geringsten zu achten. Plötzlich aber, nach einer guten Stunde Fahrt, beugte er sich zu mir und flüsterte französisch in mein Ohr: Sie sind auf den Spuren Goethes? Verwirrt schaute ich ihn an, doch er zwinkerte nur mit seinem einzigen gesunden Auge, und weiter war nichts aus ihm herauszubringen.

Leider kam ich in Neapel auch nicht weiter! Ich irrte suchend umher, bis die Leute Mitleid mit mir bekamen und fragten, was ich verloren hätte. Nichts, sagte ich, ich suche einen deutschen Dichter! – Uffa, un poeta tedesco, sagten sie. Da müsse ich nach Positano gehen, da gebe es „un sacco di pazzi". Ich wanderte also nach Positano und wurde richtig von einem deutschen Dichter vorgelassen. Als ich ihm erklärte, ich suche Goethe, schaute er mich beleidigt an. Warum ich dann überhaupt zu ihm gekommen sei? Es gelang mir, ihn zu beruhigen (er war ganz aufgebracht), und wir soffen einen und tranken Brüderschaft und schließlich sagte der Dichter: Ach, was brauchst du Goethe, die Stunde der Auseinandersetzung zwischen ihm und mir hat längst geschlagen, ich bin viel wichtiger! Da verkrachten wir uns wieder. Als wir uns das siebzehnte Mal verkracht und wieder versöhnt hatten, verließ ich sein gastliches Haus. Von einem alten Russen, der einen Bart hatte wie Methusalem und mehr wußte, als die meisten für möglich hielten, hatte ich inzwischen auch einen Tip bekommen, so daß ich mir jetzt sicher war, den Hocherlauchten nicht mehr zu verfehlen. Ich machte mir rasch noch einmal klar, daß er jetzt 199 Jahre zählte, also noch recht jung, nur eine Idee älter als Bernhard Shaw war – und rieb mir die Hände vor Vergnügen und Vorfreude. Sorge machte mir nur, wie ich mich ihm am besten nähern sollte, wie mich vorstellen. Als Deutscher? Das schien mir schlecht. Am klügsten, ich gab mich als Reporter von LIFE aus, das war in der ganzen Welt die beste Legitimation. So wanderte ich und wanderte ich und dachte über die Unterhaltung nach, die ich mit ihm führen würde. Exzellenz, ja, ich würde sagen müssen Exzellenz, Sie können gar nicht ermessen, was es mir bedeutet ... Und dann würde ich gleich mit meinen Fragen herausrücken. Was er vom „Dämonischen" in unserer Zeit denke, was seine Meinung über – hm, wie soll man es aus-

Ja, das ist Goethe-Gandhi!

drücken, nun, mit einem Worte, Demokratie sei, und was er einer Jugend zu raten habe, die zwischen 17 und 30 beim Kommiß war; damals weilten Exzellenz in Leipzig und hatten Ihre schönste Zeit in Strassburg, nicht wahr? Und dann würde er mir vielleicht ein kleines Erlebnis aus seinem damaligen Leben erzählen, das bislang ganz unbekannt, noch von keiner Goetheforschung ans Licht gebracht und geeignet war, möglichst viele Bücher hinfällig zu machen.
Wie ist Ihre Beziehung zu der holden Weiblichkeit? würde er vielleicht wissen wollen, aber ich war entschlossen, ihn auf keinen Fall zu enttäuschen.
Da stellte sich zu meinem Betrüben heraus, daß der Meister seit über 50 Jahren nicht mehr in dem bewußten kleinen Gehöft südlich von Paestum wohnte, sondern nach Afrika übergesiedelt war. Da hatte ich es – auch er hatte Europa bei Zeiten verlassen. Afrika, sieh mal einer an, und *nicht* Amerika, das er so liebte – das war ein feiner Zug. Und, aha, jetzt kam man endlich auch dem guten Cide auf die Schliche! Ich setzte also nach Afrika über und erreichte dann in achtundvierzigstündigem anstrengendem Kamelritt die Oase, auf der, wie es verlautete, der hehre Olympier, der Unvergleichliche, der Größte des Abendlandes seine Tage in stiller Zurückgezogenheit beschloß. Sollte ich diese Gelegenheit, die *die* große Gelegenheit meines Lebens sein würde, nicht dazu benützen, um ihn zu bitten, mir einen Fingerzeig zu geben, wie des grämlichen Nihilismus, an dem unsereins litte wie an Malaria (im Kriege zugezogen), am besten Herr zu werden sei, oder, und ich erschauerte bei der Möglichkeit ihrer Beantwortung, sollte ich etwa frank heraus fragen, ob und wo der Stein der ... nein, das ging nicht, das wäre geschmack- und taktlos. Pfui, aber es gab ja genug, was nicht weniger brennend war.
Ein Araberknabe mit großen träumerischen schwarzen Augen und wiegendem Gang wurde mir als sein Diener gezeigt. Er hörte mir sehr ernsthaft zu und schüttelte dann mit dem Kopf. Das ging nicht! Der Herr empfing niemand. Niemanden! Ich schenkte ihm meine Leica, aber er schüttelte nur wieder mit dem Kopf. Zerknirscht wandte ich mich zum Gehen.
Jetzt war ich bis hierher gekommen, und nun mußte ich unverrichteter Dinge wieder fort! Im letzten Augenblick wird einem ein Strich durch die Rechnung gemacht. Da stellte sich der Knabe vor mich und lachte, daß seine Zähne blitzten, und sagte mit weicher melodischer Stimme: Heute abend, Herr! Liebling Du! Heute abend! Ich wollte vor Aufregung vergehen. Ich konnte die Stunde kaum erwarten. Halblaut

flüsterte ich vor mich hin, was ich zu sagen gedachte, wenn ich erst vor ihm stünde. Exzellenz, dies ist ..., oder nein, Exzellenz, ich danke Ihnen, daß..., oder nein, gar nicht Exzellenz, sondern einfach, ich danke Ihnen Meister, oder auch das lieber nicht, sondern einfach warten, schweigend warten, bis er zu mir spricht, warten, bis er mir erlaubt *meine* Frage zu stellen.
Der kleine Araberbub zupfte mich am Ärmel. Es war soweit. Endlich. Ich wischte mir mit dem Taschentuch die Stirn, die schweißbedeckt war, fuhr mir durch die Haare. Mut jetzt! Mut! Lautlos geht der Junge vor mir her, wir treten auf einen kleinen Hof (am Himmel steht die blasse Mondsichel), von da aus in einen dämmrigen Vorraum. Ich kann kaum atmen vor Spannung. Mit einer herrlichen Bewegung zieht der Junge einen Perlenvorhang beiseite und bedeutet mir, ich solle allein weiter in das Innere gehen. Ich sehe ihn fragend an, er verneigt sich leise. Ich werde seinen Blick niemals vergessen.
Nur langsam gewöhnen sich meine Augen an das herrschende Dunkel. Da gewahre ich einen Greis, der regungslos auf einem Teppich sitzt, in jener Haltung, die einem von den Bildern Gandhis her vertraut ist. Ja, das ist er! Das ist sein großer Schädel, von zartem silbrigem Haar umkränzt, und das sind die unvergleichlichen Augen. Ich trete einen Schritt näher, um mich bemerkbar zumachen.
Er wendet den Kopf in meine Richtung, ein wenig nur, kaum sichtbar, und ich trete auf ihn zu. Und da ich glaube, ein Lächeln erkennen zu können, kann ich nicht mehr an mich halten und schieße heraus, überstürze mich, rede, höre mich reden. Unwesentliches, Überflüssiges, Konventionelles, was ich etwa gar nicht sagen will, daß es wirklich ein unerhörtes Erlebnis sei, und daß ich voller Verehrung, und daß ich alle seine Werke gelesen, und daß ich ihm gar nicht sagen könnte, wie wichtig er mir, nein uns allen, meinem ganzen armen Volk, nein, der ganzen Welt und so weiter und so weiter und so weiter und so weiter und so weiter ...
Da wußte ich plötzlich, daß er mich ja gar nicht hören konnte und daß seine Augen mich niemals sehen würden und daß sein Lächeln nicht mir galt. Sein Lächeln galt keinem Sterblichen mehr, er lächelte den Göttern zu. Und ich verstand. So leise ich konnte, ging ich rückwärts zur Tür. Der Araberknabe hielt immer noch den Perlenvorhang auf. Das Geräusch, mit dem er niederrieselte, gab mich der Welt zurück. Bevor ich die Heimreise antrat, schrieb ich in mein Tagebuch den Ausspruch eines nahen Freundes: Du mußt dein Leben ändern. – Aber ich bin ja noch jung.

Verwehte Zeit

Weimar-Impressionen

Ilse Borchard

Wer sollte Goethen nicht kennen!

Die Wiedervereinigung war da, mein Sohn kam aus Nicaragua zurück und brachte seine junge Frau mit: Flor de Maria. So schön und sanft wie ihr Name stand sie vor unserer Tür. Ich nannte sie heimlich für mich: die schöne Indianerin. Bald wurde ein Baby geboren: ein winziges rundes Mägdelein mit schwarzen Krusselhärchen. Neues Leben erfüllte das Haus, und auch unser altes Ömchen, meine neunzigjährige Mutter, wurde wieder fröhlicher und frischer.
Da dachte ich, ich kann es wagen, ein wenig zu verreisen. Als erstes wollte ich Weimar sehen, wollte all die Goethe-Stätten, die Häuser, Parks und Straßen durchschreiten, all das leibhaftig erfahren, wovon wir in der Schule immer nur geredet hatten. „Herz mein Herz," was soll das geben? Was bedränget dich so sehr?"
Ich hatte das Gefühl, etwas nachholen zu müssen. Bald saß ich im überfüllten Zug, frohgestimmt. Ein alter Herr saß mir gegenüber und fragte mich nach dem Woher und Wohin. „Ah, nach Weimar wollen Sie", sagte er und sprach weiter mit erhobener Stimme: „Ja, wer sollte Goethen nicht kennen: Festgemauert in der Erden!" Ich lachte lauthals los, hatte er einen Scherz gemacht? Nein, ich sah an seinem beleidigten Gesicht, er meinte es ernst. Ich schaute in die Runde, aber die anderen Fahrgäste verzogen keine Miene. Doch in der Ecke, an der Tür nickte mir ein junges Mädchen zu, und ihre Lippen formten das Wort : „Sch- Schiller!" So kam ich frohen Mutes in Weimar an.
„Alles wimmelt, alles lebet, webet!"
Durch den Fremdenverkehrsverein am Markt erhielt ich die Adresse einer preiswerten Unterkunft nur ein paar Straßen weiter. Ich klingelte an einem hohen dunklen Mietshaus. Die Tür öffnete sich, zwei Treppen höher erwartete mich eine freundliche Frau. Sie führte mich in eine kleine Wohnung. Im Wohnzimmer fiel mein Blick auf ein Foto. „Das ist ja die Rodenkirchener Brücke", sagte ich. „Oh, die kennen Sie?" fragte die Frau erstaunt. „Ja, ich wohne nicht weit davon.„ „Ach", meinte die Frau, „Sie kommen daher, wo jetzt mein Sohn lebt. Nach der Wende ging er gleich fort nach Köln. Dort fand er eine Arbeit. Hier war er arbeitslos. Er schickte mir dieses Foto. Wie

es ihm dort wohl geht?" Sie schaute versonnen erst auf das Foto, dann auf mich. Ich verstand sie. „Sehen Sie", sagte ich zu ihr, „ich komme nach Weimar, um etwas mehr über Goethe zu erfahren. Darf ich Ihnen einen Vers aus einem Gedicht von ihm sagen, das er schrieb, als seine Lieben um ihn bangten, da er jung von Frankfurt nach Weimar ging, um dort zu arbeiten? Ich habe diesen Vers auch meinen Söhnen gesagt, als sie in die Fremde zogen." Und ich zitierte mit Gefühl aus dem Gedicht „Seefahrt", was ich noch im Kopf hatte.

Ach, warum ist er nicht hier geblieben!
Ach, er sollte, ach, er könnte ...

Doch er stehet männlich an dem Steuer:
Mit dem Schiffe spielen Wind und Wellen,
Wind und Wellen nicht mit seinem Herzen.
Herrschend blickt er auf die grimme Tiefe!

Da mußte sie lachen, – auch meine Söhne lachten immer an dieser Stelle. Nun lud sie mich ein zu einem Kaffee, und wir plauderten noch lange darüber, was ich mir in den nächsten Tagen alles ansehen sollte. Am Morgen darauf marschierte ich los, zunächst die Schillerstaße entlang, verweilte lange in einer Buchhandlung, dann ging es ins Schillerhaus, dann zum Frauenplan in das Goethehaus. Ich wanderte im Goethehaus aufmerksam von Raum zu Raum, alles erschien mir irgendwie bekannt, vertraut seit langem durch Fotos und Texte, mit denen ich mich schon seit meiner Schulzeit beschäftigt hatte. Ich stand an einem der Fenster und blickte in den Garten hinaus, da fielen mir die Schlußverse des Türmerliedes ein:

Ihr glücklichen Augen,
Was je ihr gesehn,
Es sei, wie es wolle,
Es war doch so schön.

In Gedanken versunken sah ich plötzlich den Raum vor mir, in dem wir 1948 unsere Abituraufsätze schreiben mußten. Wir sollten u.a. eine Interpretation dieser Schlußverse niederschreiben und dazu persönlich Stellung beziehen. Das war mir als 18jährigem Mädchen nach den Schrecken des Krieges nicht möglich, ich hätte höchstens schreiben können: der Türmer hat den Zweiten Weltkrieg nicht erlebt,

War er ein „furchtbarer" Jurist?

sonst würde er das nicht sagen. Unsere Lehrerin aber war eine große Goethe-Verehrerin, so wählte ich lieber ein anderes Thema.
Beim Hinausgehen aus dem Goethehaus entdeckte ich auf dem Frauenplan eine Kutsche. Auf dem Kutschbock saß eine junge Frau, die Zügel ihres Pferdes locker in der Hand haltend. Ich ging zu ihrem Pferd, strich ihm sanft über Stirn und Nüstern, klopfte seinen Hals und fragte sie, ob eine Kutschfahrt zu Goethes Gartenhaus möglich sei.
„Oh, ja, natürlich!" Ich stieg ein, und die Fahrt ging durch allerlei Straßen an dem Haus der Frau von Stein und dem Schloß vorbei, dann über die Ilmbrücke in den Park hinein. Im Park durften wir einen grünen Mittelstreifen befahren, und sofort fiel das Pferd in einen leichten, fröhlichen Trab, als es den elastischen Wiesenboden unter den Hufen spürte.
Das alles erfüllte mich mit großer Freude. Ich erzählte der jungen Frau von Ausritten, die ich mit meinen Söhnen gemacht hatte, wie wir am Heiligen Abend, die Satteltaschen voller Weihnachtspäckchen, vom Stall losgeritten waren durch den Wald ins Nachbardorf, wo unsere übrige Familie zu Hause wartete. Unterwegs sprachen und sangen wir im Rhythmus unserer trabenden Pferde unsere Lieblingsgedichte:

Es schlug mein Herz, geschwind zu Pferde!
Es war getan fast eh gedacht.
Der Abend wiegte schon die Erde,
Und an den Bergen hing die Nacht;
Schon stand im Nebelkleid die Eiche,
Ein aufgetürmter Riese, da,
Wo Finsternis aus dem Gesträuche
Mit hundert schwarzen Augen sah.
...
Die Nacht schuf tausend Ungeheuer,
Doch frisch und fröhlich war mein Mut:
In meinen Adern welches Feuer!
In meinem Herzen welche Glut!

Im Erzählen durchlebte ich dieses Glück noch einmal. Da hielt die Kutsche vor Goethes Gartenhaus. Ich stieg aus, bedankte mich für die schöne Fahrt, betrat Goethes Garten und glitt so von einem Traum in den nächsten: nämlich in Goethes Traum vom ländlichen Leben und Lieben.

Es waren frohe Tage, die ich in Weimar verbrachte, ein Ausflug nach Belvedere gehörte auch dazu. Nichts Böses ahnend, las ich im Vorübergehen auf dem Werbeplakat eines Reisebüros „Buchenwald, 25 Minuten Fahrzeit mit dem Bus". Das traf mich wie ein Schlag auf den Hinterkopf. Ich blieb stehen und starrte das Plakat an. Buchenwald? KZ Lager Buchenwald! Mit beiden Fäusten schlug ich gegen meine Stirn. Hatte ich Jahrzehnte ein Brett vor dem Kopf gehabt? Es war mir niemals in den Sinn gekommen, daß da eine Verbindung, eine Nähe zwischen Weimar und Buchenwald bestand. Meine Ruhe war dahin.

Ich fuhr mit dem nächsten Bus nach Buchenwald, ging durch das Lagertor, mir war, als gingen Tausende grauer Gestalten schleppend neben mir. Von Gebäude zu Gebäude ging ich, stand lange in der Genickschuß-Anlage, voller Angst, voller Zorn. Im Kiosk kaufte ich einige Broschüren über die Kinder und Jugendlichen, die hier im KZ gewesen waren, und über den illegalen Widerstand.

Ich kehrte nach Weimar zurück, hatte aber keine Ruhe mehr, dort länger zu bleiben. Am Abend teilte ich meiner erstaunten Wirtin mit, daß ich am nächsten Tag nach Hause fahren würde. Sie bat mich, den Abend noch mit ihr bei einem Glas Wein zu verbringen, aber ich lehnte ab, sprach von Unwohlsein. „Man sieht es Ihnen an", sagte sie. Tatsächlich glühte mein Kopf, mein Körper schmerzte.

So saß ich den ganzen Abend allein in meinem Zimmer und dachte an Goethe und an Buchenwald.

„Edel sei der Mensch, hilfreich und gut!" diesen Goethe-Spruch schrieben wir Mädchen früher gegenseitig in unsere Poesiealben. Wie sehr ergriff uns im 9. Schuljahr Gretchens Schicksal! Wir lasen Teile von Goethes Faust mit verteilten Rollen, und mancher Schülerin kamen die Tränen. „Wer hat dir, Henker, diese Macht über mich gegeben? Du holst mich schon um Mitternacht. Erbarme dich und laß mich leben!"

Viele Jahre später erst las ich, daß der Jurist Goethe die Todesstrafe durchaus für rechtens hielt, als eine Frau ihr uneheliches Kind getötet hatte. Goethe hatte sich auf Wunsch des Herzogs als Gutachter dazu geäußert, ohne die Frau gesehen zu haben. War er ein „furchtbarer" Jurist? Das Consilium des Herzogs – und Goethe gehörte dazu – sprach sich 1783 einstimmig in diesem Fall für die Todesstrafe aus.

Goethe war ein Dichter und ein Staatsmann:

Sind es zwei, die sich erlesen,
daß man sie als eines kennt?
Solche Frage zu erwidern,
fand ich wohl den rechten Sinn:
Fühlst du nicht an meinen Liedern,
daß ich eins und doppelt bin?

Diese Verse aus dem Gedicht „Gingo Biloba“ gingen mir auch im Kopf herum, als ich im Park, in der Nähe von Goethes Gartenhaus, den Baum Gingo Biloba und seine Blätter betrachtete. Jetzt dachte ich wieder darüber nach und las noch lange im West-Östlichen Divan. Doch Buchenwald kam mir nicht aus dem Sinn. Es war und blieb unfaßbar.

Nach einer unruhigen Nacht fuhr ich am nächsten Tag nach Hause. Am Nachmittag ging ich die Straße entlang auf unser Haus zu. Am Gartentor stand die schöne Indianerin und herzte ihr Kindlein. Mein Sohn, der lange Schlanke, kam aus dem Haus gelaufen und umarmte die beiden. Ich trat hinzu, breitete die Arme aus, lehnte meinen Kopf an ihre jungen Leiber für einen Augenblick und dachte: „Und doch, welch Glück, geliebt zu werden! Und lieben, Götter, welch ein Glück!“

Meine Mutter winkte vom Balkon. „Hattest du eine gute Reise?“ rief sie. „Ja, eine wichtige Reise.“ Dann beugte sie sich über die Balkonbrüstung, lächelte verschmitzt und sagte: „Weißt du, was mir die ganzen Tage durch den Kopf ging? Hör mal zu!“ Und sie sprach auf einmal wie ein braves Mädchen vor der Schulklasse, langsam und deutlich:

Sah ein Knab' ein Röslein stehn,
Röslein auf der Heiden,
War so jung und morgenschön,
Lief er schnell, es nah zu sehn,
Sah's mit vielen Freuden.
Röslein, Röslein, Röslein rot,
Röslein auf der Heiden.

Ich blickte lachend zu ihr hoch in ihr liebes Urgroßmuttergesicht und rief ihr zu: „Gut gemacht, Mutter, gut, wer sollte Goethen nicht kennen!“ Dann ging ich zu ihr ins Haus, es gab ja so viel zu erzählen.

Werner Dürrson

Ich habe mich nie verrechnet, aber oft verzählt

Skizzen einer Begegnung

Wir hatten Weimars Gedenkstätten wieder besucht, auch Buchenwald, im Hotel Amalienhof übernachtet und wollten, nach fünftägigem Aufenthalt, am folgenden Morgen in aller Frühe nach Hause fahren. Bevor es dämmerte, brachen wir auf, streiften, auf der Suche nach einem Geldautomaten, noch einmal die naheliegenden Stätten, das Haus am Frauenplan, die Bibliothek und, vorbei an zahllosen Baustellen mit verhangenen Fassaden, die der Stadt etwas Unwahrscheinliches verliehen, das Hoftheater. Dort hielten wir an, weil eine Gestalt über den Platz zu winken schien, die uns beim Näherkommen nur allzu bekannt war. Anders gesagt, wir mußten sie keineswegs von ihrem Sockel holen, sie stand, mit einem ironischen Seitenblick auf denselben, daneben – Goethe, leibhaftig, ich war so verblüfft, daß mir entging, ob sich Schiller noch oben befand

Er kenne sich nicht mehr aus in der Welt, etwas Aufklärung wäre ihm lieb. Das schien mir begreiflich; jedoch noch ehe ich etwas zu sagen wußte, erklärte er, in Weimar sei es nicht länger auszuhalten. Da ging mir ein Licht auf und ich fragte den noch etwas steifen Dichter, ob wir ihn mitnehmen könnten? – Nichts als weg von hier, rief er entschieden, nach Möglichkeit südwärts

Wenn es nicht gleich Rom sein muß, flunkerte ich. Wir wohnen in Oberschwaben, unweit der Schweiz. Vortrefflich, meinte der alte Herr, der die Zeiten offenbar unbeschadet überdauert hatte. Wir stellten uns vor. Daß wir ihn kannten, verwunderte ihn nicht

Ich räumte den Fond unseres Wagens, während Lenore ihn, nachdem er sie komplimentiert und sich zugleich für die Umstände entschuldigt hatte, zum Einsteigen ermutigte. Im Vergleich zu seiner nicht gerade komfortablen Kutsche, die wir in der Remise seines Hauses am Frauenplan gesehen hatten, hofften wir, es ihm in unserem wenn auch älteren Mercedes gemütlich zu machen; unbehelligt vom Holterdipolter und Geächz seines klapprigen Gefährts auf durchlöcherten Straßen, würde er sich unterwegs seinen Gedanken und Notizen widmen können

Wo sind die Pferde? fragte er in leicht ironischem Ton. Eingebaut, sagte ich allzu direkt, 190 Pferdestärken, das müssen Sie sich einmal vorstellen, Herr Goethe. Aber schon gegen das Angurten sträubte er sich. Sind *wir* jetzt die Pferde?

Wir fuhren aus der Stadt hinaus, der alte Herr sah sich um, erblickte die leichte Morgenröte im Osten, benannte Schloß Belvedere; als wir durch Bad Berka fuhren, inzwischen war es hell, erinnerte er sich an manchen Aufenthalt dort, und daß der Park nach seinen Plänen entstanden sei. Mehr noch bewegte ihn Ilmenau, wo er sich als Minister intensiv der Wiederbelebung des Bergbaus gewidmet, zugleich geologische und mineralogische Studien getrieben habe. Es erstaunte ihn, daß von den seinerzeit gepflanzten Linden noch etliche standen, die sich jetzt in ihrer herbstlichen Verfärbung zeigten. Sein Blick ging zu dem im Nebel liegenden Kickelhahn hinüber, wo er einst *Wanderers Nachtlied* in die Holzwand der Forsthütte ritzte

Wer sitzt hier mit im Wagen, den ich nicht sehe, argwöhnte Goethe, als ich das Radio einschaltete, und, Sind denn da Musikanten? Wir versuchten ihm zu erklären, was Rundfunk ist. Als aber die Haydn-Sonate, die er übrigens kannte, jäh mit einer Durchsage unterbrochen wurde und die Rede war von einem Geisterfahrer, fragte er erschrocken, ob *wir* das seien. Lenore konnte ihn beruhigen

Bis Schweinfurt hatten wir die Autobahn vermieden, um unseren Fahrgast nicht zu schockieren. Nach der Einfahrt, deren Schleifen ihn zu verwirren schienen, weil sie, wie er sagte, jedes Gefühl für eine bestimmte Richtung in ihm aufhoben, blieb er, auch bei nun höherem Tempo, anfangs ziemlich ruhig, aber als ihm die zahlreichen Schilder mit den Städtenamen nur so entgegenflogen, gar auf ihn einschlugen, wie er empfand, verkrampften sich seine Hände in die Rückenlehne des Vordersitzes, er wurde blaß, selbst seine Nase verlor jede Rötung, obwohl wir nicht rasten, während die anderen Wagen an uns vorüberzischten

Wir fuhren an eine Drive-in-Raststätte. Goethe erholte sich rasch. Alles nur kein Sauerkraut, bat er, als wir ihn nach seinen Eßbedürfnissen fragten. Befremdet nahm er sein erstes Gericht auf einem Plastic-Teller entgegen: Nürnberger Würstchen mit Senf und Kartoffelsalat. Bier dazu mochte er nicht. Vom Wein hier riet ich ab. Ein Glück, daß es Karlsbader Wasser gab. Davon bat er gleich mehrere Flaschen mitzunehmen

Später geriet er angesichts der ‚Kunststraßen', wie er sie nannte, bereits ein wenig ins Philosophieren: Anscheinend, mutmaßte er, haben sich alle Ziele in Wege aufgelöst, vor dir, hinter dir, neben dir, nichts als Automobile, da ist kein Halten mehr. Zum andern erstaunte ihn, daß nirgends ein Grenzposten stand und wir so freiweg durch völlig vereinigtes Land ziehen konnten. Ob die Fürsten denn ausgestorben seien? Nur befürchteten wir die neuerdings wieder praktizierte willkürliche Personenkontrolle der Polizei. Goethe besaß ja keinen Paß

Als wir einmal tankten, sagte er: Welch gespenstischer Pferdewechsel

Mehrmals fragte er, wo denn die Natur geblieben sei. Ich verwies ihn auf all die Sträucher entlang den Mittelstreifen und seitlichen Hängen. Endlich zeichnete sich in der Ferne ein dunkler horizontaler Streifen ab, der auf einen Wald schließen ließ. Was Sie in der jetzigen Welt vermissen, sagte ich, ist pars pro toto in Museen untergebracht, in Gedenkstätten und Archiven dokumentiert, die inzwischen überaus reich bestückt sind. Ausgestorbene Tier- und Pflanzenarten, Oldtimer und Auslaufmodelle aller Art. Auch Dichter, ergänzte Lenore augenzwinkernd

Über Würzburg und Heilbronn erreichten wir abends Stuttgart, wo wir die Fahrt erneut unterbrachen, um uns zu stärken. Der Dichter verlangte jetzt dringend nach Wein. Gern ließ er sich in eine Pizzeria führen, lobte den Montepulciano zur Lasagne und kam, wie sich denken läßt, rasch auf seine Italienische Reise zu sprechen

Als wir auf dem Weg zum Parkplatz an einer Disco vorbeikamen, wollte er wissen, was das für ein Gestampfe sei und was da so spät noch produziert werde. Nach näherer Betrachtung der Auslagen eines gewissen Stuttgarter Buchhändlers schien er ziemlich verstört; vor allem die reißerischen und an niedrige Bedürfnisse appellierenden Titel waren ihm ärgerlich. Soweit ist es mit der Literatur gekommen, sagte er nur. Die Versicherung, daß seine Werke noch immer da und dort gelesen würden und nach wie vor Schulstoff seien, zwang ihm ein müdes Lächeln ab

Im übrigen hatte er, was die heutigen Verhältnisse anging, erhebliche Sprachprobleme. Ihm fehlten die Wörter für das, was er sah. Schon das Wort ‚parken' war ihm rätselhaft; unter ‚Parkplatz' verstand er einen abgeholzten, denaturierten ehemaligen Park, der nur zur Erinnerung noch so hieß. Und was er unterwegs in Leuchtschrift so las – Firmenschilder, Werbung, Verordnungen – war ihm zumeist unverständlich. Englisch sollte man können, rief er aus. Nach Stuttgart, auf der Weiterfahrt, vermutete er hinter den Fassaden des hellbeleuchteten Mercedes-Konzerns die Landesregierung

Aber ich habe ja gar nichts dabei, weder Kleidung noch Wäsche noch Geld, rief er aus, als wir spätabends zuhause ankamen und ihm ein Zimmer anboten. Es soll Ihnen an nichts mangeln, sagte Lenore, fürs erste improvisieren wir eben... Nur mit der Kleidung gabs Schwierigkeiten: Meine Hosen und Jacketts konnten dem etwas rundlich gewordenen Mann, der äußerlich weniger groß war als allgemein angenommen, nicht passen; ich lieh ihm einstweilen meinen Morgenrock, Pantoffeln und ein Seidentuch. Anderntags besorgten wir im Städtchen, was immer ihm nötig oder lieb sein konnte: Lebensmittel, Süßigkeiten, Toilettenartikel, auch die neuesten Zeitungen. Mit uns in ein Konfektionshaus zu gehen, lehnte G. ab; er bestand auf seinem verwitterten Gehrock samt den abgerutschten Hosen, die er auf dem Leib trug, auch die Schnallenschuhe tätens noch lang; nur was Unterwäsche und Strümpfe anging und sein angegrautes Hemd, das dringend gereinigt gebleicht geplättet gefältelt und gestärkt werden mußte, ließ er mit sich reden. Lenore nahm die historischen Textilien in Empfang; da freut sich die Waschmaschine, sagte sie, nicht ganz passend

Pasteten aß Goethe besonders gern, auch Braten und Fisch, Artischocken lieber als Spargel, zum Dessert eingelegte Früchte oder Obsttorten. Wobei er sich, nicht aus ‚nationellen' Gründen, wie er betonte, lieber an die deutsche Küche hielt als an die französische; zumal der Knoblauch, schon in geringster Dosis, eine ‚höchst gewaltsame Wirkung‘ auf ihn auszuüben pflege. Mit Kaviar, Täubchen und Teltower Rübchen konnten wir ihm nicht dienen, hingegen reichlich mit Gemüsen und Salaten, und dann und wann einem Landhuhn. Sein Appetit war zumeist beträchtlich. Der Hecht heute, ließ er uns wissen, habe besonders gemundet. Hier irrte G., es war Lachs

Einmal, als er sehr unpäßlich war, bat er, zu unserem Erstaunen, um Graupenschleim mit schwacher Fleischbrühe, eine von seinem ehemaligen Leibarzt Dr. Vogel angeordnete bewährte Diät, wie er bemerkte

Kaffee trank G. in aller Regel nur morgens, lieber noch Schokolade; Tee, sagte er, wirke auf ihn wie Gift; Bier und Schnaps verschmähte er; jedoch Rotwein war ihm zu jeder Tages- und Nachtzeit willkommen. Wir freuten uns, ihm seinen einstigen Hauswein zu kredenzen, der ihm auch jetzt wieder mundete; besorgt vom Brentanoschen Gut in Winkel am Rhein durch unseren hiesigen Weinhändler Glanz

Um seinen Unwillen nicht hervorzurufen, versagten wir uns das Rauchen in G.s Gegenwart, wobei ich ihm insgeheim grollte: Wie kann er behaupten, daß Rauchen dumm mache? Weiß er denn, ob er als Raucher nicht noch produktiver gewesen wäre? Daß er die deutschen ‚Bierbäuche‘ verachtete, fand unsere völlige Zustimmung; aber daß er sie im gleichen Atemzug haßte wie die sogenannten ‚Schmauchlümmel‘, gar beide für die „Geistlosigkeit, Verkrüppelung und Armseligkeit unserer Literatur“ verantwortlich machte, das ging mir zu weit

Als ‚schöne Zauberei und Überlistung der Natur‘ empfand er die gebräuchliche Elektrizität; mit einem Knopfdruck die Beleuchtung ein- und auszuschalten, machte ihm Spaß; nur war es ihm in den Räumen meist zu hell, und er bat um weniger Licht

Zu meiner Verwunderung fragte er nach dem Ergehen Ernst Jüngers, den er, falls er sich recht erinnere, während der Kampagne in Frankreich kennengelernt habe, bei der Kanonade von Valmy. Aber das ist unmöglich, sagte ich. Richtig, es war in Verdun, korrigierte sich G. Ich wurde ganz unsicher, erwähnte nur noch, daß der Kriegsdichter, ein Methusalem, erst vor kurzem gestorben sei, nachdem er zuvor noch zum katholischen Glauben übertrat. Ei ei, der Titanenfreund, bemerkte G.

Unbegreiflich schien ihm anfangs das Telefon. Ob die Menschen jetzt Ziffern als Namen trügen? Wie es angehe, daß man jeden, ob Freund oder Feind, so mir nichts dir nichts anrufen könne, als sei er Gottvater. Und ob man, da der Apparat ja tief ins Dunkle ausgreife, auch Tote erreichen könne. Schön wäre, meinte er, noch einmal mit Schiller zu sprechen, mit Eckermann oder gar Christiane, dem Bettschatz

Der Dichter zeigte sich überraschend offen und anpassungsfähig. Jedoch machte ihm die uns längst zur zweiten Natur gewordene ‚Künstlichkeit' der Welt zu schaffen; wobei ihm nicht entging, daß viele Gegenstände, vom Baukran bis zur Wabenbauweise mancher Häuser, vom Automobil bis zum Flugzeug, die Natur morphologisch imitierten, von der Chemie ganz zu schweigen. Wissenschaftlich gesehen, fand G., lebe man heute in einer höchst interessanten, wenn auch ungemütlichen Zeit

Mehr als meinen Computer beachtete er das Diktiergerät; nur fand er es überaus unerotisch. Wichtiger war ihm das Barometer, er konsultierte es zehnmal am Tag, und jede Veränderung wurde interpretiert

Zwiespältig reagierte er auf das Fernsehen. Die Bilder haben das Laufen gelernt, erläuterte ich mit einem Slogan. Er war verblüfft, wohl auch fasziniert. Die ganze Welt ins Haus geliefert, wie geht das! rief er aus. Da läßt sich, in der Tat, auf dem geringsten Dorfe oder auf einer Insel inmitten der Welt sein! Allerdings störte ihn die Werbung gewaltig – ein fetischistisches Treiben! – und daß er bei keinem der Bilder, soweit sie ihm gefielen, länger verweilen konnte. Als er sich anderntags durch ein paar Dutzend Programme gezappt hatte, schien er verstimmt und nannte den Kasten, wohl nicht ganz zutreffend, eine ‚Wirklichkeitsersatzmaschine' und ‚Ausgeburt mangelnder Phantasie'. Das ging uns zu weit. So nahm ich mir vor, von Cyberspace, Internet usw. erst gar nicht zu sprechen

Nichts gehe über die sinnliche Wahrnehmung des Gegenstandes, sagte er. Aber leider führt sie nicht mehr weiter, erwiderte ich. Nichts ist mehr, was es war. Die Antworten der Naturwissenschaften sind längst neuen Fragen gewichen. Daß Newton ihm gegenüber, der stets von der ideellen Anschauung ausgegangen war, recht behalten hat, erwähnte ich nicht eigens, beharrte aber auf der Tatsache, daß das Unteilbare längst vielfach geteilt, die Wahrheit der Empfindung unwissenschaftlich und also überholt sei. Heutzutage, sagte ich, wird, alles in allem, nur noch analysiert, gezählt und berechnet... Dem setzte G. weiter nichts als ein Wortspiel entgegen: Er habe sich nie verrechnet, aber oft verzählt

Für den dritten Tag hatten wir uns auf eine Bahnreise in seine Geburtstadt geeinigt. Der Zwischenaufenthalt in Ulm gab Gelegenheit, einen Blick aufs Münster zu werfen. Die Welt ist jetzt ein großer Kaufladen, sagte G. aufgeräumt, als wir die Hauptgeschäftsstraße entlanggingen. Er wunderte sich über die Menschenmassen und daß so viele tagsüber nicht arbeiteten, sich stattdessen den Kaufhäusern und allerlei Vergnügungen zuwandten. Auffällig war ihm das ‚Internationelle', wie er es nannte, und besonders stachen ihm die zahllosen Brillenträger ins Auge; auch, daß die meisten Menschen seltsam nachlässig gekleidet seien, eine schäbige, formlose Mode, meinte er, die den Menschen entstelle. Ich wies ihn auf einen Herrn in tadellosem Konfektionsanzug, und G. fragte, was das vom Hals herabhängende Rübenkrautblatt zu bedeuten habe. Naturverbundenheit, scherzte ich

Als wir ihn aber in einen Supermarkt schoben, fühlte er sich schon wegen des grellen Lichts und der lauten Musik rasch unbehaglich. Von nichts zuviel! rief er aus, machte kehrt, und nachdem er am Ausgang die ‚windigen Ventilatoren' verflucht und draußen sein schütteres schlohweißes Haar zurechtgestrichen hatte, lächelte er verzwungen und meinte, mit Sokrates: ‚Ach, wie zahllos sind doch die Dinge, deren ich nicht bedarf.'

Zu unserem Erstaunen genoß er den ‚Intercity', mit dem wir von Ulm nach Frankfurt weiterfuhren; die kaum auffallende Automatik und die Ruhe suggerierende Abfederung der Waggons schienen ihn über die hohe Geschwindigkeit hinwegzutäuschen. Zwar verwirrte ihn, wie der fast lautlos durch die meisten Bahnhöfe flitzte, sie ignorierte, und es wurde ihm vorübergehend schwindlig bei dem Eindruck, daß der Zug stehe und die Welt am Fenster vorbei in den Abgrund rase, wie er sich ausdrückte; aber, nachdem sich G. von dieser Impression erholt und wir ihn sanft ins Bordrestaurant bugsiert hatten, behagte ihm dieses Fliegen auf Rädern, wie er es nannte, auch daß die Suppe nicht über den Tellerrand schwappte und der Wein im Glas blieb. Dies führte ihn alsbald zu physikalischen Erörterungen, vor allem über die Gravitation; mit Schrecken entdecke er, daß er sich über das Verhältnis von Schwerkraft und Geschwindigkeit nie Gedanken gemacht habe, zu schweigen von der Schwerelosigkeit

Wer hier residiert, scheint nicht frieren zu müssen, bemerkte G., als wir an einem Atomkraftwerk vorbeifuhren, dessen Baustil er ‚überaus scheußlich und von schäbiger Zweckdienlichkeit' fand

Oft fuhr der Zug an Mauern mit bunten Graffiti vorbei, aber auch mit Hakenkreuzen und SS-Runen. G. schien sie nicht zu beachten. Als wir auf Buchenwald anspielten, bemerkte er nur, wir meinten gewiß den dicht bewaldeten Ettersberg im Norden Weimars, zu seiner Zeit ein ‚beliebtes Ausflugsziel', wo übrigens eine Eiche nach ihm benannt worden sei. Wir ahnten, daß er nicht hinreichend informiert war; ließen es aber dabei, da wir seine Devise kannten: Von nichts zuviel

Als Goethe aber Frankfurt sah, war er bestürzter als wir ahnten, er glaubte sich auf einem anderen Stern zu befinden, ihm schwindelte, als er, inmitten des dröhnenden Verkehrs, zu den Hochhäusern emporblickte. Lärmende Einfalt, protzige Größe! rief er aus. Weder den Hirschgraben noch die Messe wolle er besuchen, schon gar nicht den Flughafen, sagte er plötzlich. Von nichts zuviel, wiederholte er. Nach einem Imbiß und einem Glas Wein war er einverstanden, vor der Rückfahrt wenigstens den städtischen Zoo zu besuchen; dessen Mannigfaltigkeit regte ihn bald an zu näheren Ausführungen über die vergleichende Anatomie im Hinblick auf den Knochenbau der einzelnen Arten. Was die Affen anging, zumal die Menschenaffen, war ihm besonders sympathisch, daß sie keine Brillen trugen

Als er am folgenden Tag, nach einer längeren Siesta, erschien, gab er sich wieder heiter, fast übermütig rezitierte er Mephistos Flohgedicht aus dem *Faust*:

Es war einmal ein König,
Der hatt' einen großen Floh,
Den liebt' er gar nicht wenig,
Als wie seinen eignen Sohn...

wobei er, mangels einer Gitarre, in der Küche nach einer Stielpfanne griff, die er mit seiner Schreibhand beklopfte. Wir lachten und applaudierten, keck fragte ich ihn, ob ich ihm einen kürzlich entstandenen Versuch, *Wandrers Nachtlied* auf den heutigen Stand zu bringen, vortragen dürfe. Da er nichts dagegen hatte, holte ich das Blatt und las:

Ein Ähnliches

Schuttgipfel Müllgeäst Unruh,
drüber spürst du
kaum noch den Rauch;
die Vöglein im Blechwald
schweigen, und nicht nur sie, du
sagst nichts mehr, warte, bald
ruhe ich auch.

Beklemmende Stille. Seine Heiterkeit war wie verflogen. Ich hatte, leichtsinnigerweise, an eine empfindliche Stelle gerührt, die mehr sein Gedicht als die Gegenwart betraf. Verlegen zerknüllte ich das Blatt

Erst gegen Abend nahm G. das Gespräch wieder auf. Sehe ich recht, so wird jetzt, was die Erde nur immer hergibt, in riesigen Massen als Rohstoff mit Schnelligkeit durch Fabriken gejagt, um daraus in immer kürzeren Intervallen neue Produkte zu erzeugen, die rasch wieder weggeworfen werden. Materialismus also im plumpesten Sinn. Der Kapitalismus, Wirtschaft und Handel, seien offenbar wild geworden. Dabei wäre Dematerialisierung der Welt, und nicht zuletzt Schonung der Natur vonnöten. Ich erwiderte, daß man es am Ende so sehen könne; bezeichnend aber sei die objektivierende Tendenz dieses Zeitalters

Er erhob sich und ging unruhig im Zimmer auf und ab, während ich nach dem Band der Gespräche mit Eckermann griff und, als ich die betreffende Stelle gefunden hatte, sie vorlas: „Ich will Ihnen etwas entdecken, und Sie werden es in Ihrem Leben vielfach bestätigt finden. Alle im Rückschreiten und in der Auflösung begriffenen Epochen sind subjektiv, dagegen aber haben alle vorschreitenden Epochen eine objektive Richtung. Unsere ganze jetzige Zeit ist eine rückschreitende, denn sie ist eine subjektive. Dieses sehen Sie nicht bloß an der Poesie, sondern auch an der Malerei und vielem anderen.

Jedes tüchtige Bestreben dagegen wendet sich aus dem Inneren hinaus in die Welt, wie Sie an allen großen Epochen sehen, die wirklich im Streben und Vorschreiten begriffen und alle objektiver Natur waren." So im Januar 1826. Ein, wie ich finde, treffliches Votum für unsere jetzige Gegenwart, resümierte ich

Da konnte er nicht widersprechen. Was mich abstößt ist das Krasse, Grelle, Willkürliche und Effekthafte, das durch Übermaß auch die eigene Wirkung entkräftet, betonte er. Was ihm an unserer Zeit am meisten auffalle, sei die allenthalben betriebene Selbstentwertung durch Fülle und Überfluß. Die Menschen bedrängen sich gegenseitig ebenso wie ihre Gegenstände. Schon zu seiner Zeit habe er als ein beängstigendes Problem empfunden, wie sich der Einzelne gegen die Vielheit zu behaupten wisse. Dem konnte nun ich nicht widersprechen

Übrigens hüteten wir uns, ihn in einen der schauerlichen Riesenställe unserer Dörfer blicken zu lassen. Er wäre nachträglich zum Vegetarier geworden

Am meisten zu schaffen machte ihm vollends meine Bemerkung, daß die Menschwerdung der Maschine in vollem Gange sei und sich über die Interaktion, vor allem aber über die Automation des Geistes vollziehe, ja daß sich der moderne Begriff der Selbstverwirklichung mehr und mehr vom Menschen auf die Maschine übertrage. Ich erwähnte die Roboter, kam auf die Erdumkreisungen künstlicher Satelliten zu sprechen, natürlich auch auf die bemannten Raketen, die in den Himmel geschossen werden, und daß nach der Eroberung des Mondes jetzt die Reise zum Mars vorbereitet werde; dabei verwies ich auf die unermeßlichen Fahrten im Weltraum, die immer ausschließlicher von Geräten und Apparaten ermöglicht würden; schon die Erde von außerhalb zu betrachten, sei doch eine für die Menschen wünschenswerte Erfahrung

Laßt sie nur machen, schloß G. altväterlich, sie werden nie weiter kommen als bis zu sich selbst; offenbar braucht es jetzt großer Umwege

Er wurde jetzt zunehmend ungehalten, auch brachte er seinen allbekannten Satz, den er am 17. März 1832 an Wilhelm von Humboldt schrieb: „Verwirrende Lehre zu verwirrtem Handel waltet über die Welt..." Wir gerieten in einen heftigen Disput, nachdem ich ihm, selbst ein wenig aufgebracht, sein ewiges Idealisieren vorgehalten hatte. Dieser jetzigen Welt, der in ihrem offensichtlichen Nutz- und Ausbeutungsdenken nahezu jede ästhetische Kategorie abhanden gekommen sei, meinte er, täte ein wenig Idealismus wohl gut. Zum andern erkenne er, daß die Romantik, vor der er frühzeitig gewarnt, in ihrer abgeschmacktesten Art voll zum Zuge gekommen sei: deren verrückte Projektionen, so scheine es ihm, würden gegenwärtig aufs ungeheuerlichste verwirklicht

Er komme sich übrigens vor wie ein Entdeckungsreisender in der Wüste

Was überrascht Sie so sehr? fragte ich ziemlich rhetorisch. Haben Sie nicht in *Wilhelm Meisters Wanderjahren* die Vision eines überhand nehmenden Maschinenwesens beschworen, das sich wie ein Gewitter langsam, langsam heranwälze, das kommen und treffen werde. Zelter gegenüber beklagten Sie die Unrast der jüngeren Generation. Ich griff nach dem Briefband, suchte und zitierte ihn wieder: „Alles ist jetzt ultra, alles transzendiert unaufhaltsam, im Denken wie im Tun. Niemand kennt sich mehr, niemand begreift das Element, worin er schwebt und wirkt, niemand den Stoff, den er bearbeitet... Junge Leute werden viel zu früh aufgeregt und dann im Zeitstrudel fortgerissen", schrieben Sie; „Reichtum und Schnelligkeit ist, was die Welt bewundert und wornach jeder strebt; Eisenbahnen, Schnellposten, Dampfschiffe und alle möglichen Fazilitäten der Kommunikation sind es, worauf die gebildete Welt ausgeht, sich zu überbieten... und dadurch in der Mittelmäßigkeit zu verharren." Schrieben Sie. Was überrascht Sie so sehr? – Goethe schwieg

Andererseits, fuhr ich fort und spürte, daß ich jetzt meinen großen Auftritt hatte, wünschten Sie denn nicht einen Kanal durch den Isthmus von Panama für eine künftige Weltschiffahrt? Ich blätterte aufgeregt, da, am 21. Februar 1827, steht wörtlich zu lesen: „Gelänge ein Durchstich derart, daß man mit Schiffen von jeder Ladung und jeder Größe(!) durch solchen Kanal aus dem Mexikanischen Meerbusen in den Stillen Ozean fahren könnte, so würden daraus für die ganze zivilisierte und nicht zivilisierte Menschheit ganz unberechenbare Resultate hervorgehen. Wundern sollte es mich aber", sagten Sie weiter,

„wenn die Vereinigten Staaten es sich sollten entgehen lassen, ein solches Werk in ihre Hände zu bekommen..." Und die Engländer wollten Sie „im Besitz eines Kanals von Suez sehen". Respekt! Ihre Visionen, abgesehen von einem erwünschten Rhein-Donau-Kanal für die Deutschen, haben sich erfüllt. Übrigens: haben Sie damals nicht zugleich das Bedauern geäußert, solchen Fortschritt, und die Entwicklung wenigstens des kommenden Jahrhunderts, nicht mehr erleben zu können –

Goethe stand auf und verließ verdrossen den Raum. Jetzt bist du zu weit gegangen, sagte Lenore

Zum Glück kam, vor allem bei Tisch, immer wieder die – Eckermann völlig entgangene – Goethesche Ironie zum Vorschein. Nachdem wir uns wieder einmal in zeitbedingte Gegensätze hineingeredet hatten, griff er zum Weinglas, stieß mit uns an und zitierte sich aus dem *West-Östlichen Divan:*

Solang man nüchtern ist,
Gefällt das Schlechte;
Wenn man getrunken hat,
Weiß man das Rechte ...

Wir sprachen über die tragische Schicksalsidee der Griechen. Dergleichen, sagte G., ist unserer jetzigen Denkungsweise in der Tat nicht mehr gemäß. Wir Neueren sagen jetzt besser mit Napoleon: die *Politik* ist das Schicksal... Ich brachte das Gespräch auf die heutige Weltlage und darauf, daß der Mensch noch immer des Menschen Wolf sei. Das wundere ihn nicht. Als ich Amerika erwähnte, das er ja hoch schätze, und die Waffenarsenale heutigen Zuschnitts, aus denen mit einem einzigen Streich der ganze Planet vernichtet werden könne, sagte er nur: Um so besser, dann wird es keine Kriege mehr geben. Das klang sehr zweideutig. Absurde Welt, fügte er hinzu. Überhaupt fiel auf, wie oft er zu diesem Wort griff; so nannte er die Weltgeschichte ‚das Absurdeste'

Denkt man sich in deprimierter Stimmung recht tief in das Elend unserer Zeit hinein, habe er, so er sich recht erinnere, einst zu Eckermann gesagt, so kommt es einem oft vor, als wäre die Welt nach und nach zum Jüngsten Tage reif... Und das Übel häuft sich von Generation zu Generation! ... Denn nicht genug, daß wir an den Sünden unserer Väter zu leiden haben, sondern wir überliefern auch diese geerbten Verbrechen, mit unseren eigenen vermehrt, unseren Nachkommen...

... Sehe ich recht, so hat sich am alten Adam wenig verändert. Es geht uns alten Europäern, seit ich denken kann, mehr oder weniger allen herzlich schlecht; unsere Zustände sind viel zu künstlich und kompliziert, unsere Nahrung und Lebensweise ist ohne die rechte Natur, und unser geselliger Verkehr ohne Liebe und Wohlwollen – Jedermann ist fein und höflich, aber niemand hat den Mut, gemütlich und wahr zu sein, so daß ein redlicher Mensch mit natürlicher Neigung und Gesinnung einen recht bösen Stand hat. Man sollte oft wünschen, auf einer der Südseeinseln als sogenannter Wilder geboren zu sein, um nur einmal das menschliche Dasein, ohne falschen Beigeschmack, durchaus rein zu genießen. – Dem ließ sich nicht wiedersprechen. Auch war es inzwischen spät geworden. Goethe reichte uns schweigend die Hand und begab sich zur Ruhe

Heute nachmittag kam unser Gast mit einem papageienbunten Gesicht von einem Spaziergang zurück, sprach vergnügt von einer ‚Schar Mädgens', auf die er draußen gestoßen und die alle bemalt gewesen seien wie Indianerinnen. Auf seine launige Frage, was das bedeute, habe ihn eine der Gören mit ‚Opa' betitelt und geantwortet: Das ist geil. Was sollte das heißen. Um kein Spielverderber zu sein, habe er gefragt, welche von ihnen wohl am besten küssen könne. Da seien Sie alle kichernd und kreischend über ihn hergefallen und hätten ihn um die Wette geküßt. Eine, die zurückhaltendste übrigens, habe ihn, durch die Schminke hindurch, an Friederike erinnert

Ansonsten machte er jetzt ganz allgemein einen müden, erschöpften Eindruck und schwieg immer öfter recht nachdenklich. Schließlich sagte er, als wolle er sich entschuldigen: Wer zur Unzeit wiederkehrt, muß hilflos und komisch wirken in einer völlig veränderten Welt... Wie tröstlich, daß wenigstens die Gestirne verläßlich geblieben sind in ihren klassischen Konstellationen. In der vergangenen Nacht lag ich lange wach, der Himmel war klar, Jupiter leuchtend, Wega in der Leier, Atair im Adler und Deneb im Schwan bildeten weiterhin das Sommerdreieck, im Osten das herbstliche Quadrat des Pegasus und, benachbart, Andromeda

Am sechsten Tag, nachdem er in mehreren umherliegenden Tageszeitungen geblättert hatte, schien er von alldem plötzlich genug zu haben; er warf die Frankfurter Allgemeine von sich, ging erregt auf und ab, Verdrossenheit und eine lethargische Müdigkeit sprachen aus seinen Zügen, als er hinausging. Wie immer, wenn er sich schlecht fühlte, blieb er lange im Badezimmer

Später kam er fast heiter zurück und sagte, ein paar Komplimente vorausschickend, wobei er die ‚treusorgende Lenore', wie er sie gern nannte, anblickte: Ach, liebe geschätzte Freunde, wie ich sagen darf, jetzt genügts. Und nach kurzem Seufzen: Er müsse jetzt wohl nach Weimar zurück. Im übrigen solle unsere Gastfreundschaft, wenigstens was die Ausgaben angehe, belohnt werden. Die kürzlich gegründete Goethe-Gesellschaft wird Ihnen einen Bonus vermachen. Schließlich bat er, auf den nächsten Tag in dem ‚fliegenden Zug' ein Coupé für ihn reservieren zu lassen, Nichtraucher bitte! Denn es sei wohl zuviel verlangt, daß wir ihn, ‚in gemäßigtem Tempo zurück kutschierten'. Wir vereinbarten aber das letztere

So brachen wir anderntags auf, nachdem er uns noch, in leicht zittriger Schrift, ein Gedicht aufgeschrieben hatte, ‚zu treuem Gedenken in guten und schlechten Tagen'. Vermutlich das einzige, das während seines Aufenthalts entstanden war:

Ich sah: Das große Erfinden
Geht Hand in Hand mit Verschwinden.

Jedoch das Erwachen hat mich gelehrt,
Es geht am Ende auch umgekehrt:

Wohlan! Das große Verschwinden
Geht Hand in Hand mit Erfinden.

Er schien, alles in allem, nicht unzufrieden, als er wieder im Fond des Wagens saß, blieb freundlich, nahm die vorbeifließende Außenwelt wahr, sprach aber wenig. Vom Proviant, zumal von Karlsbader Wasser, machte er regen Gebrauch. Erst gegen Abend, wir fuhren diesmal über Fulda, Bad Hersfeld, Eisenach, Gotha, wurde es ihm zuviel. Wir hielten, und da es weder regnete noch kühl war, spazierten wir unweit von Erfurt durchs Grüne. Hier schien ihm manches an Flora und Fauna aufs schönste zurückgeblieben. In ein Gasthaus wollte er nicht

Stellt mich hier ab, bat er, als wir kurz nach Einbruch der Nacht in Weimar beim Theater angelangt waren. Ob wir ihm hinaufhelfen sollten, fragte ich verlegen, und wies auf den hohen Sockel. Nicht nötig, Schiller mag mir die Hand reichen, sagte er, und winkte uns nach.

Wolfgang Duffner

Hebel trifft Goethe

Als H. in Weimar eintraf, war es schwül, und von Sulpiz Boisserée, G's Vertrautem, erfuhr er, daß dieser sich nicht besonders wohlfühle, doch gleichzeitig gab er ihm zu verstehen, daß er, H., willkommen sei, und er möge sich nur nicht daran stören, falls ihm G. schweigend zuhöre, um sich zu schonen, und also erwarte man ihn am Morgen zu gegebener Stunde.

Der Morgen brach an, und H., der für G. so viel Verehrung übrig hatte, hatte kein gutes Gefühl, er hatte auch nicht besonders gut geschlafen, lag's an der Schwüle, lag's an der bevorstehenden Begegnung, er rekapitulierte für sich jene gefälligen und so nichtssagenden Floskeln, mit denen er sich bei G., dem er zum ersten Mal in seinem Leben begegnete, einzuführen gedachte; erinnerte sich mit Befriedigung an die Kalender, die er jenem regelmäßig zum Jahresende zugeschickt hatte, und wie ihm G. sogar einmal ein paar wohlwollende Zeilen hatte zukommen lassen. Auch hatte sich dieser schon zwei, drei Male freundlich über dessen alemannische Mundartgedichte geäußert, vielleicht daß dies ein Anknüpfungspunkt für ein Gespräch werden mochte, aber dann verwarf H. auch gleich wieder diesen Gedanken, denn es schien ihm unziemlich, seine Person zum Thema eines Gesprächs zu machen, es war klar, daß es in diesem Gespräch allein um das einzigartige Werk des Dichterfürsten gehen konnte. Aber dann fiel H. ein, daß er sich darin zu wenig auskannte, um gebührend mitreden zu können, also beschloß er, sich mehr in allgemeinen Betrachtungen zu ergehen, bis dann G. ins Gespräch eintreten würde. Aber was, wenn dieser gar nicht ins Gespräch eintrat und ihn, H., allein ließ mit seinen allgemeinen Betrachtungen?

Mit solchen und ähnlichen Überlegungen machte sich B. auf den Weg, nicht sicher, ob er nicht doch lieber umkehren sollte.

Es schlug elf, als der Diener ihn ins Empfangszimmer schob, dort blieb er eine Weile, horchte, rekapitulierte noch einmal, aber jetzt fiel ihm gar nichts mehr ein, und die feierliche Rührung, die er einmal bei dem Gedanken empfunden hatte, dem Dichter des „Götz von Berlichingen“, der „Iphigenie“, des „Wilhelm Meister“ von Angesicht zu

Angesicht gegenüberzustehen, machte einer gewissen Verlegenheit Platz.

Er hätte immer noch umkehren können.

Dann öffnete sich die Tür, und eine Stimme, die von sehr weit kam, sagte:

„Nun, so ist es mir denn lieb, daß ich Sie auch einmal zu sehen bekomme."

Er war es.

Er war mittelgroß, leicht gebeugt und sah älter aus, als er erwartet hatte.

G. nötigte H. zum Sitzen und nahm neben ihm Platz.

Er kennt mich nicht, dachte H., er weiß nichts mit mir anzufangen, er hat mich nicht einmal angesehen.

Der alte Herr wartete.

Also räusperte sich H., gab einige schöne Redensarten von sich, die er, damit sie überzeugender klangen, mit ein paar anmutigen Handbewegungen unterstrich, aber statt einer Erwiderung führte G. den parfümierten Zipfel seines Halstuchs an die Nase – und wartete.

Also ließ H. die Floskeln und dachte: Was soll's, die Viertelstunde ist ohnehin bald vorbei, und also erzählte er von seiner Fahrt, von der Landschaft, verglich den Thüringer Wald mit dem Schwarzwald, wunderte sich, wie klein doch das berühmte Weimar sei, und daß es ihm auch nicht größer scheine als Schopfheim im Wiesental, wo er die Lateinschule besucht hatte, zeigte sich erstaunt, daß die Besitzer der „Post", wo er logierte, mit den Besitzern des „Berggasthof" in Rimbach verwandt seien, ließ ein Wort über seine botanischen Exkursionen fallen, die ihm mehr Freude bereiteten als die sonntäglichen Predigten, die sich, der Supervisor ausgenommen, doch keiner richtig anhöre, und redete und redete und daneben sein Gastgeber wie eine Mauer, an der jeder Satz, jedes Wort scheinbar abprallte, und je länger dies so ging, umso aussichtsloser erschien dem Gast das ganze Unterfangen, und also erhob er sich, sei es aus einem Gefühl des Stolzes heraus oder weil die Viertelstunde ohnehin schon abgelaufen war, als er plötzlich diese Stimme neben sich sagen hörte:

„Rimbach sagen Sie?"

„Rimbach", antwortete H. im Stehen und mit Blick zur Tür, „gleich hinter Sulz, am Fuße des Großen Belchen, eine Stunde vor Murbach."

„Rimbach", murmelte die Stimme wieder, „daß Sie mich gerade auf Rimbach bringen."

H. stand noch immer, er überlegte, ob er weiter stehen bleiben solle, aber da er den Eindruck hatte, daß G., der so nachdenklich dasaß, vielleicht noch etwas zu sagen hatte und dies nur sagen würde, wenn er sich setzte, setzte er sich, und schon fing jener an:
„Der Berggasthof der Familie Christmann liegt am Ende eines gar stillen, lieblichen Tals, zu dessen beiden Seiten im Frühjahr die Narzissen wie wild blühen und von dessen Höhe aus man bei gutem Wetter einen fürwahr trefflichen Blick auf die fernen Alpen hat."
Er hob seinen Kopf und sah zum Fenster; möglich, daß er die fernen Alpen sah.
„Rimbach", sagte G. noch einmal, „der Berggasthof, das Melkeressen –"
„Fleischpastete, Rauchfleisch und eine feine Suppe", ergänzte H. schnell, er fühlte Boden unter den Füßen.
„Gewiß", sagte G. und lächelte nachsichtig über die Unterbrechung, „aber wissen Sie, was mir das Liebste war?"
H. war dankbar für die Frage, sie hatte etwas Persönliches an sich.
„Gänseleber", rief er, „Quiche Lorraine, Tourte, Choucroute, Zwiebelkuchen –"
„Ei, Käse", rief G. zurück, „Saint Gregoire, etwas für Eingeweihte, für Feinschmecker, für Gourmets."
Er sah H. an, als sei er sich nicht sicher, ob dieser ihn auch verstand.
„Er ist gar zu würzig und schmeckt dann am besten, wenn er allenthalben rundet und beim Schneiden davonläuft. Allein, man muß Geduld haben, bis er die rechte Reife erlangt, wie alles im Leben, aber dann schmeckt er umso köstlicher."
Der alte Herr netzte die Lippen und lächelte geheimnisvoll.
„Als Aperitif", fuhr er fröhlich fort, „nahm man einen schwarzen Johannissirup, aber wie ich höre, trinkt man nun Heidelbeersirup, was mich nicht wenig überrascht, aber dann trinkt man doch noch immer die gleichen Lebenswässerchen, Eaux de vie nach dem Mahle, Mirabelle, Framboise, den Eglantier, und das höre ich gerne, weil sich darin ein schöner Fortgang manifestiert, auch rufen diese Schnäpslein ein gar zu wohliges Gefühl hervor. Hier gibt es nichts dergleichen, jedenfalls nichts, was dem vergleichbar wäre. Nicht mal der Wein, der aus Franken kommt, ist genießbar, ich bekomme Migräne davon, ja sogar Zahnschmerzen. Früher haben mir Freunde aus Straßburg Wein geschickt, aber jetzt sind sie tot, oder sie haben mich vergessen, können Sie sich das vorstellen?"
Er tat, als ob er lachen wollte.

H. beeilte sich, G. zu versichern, daß man ihn keineswegs vergessen habe, daß man ihn auch nicht vergessen werde, nicht im Oberland, nicht im Unterland und schon gar nicht in Straßburg, man werde ihn nirgendwo vergessen, nicht einen wie ihn, aber das wisse er selbst.
Es klang wie Schmeichelei, aber es kam von Herzen.
Das erste Mal, daß G. H. ansah.
„Auch nicht in Sesenheim?"
Da lachte er wirklich.
„Ei", rief er, „auf daß wir das Beste nicht vergessen", und seine Augen hatten jenen seltsamen Glanz, wie man ihn oft bei Verliebten findet.
H. saß da und wartete gespannt.
„Den Gugelhupf". rief G. fröhlich, „wir haben den Gugelhupf vergessen, nie habe ich einen besseren vorgesetzt bekommen als in Rimbach, noch heute denke ich mit wahrer Wollust an dieses überaus wohlschmeckende Backwerk der braven Leute."
Als er das sagte, schlug es zwölf, und G. erhob sich und sprach:
„Wenn der Berg nicht zum Propheten kommt, so muß der Prophet zum Berge kommen."
Oder sprach er umgekehrt?
„Da ich nicht mehr zu Hofe gehe, so erweisen die Herrschaften mir die Gnade, also will es sich ziemen, dieselben zu empfangen."
Wen meinte er?
Und so gab er H. das Entlassungszeichen, aber wie dieser unter der Tür stand, rief er denselben noch einmal zurück und sagte:
„Wollen Sie mit uns essen, so werden Sie um zwei willkommen sein."
Und also zog sich der alte Herr zurück, und H. hatte auf seinem Weg zu seinem Gasthof Zeit genug, um über die wunderliche Begegnung mit dem großen Mann nachzudenken.
G's Schwiegertochter Ottilie war unpäßlich, statt ihrer erschien bei der Mittagstafel im Garten deren jüngere Schwester, ein stilles Mädchen, das unentwegt vor sich hinlächelte. Außer August, dem Kammerrat und Sohn G's, waren noch ein paar Damen und Herren zugegen, die leise miteinander sprachen, um nichts zu überhören, was nebenan gesprochen wurde. Am Kopfende saß er, der Gastgeber, der Dichterfürst, und diesmal erschien er H. nicht mehr so alt und grau, er schäkerte ausgiebig mit seiner Tischdame, dem stillen, lächelnden Mädchen, während er seine Suppe auslöffelte, und rief ein ums andere Mal Wörter in die Tafelrunde, die H. nicht verstand, weil sie Codewörter waren.

Einmal hob G. das Glas und nickte freundlich, und H. war sich nicht sicher, ob *er* gemeint war, also ließ er sein Glas stehen, aber dann nahm er sich vor, sobald sich dazu eine Gelegenheit böte, G. über das letzte Fischerstechen auf der Ill oder über das Weinfest in Rappoltsweiler oder über andere interessante Neuigkeiten aus dem Elsaß zu unterrichten, denn er wußte jetzt, wie sehr G. immer noch an jenem Land hing, in dem er, nach eigener Bekundung, die fruchtbarsten Jahre seines Lebens verlebt hatte. Einmal hörte H., wie August einer höhergestellten Dame aus Brandenburg Berliner Witze erzählte, was die Dame mit dankbar glucksendem, wenn auch einer Spur zu lautem Gelächter quittierte, und Boisserée, der nicht von H's Seite wich, zu der Bemerkung veranlaßte, daß immer dann, wenn der Junge mit seinen Witzen anfange, der Alte zu saufen beginne, so zuwider sei ihm das.
H. fand die Art, wie sich Boisserée über G. ausdrückte, gar nicht angemessen, aber er schwieg und beobachtete G., wie dieser mit der linken Hand seiner Tischdame eine Strähne aus der Stirn strich und mit der anderen das Glas hob: er trank, er trank nicht wenig. Boisserée hatte recht.
Später, man war mit dem Essen zu Ende, tauchte im Garten ein graziler, lebhafter Mann auf, und Boisserée erklärte H., daß dies kein Geringerer als Friedrich Wilhelm Riemer sei, ein alter Freund G's, ehemaliger Erzieher von August und Bibliothekar, den man wegen irgendwelcher Geschäfte mit Kopien, die dieser als handschriftliche Originale ausgegeben und ins Ausland verhökert hatte, entlassen habe, ein Vorgang, der G. so amüsiere, daß er ein Lustspiel darüber schreiben wolle, er sei nur noch nicht dazu gekommen.
„Riemer kommt immer später", sagte Boisserée, „um nicht am Essen teilnehmen zu müssen, er mag dieses Essen nicht, er mag überhaupt kein Essen, er nährt sich von Haselnüssen und Karottensaft, was ihm seltsamerweise nichts auszumachen scheint, sehen Sie sich ihn doch an."
Einmal verstummte das Gespräch an der Tafel, und es schien H., als wolle G. ein paar Worte sagen, aber Walther und Wölfchen, G's Enkel, traten auf, und der alte G. wandte sich mit fröhlichem Zuruf den beiden zu, die ihre Verslein aufzusagen begannen, von denen keiner wußte, von wem sie waren. Aber Boisserée deutete H. gegenüber an, daß sie möglicherweise vom Kanzler Müller seien, der, seit er in österreichischen Diensten stünde, nur noch Verslein schreibe, dummes Zeugs, aber sehr beliebt, auch der alte Herr schätze derlei, je

älter er werde, nur schade, daß H. nicht das Vergnügen habe, den Kanzler Müller persönlich kennenzulernen, aber dieser weile gerade in Marienbad, um seine Gicht auszukurieren, in Wirklichkeit sei er dort wegen irgendeiner böhmischen Schönen, nächstes Jahr wolle auch der Alte hin, aber Ottilie habe es ihm verboten.

Boisserée machte eine Pause, hörte einen Augenblick August zu, der gerade der Dame aus Brandenburg weiszumachen suchte, daß er schon mehr als ein wildes Pferdchen zugeritten habe, und fuhr dann fort: „Es gibt Leute hier, müssen Sie wissen, die meinen, Ottilie sei eifersüchtig, sie habe den August nur des Alten wegen geheiratet, aber das dürfen Sie nicht glauben, sie will dem Alten einfach zeigen, daß sie stärker ist, daß Frauen unter Umständen stärker sind als Männer; verrückt, aber nicht ohne Pikanterie."

H. sah sich um.

„Der Abtritt", fragte er, „wo ist der Abtritt?"

„Der Abtritt?"

Boisserée starrte B. an.

„Was für ein Abtritt?"

Als H. wieder in den Garten zurückkehrte, saß Riemer neben G., und H. bedauerte für einen Augenblick, daß er die Gelegenheit verpaßt hatte, vielleicht neben G. zu sitzen, um mit diesem das Vormittagsgespräch fortzusetzen, aber Boisserée, als habe er dessen Gedanken erraten, sagte:

„Machen Sie sich ja keine Hoffnung, Sie hatten Ihre Audienz, länger als der König von Württemberg, und damit sollten Sie zufrieden sein."

Dann winkte er dem Diener, flüsterte ihm etwas zu, und der Diener verschwand und kehrte mit einer Flasche Wein zurück, öffnete diese, schenkte ein, und Boisserée forderte H. auf, von dem Wein zu probieren, und H. probierte. Es war ein elsäßischer Riesling, Auslese. „Er ist nie mehr im Elsaß gewesen", erklärte Boisserée, „aber glauben Sie ja nicht, daß er es vergessen hätte, er denkt andauernd daran. Manchmal liest er heimlich in seinen eigenen Liebesbriefen aus jener Zeit, die er so gerne kopierte, vielleicht meint er, man könne das Glück der Liebe ein zweites Mal erfahren, und sei es auch nur auf diese Weise."

Sie sahen zum Tisch hinauf, wo G. und Riemer gerade in ein lebhaftes Gespräch verwickelt schienen.

„Sie unterhalten sich über die Luftpflanze", bemerkte Boisserée.

H. sah Boisserée mißtrauisch an.

„Luftpflanze? Was für eine Luftpflanze?"

Boisserée lächelte.

„Wußten Sie, daß Kotyledonen keine Blätter sind, weil sie kein Auge hinter sich haben, aber natürlich haben sie Augen wie jedes Blatt, der alte Herr hat es herausgefunden, gibt aber in einem Anflug von Bescheidenheit selbige Erkenntnis nur als Apercu aus, hübsch, wie?"
Boisserée schenkte ein.
„Sie unterhalten sich immer über solche Sachen, sie haben viel Spaß daran."
H. trank, Boisserée trank.
„Wußten Sie", fuhr Boisserée fort, zum Tischende hinaufblickend, „daß Riemer nicht nur ein vorzüglicher Kopist, sondern auch ein ausgezeichneter Harfenist ist? Er hat früher oft seine Harfe mitgebracht, er hatte großen Erfolg bei den Damen, aber der Alte hat's ihm dann verboten wegen der Depressionen."
„Depressionen?"
„Nun ja, er ist sehr empfindlich geworden, die Nerven, und in diesem Jahr wird er sechsundsechzig, und die ständigen Besuche und die nie endenden Diskussionen mit Ottilie und immer dieses Nachdenken über die Unsterblichkeit, das geht an die Substanz. Außerdem fehlt ihm Knebel doch sehr, keiner kann ihm so gut zuhören wie Knebel, aber Knebel ist noch älter als G. und verläßt, seit er über einen Bordstein stolperte, kaum noch das Haus. Aber dann sind ihm die „Discorsi" von Galilei ein großer Trost, ab und zu auch ein Mensch wie dieses Mädchen, das Sie bei ihm sehen. Natürlich ist es nicht Ottilies Schwester, wie Ihnen vielleicht erzählt wurde, es ist auch niemand von G's Tischgesellschaft, aber fragen Sie mich nicht, wer sie ist, ich weiß es nicht, vielleicht eine Schauspielerin, vielleicht eine Sängerin, vielleicht eine von den vielen unbekannten Verehrerinnen, die täglich wegen eines Autogramms sich vor dem Eingang einfinden. Was meinen Sie, wer sie ist?"
Während H. das Mädchen betrachtete, spürte er auf einmal den Riesling im Kopf, was ihm gar nicht recht war, er hatte noch einiges vor: Stadtrundgang, Besuch beim Stadtpfarrer, Tagebucheintragung. Jetzt sah er nur noch zur Tafel hoch, betrachtete abwechselnd G. und das Mädchen, wartete, daß Riemer vielleicht den Platz doch noch freigäbe, und wie er so dasaß, erhob sich G., nickte und ging, das Mädchen an seiner Seite, worauf sich auch schleunigst August erhob, von dem es hieß, daß er nur dem Vater zuliebe der Tafel beiwohne, und H. blickte G. nach, wie dieser langsam, aber aufrecht mit dem unbekannten stillen Mädchen ins Haus ging.

Ich habe ihm nicht mal Lebewohl gesagt, dachte H., und ich werde ihn nicht wiedersehen.
„Er ist ein wenig müde“, hörte er Boisserée sagen, „er braucht seine tägliche Mittagsruhe.“
„Und sie?“
„Und sie“, antwortete Boisserée, „vielleicht ist sie auch müde, sicher ist sie müde, jeder hier ist müde, Sie etwa nicht?“
Boisserée schenkte ein.
„Kommen Sie, leeren wir die Flasche, trinken wir auf unsern Dichterfürsten, auf den Riesling, auf das Leben, was weiß ich.“
„Ich frage mich“, sagte H. nach einer Weile, „ob er überhaupt weiß, wer ich bin.“
„Aber natürlich weiß er, wer Sie sind“, antwortete Boisserée, „halten Sie ihn ja nicht für einen Trottel, der seine Umwelt nicht kennt, sein Gedächtnis funktioniert immer noch ausgezeichnet, und seine Augen sind scharf wie eh. Aber es kommen zu viele, und es werden immer mehr, Gelehrte, Dichter, Grafen, echte wie falsche, Minister und ähnliches Gelichter, Leute, die sich mit seinem Ruhme schmücken, und Leute, die nur seine Empfehlung wollen. Es wird zu viel, jeder sagt es, August, Ottilie, G. selber, und trotzdem läßt er diesen Auflauf über sich hergehen, weiß der Teufel warum.“
Zum ersten Mal glaubte H. so etwas wie Resignation aus Boisserées Stimme herauszuhören.
Auf einmal, die Bäume warfen lange Schatten, saß H. allein an der Tafel, auch Boisserée war verschwunden, und H. beschloß zu gehen.
Er trat ins Haus, ging den Flur hinunter, auf einmal stand der Diener hinter ihm und schob ihn sanft zur Tür hinaus.
Er stand auf der Straße.
Er sah nach den Leuten auf der Straße, sah nach dem Himmel, der war seltsam blau.
Also kehrte H. zu seinem Gasthof zurück.

Wolfgang Duffner

Verwehte Zeit

Fragment der dritten Konstanzer Begegnung

Goethe, der Brief und Eckermann. Der Brief ungeöffnet. Man öffnet nicht mehr jeden beliebigen Brief, wie man auch nicht mehr jeden beliebigen Besuch empfängt. *Die* Zeiten sind vorbei.
Der alte Herr starrt lustlos auf den Umschlag.
„Eine Frau Barbara Schultheß aus Zürich? Nun denn, Eckermann, helfe er uns auf die Sprünge!"
Aber wie soll Eckermann ihm auf die Sprünge helfen? Goethe, der auf den Namen auf dem Umschlag starrt, als habe er Schwierigkeiten mit dem Lesen. Die Augen, die lieben Augen!
„Nun denn, Eckermann, öffne er uns den Brief!"
Eckermann öffnet den Brief. Wie viele Briefe hat er in seinem Leben für den alten Herrn schon öffnen müssen! Ein recht gewöhnlicher Brief. Farblos das Papier, kein Fliederduft, keine gefällige Beilage, nichts.
Eckermann liest den Brief. Dann liest er noch einmal. Nichts Besonderes.
Eckermann schüttelt den Kopf.
„Nichts Besonderes."
Er legt den Brief auf den Schreibtisch zurück.
„Warum schreibt sie dann? Was will sie?"
Eckermann zuckt mit den Schultern. Woher soll *er* das wissen?
„Sentimentale Anwandlungen einer ins Alter gekommenen Verehrerin, vage Erinnerungen an die verwehte Zeit."
„Verwehte Zeit?"
Eckermann nickt.
„Sie erinnert sich einer dritten Begegnung vor achtzehn Jahren."
Über Goethes Gesicht legt sich ein Schatten.
Vor achtzehn Jahren?
Der alte Herr hat es nicht gern, wenn man ihn an vergangene Zeiten erinnert. Die Schwermut der Erinnerung.
Eckermann nimmt den Brief in die Hand.
„Eine Erinnerung an eine Begegnung in Konstanz –"

Ach!
Goethe denkt nach. Es ist so lange her. Nein, er kann sich nicht erinnern. An nichts, was einer dauerhaften Erinnerung würdig wäre. Er war noch nicht einmal fünfzig damals und mitten im Leben. Wenn er sich an alles erinnern müßte aus jener Zeit!
Eckermann betrachtet Goethe aufmerksam.
„Immerhin hielt sie sich eine ganze Woche in Konstanz auf."
„Und wir?"
Eckermann lächelt dünn.
„Auch *wir*.
Goethe sieht Eckermann an, als mache der einen Witz. Wieder denkt er nach, versucht es zumindest. Wenn es eine Woche war, müßte er sich erinnern können.
„Wie war noch einmal der Name?"
Eckermann nennt noch einmal den Namen.
Gleich wird er mich im Zettelkasten nachschauen lassen, denkt Eckermann, und aus meiner Ausgehstunde wird wieder nichts.
„Schau er mal in unserem Zettelkasten nach", hört er den alten Herrn sagen, und also bleibt Eckermann nichts anderes übrig, als in Goethes Zettelkasten nachzuschauen.
Von draußen hört man Vogelgezwitscher. Wenn Goethe auch nur ein klein wenig das Fenster öffnete, könnte man es noch deutlicher hören. Aber Goethe erträgt den Lärm nicht. Es ist schon zuviel Lärm in der Welt.
Nach einer Weile kehrt Eckermann mit einem Zettel in der Hand zurück.
„Und? Was bringt er uns?"
„Frau Barbara Schultheß, Witwe eines Seidenfabrikanten zum Schönenhof in Zürich, drei Begegnungen, aufrichtige Bewunderin, ohne Hintergedanken, nicht ohne gewisse Reize, sehr großzügig (Gemälde, Stiche, Musikalien und anderes Kunstzeug), besitzt anziehende Tochter."
„Schön. Und weiter?"
„Nichts weiter."
Goethe schaut sich suchend im Zimmer um.
Eckermann deutet mit dem Kopf zur rechten Wandseite.
„Der Sonnenaufgang über Paestum, er ist von ihr."
Goethe nickt.
„Also ist mir dies Bild so sehr ans Herz gewachsen, daß ich es schon nicht mehr wahrnehme. Stammt von einem italienischen Künstler

namens Mancini oder so ähnlich. Romantik, gewiß, aber auf italienische Art, also erträglich. Nicht gemacht, sondern empfunden, also Kunst."
„Auch das Bild vom Zürichsee ist von ihr. Und der Stich von Konstanz."
„Konstanz, Konstanz. Helfe er ein wenig nach!"
„Münster, See, morgens Dunst, mittags Licht."
Goethe zuckt mit den Schultern. Es ist wirklich schon lange her.
Sein Blick, der auf den vor ihm liegenden Brief fällt. „Eckermann, so schaue er doch einmal in unserem Archiv nach."
Eckermann zögert. Wozu das alles?
Goethe seufzt. Das Gedächtnis! Wie kann man einen Menschen vergessen, mit dem man dreimal im Leben zusammen war und einmal eine ganze Woche lang! *Eine* Woche lang!
Plötzlich spürt er, wie sich etwas in ihm regt, als begebe er sich auf Entdeckungsreise, und es ist ja auch eine Entdeckungsreise: eine Entdeckungsreise in die Vergangenheit. Wer weiß, was dabei herausspringt! Vielleicht eine hübsche Novelle. Zumindest ein Gedicht, vielleicht eine Elegie.
Oh schöne Gaukelei!
Eckermann, der aus dem Archiv mit einen Pack Briefen zurückkehrt und aus einer Abschrift eines Briefes an den Herzog Karl August vorliest:
„Wir gedenken, wie ich schon aus Rom schrieb, über Chiavenna nach Chur zu gehen, den Adula (das Rheinwaldhorn) zu grüßen und dann ein wenig seitwärts nach Konstanz zu rücken. Dort wollen wir den 4. Juni im ‚Adler' die gute Schultheß von Zürich antreffen, welche wir sprechen und begrüßen müssen..."
„Wieso müssen?"
Hat der alte Herr die Frage an ihn, Eckermann, gerichtet oder an sich selbst?
„Eckermann. lese er doch unseren Brief an sie."
Eckermann, liest aus dem Brief (Abschrift) an sie: „Es ist mir wichtig, dir mitzuteilen, daß wir am 4. Juni in Konstanz eintreffen und dich daselbst zu sprechen wünschen..."
„Zu sprechen wünschen!"
Goethe blickt auf Eckermann, als traue er ihm nicht. Wurde ein falsches Spiel gespielt? Oder war es um sein Gedächtnis wirklich so schlimm bestellt?
„Und was hat sie geantwortet?"

„Sie hat geantwortet: ‚Ich mag nichts als hoffen! Sollten die Träume, die wachend und schlafend so oft diese vielen Monate dich hinübergezaubert haben, Träume bleiben...?'"
Goethe erhebt sich.
„Genug. Wir scheinen dem Geheimnis auf der Spur zu sein. Nein, wir sind uns sicher, und also wird aller Zauber an den Tag gebracht."
Er scheint gerührt.
„Gewiß war sie in einem Alter, in dem eine Frau der edlen Neigung ihres Freundes mit voller Hingebung zu antworten pflegt –"
Er unterbrach sich und sah Eckermann gespannt an.
„Wilhelm Meister, Wanderjahre, dort finden wir sie wieder!"
Hätt' ich mir's doch denken können, denkt Eckermann, so kurzzeitig ist sein Gedächtnis auch wieder nicht, auch wenn es manchmal lange dauert.
Wortlos verläßt er den Raum.
Goethes Blick in den Garten. Wacholder, verblühender Goldregen. Seine Augen leuchten. Ist Zärtlichkeit in ihnen?
„Wilhelm Meister". Susanne und Lenardo. Barbara und Goethe.
Eckermann steht unter der Tür, das Buch in der Hand. Und liest:
„Nun aber müssen wir, um das Geistige, das Gemütliche zu einer Art von Vollständigkeit zu bringen, auch ein Geheimnis offenbaren, und zwar folgendes..."
Und Goethe stimmt munter mit ein:
„...Lenardo hatte über eine nähere Verbindung mit dem Guten-Schönen niemals das mindeste geäußert; im Lauf der Unterhandlungen aber, bei dem vielen Hin- und Wiedersenden war denn doch auf eine zarte Weise an ihr geforscht worden, wie sie dies Verhältnis ansehe und was sie zu tun geneigt wäre. Aus ihrem Erwidern konnte man sich so viel zusammensetzen, sie fühlte sich nicht wert, einer solchen Neigung wie die ihres edlen Freundes durch Hingebung ihres gezielten Selbst zu antworten; ein Wohlwollen der Art verdiene die ganze Seele, und das ganze Vermögen eines weiblichen Wesens; dies aber könne sie nicht anbieten..."
Während Eckermann mehr aus Gewohnheit noch eine Weile weiterliest, hat der alte Herr erstaunt innegehalten, ja ganz zu sprechen aufgehört, hat sich schweigend hinter seinen Schreibtisch zurückgezogen wie hinter einen Schutzwall.
So also war das.
Er will es gar nicht fassen.

Stumm legt Eckermann ihr Medaillon auf den Tisch, das an der betreffenden Stelle im Buch lag.
Ja, das ist sie! Das war sie! Was für eine Frau! Barbara-Susanne, Susanne-Barbara!
Und so endet die Geschichte.
Tief über Bild und Zeit gebeugt, gibt sich der große Dichter geschlagen.
Lange betrachtet Eckermann den alten Herrn. Ein wenig tut er ihm schon leid. Er hätte ihm nicht das Medaillon zeigen sollen. Er hätte ihm nicht den Brief aushändigen sollen. Er hätte sich überhaupt nicht auf das Gespräch einlassen sollen. Was für einen Sinn hatte es, alte Wunden aufzureißen?
Eckermann öffnet das Fenster, nimmt Brief und Bild an sich. Als sein Blick auf das Bild fällt, steigt für einen Augenblick so etwas wie Bitterkeit in ihm auf, aber nur für einen Augenblick.
Er weiß sich zu beherrschen.
Nicht lange danach hat sich auch Goethe wieder gefaßt. Das ist ja das Erstaunliche an ihm, denkt Eckermann mit ehrlicher Bewunderung, aus all den kleinen und großen Trümmern immer aufs neue wie unbeschädigt emporzusteigen. Als sei nichts gewesen.
Und also erhebt sich der alte Herr in seiner ganzen Größe.
„Nun, mein lieber Eckermann, so wollen wir uns auch noch anderen Dingen zuwenden."

Ralph Giordano

Weimar

Es regnet, das Wetter ist trostlos, aber die Auskunft des Parkpflegers freundlich: Ja, hier gehe es zum Goethehaus, geradeaus, nur immer geradeaus, es sei unverfehlbar.

Von der Kapuze meines Mantels tropft es herab. Links tost mit starker Strömung die braungefärbte Ilm. Über Deutschland entladen sich in diesem Sommer wahre Sintfluten.

Mir kommt ein junges Paar entgegen, russisch sprechend. Sonst ist niemand zu sehen. Große Abgeschiedenheit, die Stadt ganz verborgen hinter abschirmendem Grün.

Das erste, was ich vom Goethehaus erblicke, ist seine linke obere Ecke, dann stehe ich davor.

Ein schlichtes Bauwerk, an der Vorderfront sechs, seitlich im oberen Stockwerk zwei Fenster, wie auch auf dem hohen gedeckten Dach. Ich lese „Goethes Gartenhaus", erfahre die unterschiedlichen Öffnungszeiten – März-Oktober, November-Februar – und daß dienstags geschlossen ist.

Leuchtende Blumenbeete vor dem Haus und an der Seite, sehr gepflegt. Heimliche Rekapitulation verschollener Bildung. 1776 hat Goethe das Haus in Besitz genommen, am 20. Februar 1832 es zuletzt besucht. Dazwischen lagen 56 Jahre – und waren es bis zu seinem Tod am 22. März 1832 noch ein Monat und zwei Tage.

Hinten am Eingang des Hauses die Warnung: „Vorsicht – nach unten führende Stufe".

Drinnen der Ofen, schon 1770 hier installiert, also sechs Jahre vor Goethes Einzug; ein Stehpult; der sogenannte *Esel* oder *Reiter*, ein Sitzbock, um 1780; der Schreibtisch erst zehn Jahre später – Originalmobiliar.

Neben mir zwei junge Franzosen, gedämpft, bewundernd, andächtig. Wenn man aus dem Haus kommt und nach vorn tritt – der Park, weit, weit, mit knorrigen Eichen. Wie alt, wie jung waren die Bäume, als Johann Peter Eckermann 1824 hier mit dem 75jährigen Olympier lustwandelte, den Stift gezückt für die nachmaligen „Gespräche mit Goethe in den letzten Jahren seines Lebens"? Ich sehe das Bild förm-

lich vor mir, den Geistespatriarchen wiegenden Hauptes vorneweg, einen halben Schritt dahinter, die Ohren gespitzt, der (unbezahlte) Helfer und Ordner des Goetheschen Alterswerks, ein Paar von geradezu archaischem Zuschnitt.
Hier will mir die Zeit stehengeblieben sein, scheint ringsum alles noch so, wie es damals war – bis just in diesem Moment von irgendwo aus dem Dickicht die himmlische Stille durch eine frisch angeworfene Motorsäge schrill zerfetzt wird. So kann ich von hier nicht scheiden.
Deshalb abends noch einmal zurück in den Park.
Von der Straße her das mildgelbe Licht der Laternen, auf der Wiese junge Leute mit Federbällen, ohne Laut oder Zuruf, gleichsam im luftleeren Raum, wie der Radfahrer, der im Dunkeln spurlos verschwindet. Erst dann vernehmbare Stimmen, aber auch sie gedämpft, von einer Gruppe kleinwüchsiger Frauen – Japanerinnen.
Vor mir Baumgebirge mit Spitzen, Kuppen und Graten vor einem trotz vorgerückter Stunde immer noch hellen Sommerabendhimmel. In der Finsternis hier unten nun ein Denkmal, auch ohne Licht erkennbar, wem es geweiht ist – der mächtige Schopf, das scharfe Profil, die Hände, diese Hände der unvergleichlichen Tremoli und Glissandi: Franz Liszt.
Ob ich will oder nicht, in mir steigt unnachgiebig eine seiner Melodien auf und übertönt alle Herrlichkeiten der „Ungarischen Rapsodien", der „Préludes", der Sinfonien und Oratorien – die perlenden Kadenzen des Lisztschen „Liebestraums"! Sie haben mich schwach gemacht von Jugend an, obschon sie der Gräfin Marie d'Agoult gewidmet waren, Mutter der schrecklichen Cosima Wagner (offenbar geht es nie und nirgends ohne einen Wermutstropfen).
Über eine Wiese, weit hinten, sehe ich das Goethehaus, nein, nur einen Ausschnitt, einen Teil der weißen Fassade, die jetzt herüberleuchtet – wobei ich es belasse: Von hier aus ist die Illusion des Damals perfekt.
Da dringt vom Stadtkörper her klar und rhythmisch Musik herüber, Jazz, und holt mich zurück in die Gegenwart.
Die droht mit Ungutem: Es soll, ist bis zu mir gedrungen, ein zweites „Goethehaus" geplant sein zur Schonung des historischen, gleich daneben errichtet und vollkommen originalgetreu, wie versichert wird.
Die Idee will mir so pervers erscheinen, daß ich sie nicht näher an mich heranlasse.
Vom Rande des Parks aus, über eine Rasenfläche – das Haus der Frau von Stein, Charlotte, erst Goethes Freundin, später seine Feindin, ein

Drama. Vergangen. Aber je näher man kommt, desto edler erscheint einem die schweigende Front des alten Palais.
Jetzt steht außer mir kein Mensch davor auf der „Kifferwiese", die so heißt, weil sie ein Zentrum der Weimarer Drogenszene ist. Zwischen dem Haus der Frau von Stein und der Musikschule ragt ein Gingko, den Goethe hier angeblich gepflanzt haben soll, ohne daß der Chronist dafür seine Hand ins Feuer legen könnte – ein riesiges Gewächs. Steil und exotisch, streckt es sich noch über das Dach der Schule hinaus, düster, schwer und ewig.
Abendspaziergang in Weimar.
Ein Denkmal für Alexander Puschkin (1799-1837), das Fundament aus Stein, die Büste aus Metall, eine eherne Physiognomie. Was wäre noch von diesem größten russischen Lyriker und hartnäckigen Anführer zu erwarten gewesen, wenn er nicht, mit 38, in einem überflüssigen Duell tödlich getroffen worden wäre?
Vor dem Hintergrund des Schlosses mit dem massigen Glockenturm das Denkmal des Herzogs Karl August, Johann Wolfgang von Goethes Zeitgenosse und fürstlicher Mäzen, hoch zu Roß abgezeichnet gegen einen dramatischen Himmel. Ein paar Schritte weiter nur die volle Gegenwart, viel junges Volk im Café „Residenz", einer Art Künstlerklause, „Resi" genannt, mit lauter Musik jetzt, Lärm und Trubel – von daher also waren die Jazztöne in den Park gedrungen.
Am Marktplatz, mit wehenden Fahnenbündeln davor, das Rathaus, barocker Stil, magisch angestrahlt und so, lichtübergossen, von fast italienischem Architekturflair. Festlich beleuchtet auch das Hotel „Elephant", restauriert, modernisiert und doch unversehrt alt geblieben.
Dann, wonach ich gesucht habe, das Schillerhaus in der Schillerstraße. Einen besucherabweisenden Eindruck macht es, wie die unteren Fenster da mit Holzgittern fest verbarrikadiert sind, während die Türe so geschlossen ist, als wäre sie seit Jahrzehnten zugesperrt. Und klein ist es dazu, gemessen an Goethes Weimarer Stadthaus, klein und schmucklos.
Doch was macht das schon?
Da hat er gewohnt, da drüben, Friedrich von Schiller, seit 1799, sechs Jahre nur und im Wissen, daß er früh sterben würde.
45 Jahre war er, als 1805 der Tod eintrat, vier Kinder zurücklassend und Ehefrau Charlotte, geb. von Lengefeld (deren Busen ihn einmal in einer glücklichen Stunde zu dem denkwürdigen Seufzer von „den beiden Halbkugeln einer besseren Welt" inspiriert hatte). Sonst aber

war es, wie das Mozarts, ein Dasein in ständiger finanzieller Bedrängnis, doch mit so ungeheuer komprimierter Arbeitsleistung, als hätte der Frühvollendete von seiner bemessenen Frist auf Erden gewußt, auch darin dem nur 35 Jahre alt gewordenen Musikgenie aus Salzburg ähnlich.

Es ist schon spät, aber die Luft ist warm.

Ich hocke da und denke: Die frühe Rivalität der Sympatien in meiner Brust, bereits des Fünfzehn-, Sechzehnjährigen, mal mehr Goethe hingewendet, mal Schiller zugeneigter – das hat lange hin- und hergewogt. Einmal befeuert vom revolutionären Dichter der „Räuber", dem literarischen Feldherrn des „Wallenstein", dann wieder bis zum Delirium enthusiasmiert von Goethes „Italienischer Reise", dieser von ihm selbst staunend wahrgenommenen Weltblickerweiterung, ihrem unerschöpflichen Begegnungs- und Wahrnehmungsreichtum und seiner biographischen Zäsur, die schließlich zum Bruch mit Charlotte von Stein führte. Lange war der Widerstreit in mir, wem von beiden die Palme gebührte, in mir unentschieden geblieben, bis zur Lektüre des *Briefwechsels* zwischen Goethe und Schiller, dieser langsamen geistigen und persönlichen Annäherung der so grundverschiedenen Geistesheroen ihrer Zeit. Ich erlebte das als eine Korrespondenz, in der der zunächst Umworbene langsam zum Werbenden wird, ein unendlich komplizierter Prozeß, der Goethe schließlich die leisesten und innigsten Töne von Anerkennung abzwingt, die diesem Egomanen je über die Lippen und in die Feder gekommen sein dürften. Und die gipfelten in der Gleichstellung des Schillerschen Genies mit dem eigenen – ein unerhörter Schritt in Goethes Leben, ohne Präzedenz und ohne Wiederholung.

Ich hocke da an der Wand gegenüber dem Schillerhaus in Weimar, und obschon sie ein halbes Jahrhundert zurückliegen, erinnere ich mich noch genau der wohligen Schauer, die den entzückten Jüngling von damals beim Lesen der Briefe durchflossen hatten – über die Mutation eines lebensgewohnt Verehrten in einen nun seinerseits bekennenden Verehrer, und das, Unterpfand seiner Glaubwürdigkeit, mit den sanften Tönen heimlich-offener Abbitte für früheres Fehlverhalten.

Was dann aber in mir doch die Waage auf die Seite des um zehn Jahre jüngeren Dichters neigen sollte (und sie seither dort hält), war Schillers tief noble, triumphlose Reaktion auf die späte Anerkennung, eher geraunt als offen formuliert. Ein unaufdringlicher Dank bei unerschütterlichem Selbstbewußtsein, die Sprache eines lauteren Herzens, von dem das meine entflammt und überwältigt wurde, so überwältigt wie von der Trauer über die Kürze dieses gleichwohl gewaltigen Lebens. Kostbare Stunden einsamer innerer Auseinandersetzungen waren das damals, noch zu Zeiten der Hakenkreuzherrschaft, eine sphärische Ahnung erst, wie das Leben sein könnte, jenseits von Todesangst und ewiger Ungewißheit um das Morgen, um die Meinen, um mich selbst. Eine fast nicht auszuhaltende Flucht in die Halluzination eines Daseins, in dem Schönheit, Geist und die Freiheit der Begabung obwalten würden, eine Fata Morgana, die den jeweiligen Rücksturz in die damalige Wirklichkeit dann nur um so schauerlicher machte.

Inzwischen ist es fast Mitternacht geworden, als ich mich vor dem Schillerhaus erhebe und zu meinem Quartier aufbreche – am Ende eines langen Tages in Weimar.

Aber während der ganzen Zeit, von der Ankunft an und was immer ich danach auch tat, sah und dachte – keine Sekunde lang, nicht eine, habe ich vergessen, wo, in welcher Richtung von meinem Standort aus, der Ettersberg mit der Gedenkstätte des KZ Buchenwald liegt.

Jens Korbus

Brief an Goethe

Ew. Excellenz, hochverehrter Herr Würcklicher Geheimer Rath!

Mein Bericht? Gern! Es war die erste Reise in EURE..., in DEINE Stadt. Unser Bus hielt mitten auf dem Frauenplan neben einem Brunnen: vor DEINEM Haus. Nach sieben Stunden Fahrt schälten wir uns mit gekrümmten Rücken aus der heißen Blechhaut.
Ein Abgesandter vom Rat des Kreises schüttelte Hände und Rockärmel. Ich hörte der Ansprache kaum zu. Schließlich bist DU einmal über diese Steine gegangen, auch die Stein, Corona, Herder, Merck ab und zu, Carl-August und alle DEINE Söhne und Ziehsöhne im Geiste. Nun hoppelten über das Pflaster kleine Autos, deren Auspuff fette, blaue Rauchwölkchen ausspie. Vor dem Metzgerladen stand sogar eine Käuferschlange bis um die Ecke.
Endlich ging's ins Haus hinein, denn der Kreisrat hatte ausgeredet.
„Is' des die letzte Bee-Äh-Dee-Gruppe?" schrie die Dame an der Kasse.
„Ja", sächselte die Garderobiere zurück, „aus Mainz, irchendwo am Neckar oder wo das liecht! Ja, kaufen gönnen Sie am Schluß: dän Lips, dän Dischbein, dän Schdieler, sehr scheene Sachen!"
Das lang Gewünschte: in DEINEM Haus! – Nur langsam verlor sich das Gemurmel der Landesdelegation (jede Touristengruppe war hier eine Dälägation) in entfernteren Räumen. Schön langsam, nur DEINETwegen hatte ich die Reise doch mitgemacht
„Des isses Juno-Zimmer mittem Schdreicher-Fliechel", kaute einer der vielen weißhaarigen ciceronischen Raumwächter durch seine Stummelzähne, „nischts beriehren und sich nischt valoofen..."
„... oder IHM gar begegnen", schrie ich hinterher. Und sofort fiel mir ein Satz aus irgendeinem Brief von DIR ein: Es ist gar schön, an einem Orte fremd zu sein..."
Aber wie ging der Satz weiter? Das ging doch noch irgend wie weiter...
„...und doch so notwendig, eine Heimat zu haben", kroch jemand in meine Gedanken. Und wie ich kurz hinschaute zu dem Louis-Seize-Stühlchen neben dem Eckschrank und wieder wegschaute und wieder

hinschaute, da saßest DU und nicktest mir mit übereinandergeschlagenen Beinen zu, ganz wie DICH Kolbe anno zweiundzwanzig in Öl konterfeit hatte, aber in einem hellblauen Flausmantel und übers ganze Gesicht grienend. Die Höckernase war ja unverwechselbar, und wie ein Bundesligatrainer guckst DU ja schließlich auf allen Bildern.
„Hier im Deckenzimmer?"fragte ich, „nicht im Arbeitszimmer?"
„Macht sich besser für'n Revenant." Du sprachst die französische Endung leicht hessisch aus: Rewenang! –„Hier bin ich ja auch sonst immer am liebste' gewese!"
„Und warum gerade mir?"
„Bin halt *die* Vaterfigur für Schreiberlinge. Außerdem sind wir immer da, wir Hingegangenen! Natürlich nicht plump euklidisch; die Fernsehwellen kriegt Er ja auch nur, wenn die Empfangsapparatur dafür da ist!" Er lächelte merckisch-meckernd.
„Aber der Geheime Rat eines souveränen Herzogs in 'nem sozialistischen Land?" suchte ich DICH herauszufordern.
„Versuchungen, Welt der Ware, he he, was? Die Deutschen machen sich durch ihre tiefen Gedanken und Ideen, die sie überall suchen und hineinlegen, das Leben schwerer als billig. Es entspringen dieser Form des Denkens nicht immer die günstigsten Verhältnisse ..." DU schienst noch weitersprechen zu wollen, aber ein versprengter Teilnehmer war ins Deckenzimmer getreten. Ich sah ihn flüchtig an, und wie ich zurückblickte, saß niemand mehr im blauen Flausrock und weißer Halsbinde auf dem Stühlchen. Kein bräunliches Gesicht drückte den Hals ins Revers. Und vom Geruch des Mottenpulvers hatte man nur in der Nase, daß er einmal dagewesen war.

***

Der Speisesaal des Hotels war noch wenig besetzt. Einige Polen begrüßten einander durchs Fenster, andere zeigten sich noch auf der Straße die eingekauften Schätze. Aus den Einkaufstaschen quollen Bratheringsdosen, Äpfel, Plastikgeschirr, Bonbons, Backwaren und Bier. Man alberte auf das natürlichste und füllte im Speisesaal Bier in Kaffeetassen.
Die Russinnen trugen wunderschöne Handtaschen. Doch sah man genauer hin, so waren es Toilettenbeutel. Sie hatten sie einfach mit feiner grüner Litze und Tragriemen aus gedrehter Gardinenschnur umgearbeitet. Aus den Mänteln, die neben ihnen auf den Stühlen

lagen, leuchtete ab und zu das bunte Etikett einer Flasche DDR-Korn hervor. Wie körpernah und vertraut sie miteinander umgingen.
„'N Schnaps könnt' ich jetzt auch vertragen", dachte ich und roch sogleich dicht neben mir DEIN Mottenpulver, streng und stark; den gleichen Duft, den DEIN grüner Reisemantel durch das Glas des Konservierungsschrankes in Christianes Zimmer gedünstet hatte.
„Auch was essen?" fragte ich, indem ich die Augen schloß und wieder öffnete.
Jetzt griente DEIN Gesicht nicht mehr: „Ach, Nektar und Ambrosia müsse' uns reiche', obwohl ..."
„Obwohl was?"
„Also, wenn überhaupt, dann nemm ich wieder von dene' Bratkartoffele', drei Scheibe kalte' Brate' und rote Bete!"
Auf DEINEN kleinen Füßen schlurftest DU zum Kalten Büffet und stelltest DICH gehorsam an. Den beladenen Teller in der Rechten, die Linke gravitätisch auf den Rücken gelegt, kamst DU zurück. DEINE Beine waren wirklich gewaltig kurz, und größer als einsfünfundsechzig warst DU auf keinen Fall. DU schnittest den Braten zu Stückchen, vermischtest diese mit der Remouladensauce und den roten Beten und begannst zu essen.
Mir fiel der Satz aus DEINEM Brief wieder ein, und um DICH ein wenig zu necken, sagte ich ihn: „Es ist gar schön, an einem Orte fremd zu sein ..."
Du fielst mir jedoch sogleich ins Wort: „In *der* Heimat würd' Ihn keiner mehr nemme! Ist Er aus der Arbeiterklasse?" Du ließest den länglichen Zeigefinger kreisen: „Alles verdiente Kader im Hotel!" Eine Gruppe junger Russinnen, hübsch, ernst und selbstbewußt, schien DEINE Worte zu bestätigen. Mit Stirnband und selbstgenähten Mozarthosen stolzierten sie durch den Saal. „Nie mehr Steinerfilme sehen", dachte ich, „das also sind die Flintenweiber."
DU hattest DICH zurückgezogen, kaum daß DU zuende gegessen. Nur DEIN vampirisch verschmierter Teller zeugte für DICH.

***

Nach dem Abendessen versuchten ein paar Mitglieder unserer Delegation, in die Hoteldiskothek zu kommen. Erst hing an der Tür das Schild „Überfüllt", dann „Geschlossene Gesellschaft". Also zur Hotelbar, Bier trinken. Aber es gab kein Bier. Bier gab es nur in Verbindung, mit kleinen, teuren Sektfläschchen, was hier „Herrengetränk" hieß. Also ungeatzt aufs Zimmer. Morgen im HO riesige Biervorräte besorgen. Doch das ging nicht, da die Besichtigung von Buchenwald auf dem Programm stand.

Vor dem Eingangstor wurde der Delegation ein kleines, beleidigt blickendes Männchen mit einer schief sitzenden Baskenmütze zugeteilt. Zunächst erklärte es uns das Lager an einem Sandkastenmodell und stellte Fragen nach Begriffen, die es offenbar als gelernt voraussetzte: „Ist euch der Begriff der ‚Nacht der langen Messer' bekannt? Der Begriff des ‚Pfadfinders'?"

Ein Mitglied der Delegation sagte: „‚Nacht der langen Messer' kennen wir bei uns besser als ‚Röhmputsch'!"

Das Männchen antwortete: „Aha!"

Auf der Rückfahrt im Bus sagte mir eine leichte Berührung am rechten Arm, daß es DICH im Nichteuklidischen nicht lange gehalten hatte. Ich konnte mir nicht verkneifen zu sagen: „Hast es aber heute nicht lange ausgehalten auf DEINEM Ettersberg! Sächsisch sprechende KZ-Wächter, Armhängen auf Sächsisch!"

„Das unmittelbare Gewahrwerden der Urphänomene", rauntest DU, „setzt uns in eine Art von Angst. Wir fühlen unsere Unzulänglichkeit. Nun scheint's gar schön, an einem Orte fremd zu sein..." Der Mottenpulvergeruch war auch wieder da, und DU kichertest höhnisch: „Also, was nutzt es, die beleidigende Höhnerei des Menschentums den Touriste' vorzuführe'? Der Mensch lernt aus dem Beispiel, auch aus Kachelpathologie, tätowierter Haut und rekonstruierter Genickschußanlage!" Wir waren schon fast wieder in den Vorstädten. Der Bus fuhr langsam durch eine beleuchtete Straße. Ein Ost-Punk mit einem hübscben, rundgeschorenen und rostrot gefärbten Haarkamm stiefelte gemächlich vorbei. „Toll, daß es die Farben bei euch gibt! Hab' ich bei uns noch nie gesehen!" sagte ich zum Reisegruppenleiter. Dieser antwortete: „Den gönnt' man gleich hochnähmen, schon deswächen, weil er eene Militärhose drächt!" Er wartete aber eine Antwort gar nicht ab, sondern wies auf ein altes Gebäude, an dem wir vorüberfuhren und sagte: „Die Burch drieben is' gastronomisch ausgebaut!"

Ich verließ den Bus als letzter, weil ich noch meine Kamera aus der Ablage kramen mußte. Im gläsernen Windfang des Hoteleingangs stand ein blauhemdiger FDJ-Jüngling und fragte mich nach meinem Hotelausweis. Der Reisegruppenleiter kam in den Windfang geflitzt, tuschelte mit dem Blauhemd und winkte mich durch. Der blauhemdige Jungmann hatte mich nach dem Zertifikat gefragt, obgleich er mich beim Aussteigen sichtlich gemustert hatte. Ich verfluchte meine Empfindlichkeit und ärgerte mich, daß ich nichts gesagt hatte. Beim anschließenden Essen saß der Gruppenleiter mir gegenüber und belud sich seinen Teller mit Schinken und Sauerkraut. Meine Wut mühsam verbergend, fragte ich, warum ein Blauhemd Delegationsmitglieder kontrolliere. Er erwiderte, der erste Bezirkssekretär sei zu Besuch, erhöhte Wachsamkeit sei geboten.

„„Ist der Bezirkssekretär nicht gerade mit großem Brimborium und für alle unübersehbar in seinem dunkelblauen Volvo abgefahren?" fragte ich. Der Gruppenleiter bekam einen roten Kopf und ging zum Kalten Büffet, um sich frisches Sauerkraut zu holen. Als er zurückkam, erklärte er, hotelfremde Elemente versuchten, sich in die Disco, die an diesem Abend stattfinde, hineinzuschmuggeln.

Ich fragte zurück, warum er dieses Argument nicht sofort benuzt habe.

In diesem Augenblick hörte ich wieder DEINE Stimme. „Psttt!" sagtest DU mit langer Ausdehnung des „tttt", „es ist gar schön, an einem Orte fremd zu sein, und doch so notwendig..." Ich ärgerte mich noch mehr und tat, als ob ich DIR nicht zuhörte. Der Reiseleiter ging abermals zum Büffet und lud sich Sauerkraut auf.

***

Zwei Tage später fuhren wir zurück. Der Gruppenleiter begleitete die Delegation mit einer Reisetasche (Wäsche?)bis zur Grenze in Gotha. Ein älteres Ehepaar, das eines der reservierten, aber nicht gekennzeichneten Abteils mit Siebensachen, Kartons und Koffern belegt hatte, wurde geduldet. Der Gruppenleiter verabschiedete sich von jedem von uns mit Handschlag, dann setzte sich der Zug in Bewegung. Nach fünf Minuten war ein Gespräch mit den beiden Alten in Gang gekommen. „Sind Sie ooch in unseren Fleischerein gewäsen?" fragte die Frau, „wenn ihr mal unsere und eure Wurstscheiben ansäht, dann denkt ihr, unsere sind mittern Laserstrahl geschnitten!"

Plötzlich ruckte der Zug, hielt wieder, blieb zehn Minuten stehen und fuhr in Richtung Grenze weiter. Ich trat auf den Gang, um durchs Fenster auf die Gleise zu schauen. Direkt neben dem Zug fuhr auf der Landstraße ein neuer, grauer Warthburg, auf dem Beifahrersitz der Reisegruppenleiter. Der Wagen glitt noch eine Weile neben dem Zug her, dann bog er nach links in das gelbbraune und schneeweiße Schachbrettmuster der Felder.

Die Sachsenpreußen an der Grenze betraten das Abteil so kerzengrade und höflich wie auf der Hinfahrt, das bernhardinische Minibüro unterm Hals. Zu zweit inspizierten sie den Raum unter den Sitzbänken. Sie suchten nach DIR. Ein Dritter trat hinzu, prüfte es zur Sicherheit noch einmal mit einem langen Spazierstock nach ... und fand DICH nicht.
„Er schreibt mir, was es sonst noch gegeben hat", hörte ich DICH ein letztes Mal. Es gab aber nichts mehr. Wir durften weiterfahren.

Albert von Schirnding

Südliche Beleuchtung

Bekanntlich hatte G. zwei Söhne. Der jüngere überlebte den Bruder um vier-, den Vater um zweiundzwanzig Jahre. Schon bald nahm das Triumphgefühl gegenüber dem Erstgeborenen einen faden Geschmack an.

Weil kein Fürst bereitstand, die Patenschaft zu übernehmen, war Johann Peter von Jugend auf zum Träumer berufen. Seinen berühmtesten Traum träumte er viereinhalb Jahre nach G.s Hinscheiden. Dieser plötzliche Tod, der die Welt erschüttert hatte, entpuppte sich als Gerücht, aufgebracht von den närrischen Leuten. Sehe er den Totgesagten nicht vor sich, in hohem Grade heiter und lebensfrisch? Er sei auf Reisen gewesen, zuletzt in Schweden. Ein schönes Land, nur fehle die südliche Beleuchtung.

Gegen Morgen fand sich der Träumer mit Vater und Bruder an das Ufer eines breiten Stromes versetzt. Das Gesicht des Alten war jetzt weiß wie das Papier, auf das Johann Peter sogleich nach dem Erwachen seine Träume zu notieren pflegte. Während der andere Sohn, auch er sehr bleich geworden, einem Storch nachsah, der glücklicherweise rechts von ihnen über das Wasser flog, schien G. es eilig zu haben. Ohne eine Lippe zu öffnen, schritt er der hier anlegenden Fähre zu, auf der sich schon zahlreiche Reisende versammelt hatten. Mehr als einen flüchtigen, wenn auch nicht unfreundlichen Blick und ein knappes Zunicken gönnte er dem Zurückbleibenden nicht.

Sogleich hatte der gebildete Träumer Charons wie immer überfüllten Nachen erkannt. Er fuhr in südöstliche Richtung, wo sich ein flaches Wiesen- und Weideland unabsehbar ausdehnte. In Hellas wohnten keine Sterblichen mehr. Die moderne Empfindung hatte in der Antike nichts verloren: „Es tat mir nicht leid, daß sie gingen, so wie ich auch an ihnen beim Abschiede keine Spur einer herzlichen Regung wahrgenommen hatte; es war alles, als ob es so sein müßte."

Klaus F. Schmidt-Mâcon

Goethes Haus am Frauenplan

Geruch von wachs,
stiegen knarren.
Dunkel das arbeitszimmer,
niedrige decke legt sich
schwer aufs wort.
Aus der büstenkammer
winkt nackt kassandra,
friert am offenen fenster.
Schmales sterbebett drückt
sich an die wand
mit roter decke, kopf-
und fußstütze zeigt
der ohrensessel, behält
ein sitzkissen als pfand.
Unten zwischen grauem stein
wartet die reisekutsche
wie charons nachen still.

Gerhard Tänzer

Goethe beim Rasieren

Kleines Theaterspiel

Personen:

Der alte Goethe
Dessen Diener
Eine Frauenstimme

Zimmer mit Tisch, Stuhl, Schreibpult, Schrank, Kommode mit Wasserkrug und Waschschüssel, zwei Türen, eine mit Glockenzug.

Der alte Goethe kommt im Schlafrock herein, sich in einem großen Handspiegel betrachtend. Er legt den Spiegel auf die Kommode, entnimmt dem Schrank eine Zeichenmappe, setzt sich an den Tisch, blättert in der Mappe, erhebt sich, zieht die Handglocke an der Tür und setzt sich wieder, den Spiegel in der Hand. Der Diener tritt ein.

Diener: Gnädiger Herr?
Goethe: Wo bleibt der Barbier?
Diener: Ich weiß nicht.
Goethe: Und der Friseur? Wie ich aussehe! Das Haar muß gebrannt werden.
Diener: Soll ich rasieren und ondulieren, gnädiger Herr?
Goethe: Wart Er. Ist wenigstens Herr Eckermann eingetroffen?
Diener: Nein, gnädiger Herr, auch noch nicht.
Goethe: Welche Nachlässigkeit. Es ist schon eine Viertelstunde über die Zeit.
Diener: Soll nach ihm geschickt werden?
Goethe: Bitte Er meine Schwiegertochter her. Sag Er ihr, sie möchte mir vorlesen.
Diener: Frau von Goethe ist ausgegangen.
Goethe: Ohne mir Nachricht zu hinterlassen?

Diener: Sie ist zum Markt. Die Magd begleitet sie.

Goethe: Ich will hoffen, daß sie an alles denkt. Da, nehm Er sich ein Blatt und schreib Er! Das Menü für den Empfang am Sonntag.

Der Diener geht ans Schreibpult.

Diener: Ich bin ganz Ohr.

Goethe: Vorspeisen: Erstens: Taubensuppe.

Diener: Die Tauben liegen bereits in der Küche.

Goethe: Zweitens: Krebse in Pastetchen.

Diener: Krebse. Morgen frisch aus der Ilm.

Goethe: Hauptgerichte: Zunächst: Gefüllte Kalbsbrust. Sodann: Filet vom Rind, dazu ein Trüffelsalat. Hat Er das?

Diener: Trüffelsalat.

Goethe: Zum Nachtisch: Birnenkompott.

Diener: Vom Eingemachten.

Goethe: Außerdem Rahmschaum in Biskuit. Anschließend, für die Nimmersatten, Butter und Käse.

Diener: Welchen Käse?

Goethe: Wie gewohnt. Zum Essen sollen bereitgehalten werden zwölf Flaschen Brentanoscher Rheinwein.

Diener: Jahrgang?

Goethe: 25er.

Diener: Der geht langsam zu Ende.

Goethe: Sorg Er sich nicht. Wie viele Anmeldungen haben wir für die Audienz heute morgen?

Diener: Fünfzehn Personen. Dabei Herr Ludwig Börne.

Goethe: Wir reichen einen Wein von der Saale. Sieh da, der Herr Börne in Weimar. Der Rezensent, der mich nicht nennt. Mein Landsmann. Aber vorgeworfen hat er mir, daß ich seit fünfzig Jahren hier lebe und weder in Berlin noch in Paris gewesen sei. 28er Dorndorfer oder Freyburger. (*lachend:*) Viel Säure.

Diener: Wieviel Brot?

Goethe: Er weiß, daß Er eine heikle Frage stellt.

Diener: Gnädiger Herr, in Erinnerung des Fleißes, den sie Ihnen Tag für Tag beweisen, bitten Ihre Bedienten, den Entschluß, ihnen das tägliche Brot zu rationieren, noch einmal zu bedenken.

Goethe: Schweig Er davon!

Diener: Wenn Sie erlauben, sehe ich jetzt nach, ob Herr Eckermann inzwischen unten wartet.

Goethe: Sei Er nicht gekränkt. Bleib Er. (*die Mappe aufschlagend:*) Sieht Er? Was hält Er von diesem Blatt?

Diener: Eine schöne Dame.

Goethe: Das war sie, schön. Und klug. Aber keine Dame. Corona Schröter. Sängerin. Ich habe sie engagiert. Sie konnte mehr als singen. Meine „Iphigenie" hat sie gespielt, zu meiner „Fischerin" die Musik erdacht. Ich war damals neunundzwanzig, sie siebenundzwanzig.

Diener: Das klingt gut, gnädiger Herr.

Goethe: Sie ist jetzt bald dreißig Jahre tot.

Diener: Ich bitte um Entschuldigung.

Goethe (*das Blatt in die Mappe zurücklegend*): Es macht nichts. Er kann mich rasieren.

Der Diener entnimmt der Kommode die Rasierutensilien, legt sie auf ihr ab und nähert sich Goethe mit einem Tuch, der, währenddessen in der Mappe blätternd, nun ein Blatt hoch hält.

Goethe: Was sagt Er zu diesem Bild?

Diener: Das Haus an der Ilm. Die Bäume sind noch klein.

Goethe: Mein erstes Haus. Kann Er sich vorstellen, wie stolz ich war? Für Geschriebenes ein Haus. Schuldenfrei. Großer Garten. Blick auf den Fluß. Ich war damals sechsundzwanzig. Der mir das nachmacht, ohne den Hals zu brechen, den möchte ich sehen.

Diener: Die Brücke über die Ilm ist auf dem Bild offen.

Goethe: Es hat gewimmelt von Sonntagsspaziergängern. Ich habe gleich die Tore in Auftrag gegeben. Das Ufer drüben für sie, dies hier für mich.

Diener: Und sie haben das Schloß nicht gesprengt? Mit einer Seite vorlieb genommen?

Goethe: Phantasiert Er? Was glaubt Er, wo Er ist? In Frankreich? Meint Er, unsere guten Weimarer hätten den Hut nicht mehr vor mir gezogen, nur weil wir ihre Schritte ein wenig gelenkt haben? Er ist doch hier zu Hause!

Im Inneren (in der Tiefe) des Hauses schlägt heftig eine Tür. Goethe und der Diener sind zusammengeschreckt.

Goethe: Welch eine Rücksichtslosigkeit! Da habe ich mich schon bis unter das Dach zurückgezogen. Und nicht einmal hier oben bin ich verschont.

Diener: Ein Gegenzug. Ein offenes Fenster wahrscheinlich.

Goethe: Entschuldige Er nur!

Diener: Darf ich Eurer Exzellenz das Tuch umlegen?

Goethe: Nur zu! Aber geh Er nachher vorsichtig um mit dem Messer.

Diener: Ganz gewiß, gnädiger Herr.

Der Diener legt Goethe das Tuch um, kehrt zur Kommode zurück und schlägt Rasierschaum. Goethe hebt ein weiteres Blatt in die Höhe.

Goethe: Dieser hier! Bedeutend, nicht wahr? Sieht Er, das war der Freiherr von Fritsch. Präsident des Geheimen Consiliums, als ich hierher kam. Heute auch schon lange tot. Er hat gegen mich gehetzt, bevor ich Weimar überhaupt betreten hatte. Mein Vater, der sich von den Großen jederzeit entfernt hielt und über die Höfe sogar zu scherzen pflegte, der mich nach Italien statt nach Weimar reisen sehen wollte, mein Vater hatte mich vor Seinesgleichen gewarnt. Aber nach ein paar Jahren habe ich neben ihm in der Regierung gesessen.

Diener: Neben Herrn von Fritsch?

Goethe: Dichter beim Herzog. Nur am Hof hat er mich tatsächlich aufgehalten. Nicht einmal Karten haben sie mit mir gespielt, weil sie nicht mit einem Bürgerlichen an einem Tisch sitzen konnten. Aber es hat nicht lange gedauert, dann hatte ich auch das hinter mir.

Diener: Der Kaiser hat Eure Exzellenz sehr ehrenvoll in den Adelsstand erhoben.

Goethe: Es ist mir nicht in den Schoß gefallen. Ehe der Herzog mich in Vorschlag gebracht hat, habe ich für dieses Land mehr getan als alle diese Kammerherren in ihrem ganzen Leben.

Diener: Das ist aktenkundig, Eure Exzellenz.

Goethe: Während sie auf die Wildschwein- und Weiberhatz geritten sind, habe ich Rekruten ausgehoben und Steuern eingetrieben. Ich bin die Straßen abgeritten und habe die Löcher zuschütten lassen für die empfindlichen Hintern in den Hofkutschen. Ob Hochwasser oder Feuersbrunst, ich war zur Stelle. Eigenhändig habe ich Verhütungsvorschriften ausgearbeitet. Und was glaubt Er? In Ilmenau habe ich sogar nach Silber gegraben.

Diener: Haben Sie welches gefunden, gnädiger Herr?

Der Diener stellt die Rasierschale ab und wetzt das Rasiermesser.

Goethe: Das Bild, das ich Ihm jetzt zeige, ist von der Schrötern eigener Hand. Ein Selbstporträt.

Diener (*nahe bei Goethe*): Ein Universalgenie. In allen Künsten zu Hause.

Goethe: In zu vielen.

Diener: Das Bild ist geschmeichelt?

Goethe: Ein Künstler hätte sie malen sollen, wie wir sie gesehen haben. An einem Sommernachmittag. Ohne Schnürbrust. Ohne Reifrock. Ganz nur Natur. Einmal, auf dem Tiefurter Theater, hat sie die Minerva gespielt. Sie stieg aus einem riesigen Zeus-Kopf. Den dünnen Flor, den sie trug, haben wir nicht gesehen.

Diener: Ein Skandal?

Goethe: Ein Erfolg. Und Laute konnte sie spielen, tanzen, erzählen. Mit ihr zu Abend zu speisen!

Diener: Eine wunderbare Frau, gnädiger Herr?

Goethe: Der Herzog war hinter ihr her.

Diener: Und wen hat sie geheiratet?

Goethe: (*lacht.*)

Diener: Aber Herr Major von Knebel hat doch auch eine Kammersängerin zur Frau genommen.

Goethe: Herr Bruder,
Welch ein Luder
Bringst Du in Deine Einsiedelei!
Ohne Zweifel
Dich versucht der Teufel.
Gott steh uns bei!

Diener: Das Gedicht ist von Eurer Exzellenz?

Goethe: Er kann es sich merken.

Während Goethe in der Mappe blättert, naht der Diener mit Schaumschüssel und Pinsel.

Goethe: Hat Er gesehen? Da war ich Theaterdirektor.

Er schließt die Mappe und rückt etwas vom Tisch weg.

Diener: Sie sind es lange gewesen, nicht wahr?

Goethe: Die Anfangszeit mitgezählt, als wir nur unser Liebhabertheater hatten, an die vierzig Jahre. Mehr Arbeit als Vergnügen. Schiller, eigentlich unspielbar. Kotzebue, in meiner Fassung. Selbst ein Stück dieses schrecklichen Kleist habe ich einmal aufgeführt, weil der Kerl sich hinter Wieland gesteckt hatte und der hinter Seine Durchlaucht. Dem Anschein nach ein Bauernklamauk. Aber kein Boden unter den Füßen. Wie der Autor. Maßlos, haltlos. So ist er auch geendet.

Diener: Und warum haben Sie die Theaterdirektion abgegeben? Eurer Exzellenz Stücke waren doch nicht alle gespielt?

Goethe: Eine Kabale. Madame Jagemann. Bibliothekarstochter. Schauspielerin. Jetzt heißt sie von Heygendof, hat zwei Söhne vom Herzog und ein Rittergut. Ist Ihm das nicht bekannt?

Diener: Das ganze Land weiß es. Ist Madame Schröter auch belohnt worden?

Goethe: Kein Kind, kein Gut, kein Titel. Ich habe mich oft gefragt, ob sie dem Herzog wirklich zu Willen gewesen ist.

Der Diener seift Goethe ein.

Goethe: Weiß Er, daß ich einmal von hier weg wollte? Vor über dreißig Jahren. Ich hätte es beinahe geschafft.

Diener: Nach Italien, gnädiger Herr. Wir haben alle davon gehört und gelesen.

Goethe: Nein, nicht nach Italien. Nach Oberroßla.

Diener: Wohin?

Goethe:	Oberroßla.
Diener:	So weit aufs Land? Von hier sind es bestimmt fünfzehn Kilometer.
Goethe:	Ein kleines Gut. Mit Kühen, Feldern und Wald. Ich habe es wieder verkauft. Nach fünf Jahren.
Diener:	So nah bei den hungernden Strumpfwirkern von Apolda wären Eure Exzellenz, in den damaligen unruhigen Zeiten, auch nicht glücklich geworden.
Goethe:	Wer weiß.

Der Diener beginnt Goethe zu rasieren. Aus dem Inneren (der Tiefe) des Hauses ist das Geräusch einer Tür und dann eine singende Frauenstimme zu hören.

Frauenstimme: Ein Veilchen auf der Wiese stand
Gebückt in sich und unbekannt,
Es war ein herzig´s Veilchen.
Da kam eine junge Schäferin ...

Die Stimme verliert sich.

Diener:	Ein schönes Lied.
Goethe:	Meint Er?
Diener:	Die Magd kann alle Strophen auswendig.
Goethe:	Ein Gedicht aus der Zeit meiner Jugend.
Diener:	Aber wie neu.
Goethe:	Der Compositeur war kein Geringerer als der Herr Mozart. Er hätte mehr von meinen Werken in Töne setzen sollen. Statt seiner hat es jetzt der Herr Schubert probiert.
Diener:	Der aufsteigende Stern am Musikantenhimmel.
Goethe:	Eine Schnuppe. Wie alle diese Romantiker. Aufglühen und Erlöschen sind eins.

Der Diener rasiert Goethe weiter, trocknet dessen Gesicht ab, räumt die Rasierutensilien weg.

Diener:	Gesichtscreme oder Eau de Cologne?
Goethe:	Das Wasser.

Der Diener reicht Goethe einen Flacon, aus dem dieser seine Wangen benetzt.

Diener: Warum, gnädiger Herr, sind Sie aus Italien überhaupt nach Weimar zurückgekehrt?

Goethe: Nicht umsonst hat man mich den Wanderer genannt. Ich war in Italien sehr glücklich. Aber dann war mir wohl, daß ich ein Haus hatte, Essen und Trinken.

Diener: Den Sitz im Consilium. Die Kammerpräsidentschaft.

Goethe: Den Stuhl in meinem Garten, hinter der Rosenwand, unter den Eschenzweigen. Einen Platz für ein liebes Schätzchen, ein Kind. Ich sage Ihm: Alles kommt nur darauf an, daß der Mensch ein Hauswesen besitzt. Das ist das Ende aller Philosophie.

Diener (*an der Kommode hantierend*): Darf ich dann, gnädiger Herr, noch einmal die Bitte vortragen, den Bedienten Ihres Hauses nicht das tägliche Brot zu rationieren?

Goethe: Seit ich aus Italien zurück bin, habe ich keinen frohen Tag mehr gehabt. Komm Er näher! Noch näher. Ganz nah. Ich will Ihm etwas sagen. Im Vertrauen. Hör Er: An Ultimo zahle ich sie alle aus.

Diener: Gnädiger Herr!

Goethe: Behalt Er´s für sich, ein paar Tage. Und mach Er sich keine Sorgen. Er bleibt.

Diener: Hier, der Spiegel, gnädiger Herr. Sind Sie mit sich zufrieden?

Goethe: Er hat seine Sache gut gemacht. Er ist ein braver Kerl. Bitte Er jetzt den Herrn Eckermann herauf.

Diener: Sofort.

Goethe: Und nehm Er den Speisezettel mit.

Diener: Es wird alles besorgt werden, gnädiger Herr.

Der Diener zieht sich zurück. Goethe blättert in der Mappe, steht auf, legt den Morgenrock ab, reckt sich zu voller Größe, geht zur Tür, horcht. Es bleibt alles still.

Goethe: Getretner Quark
wird breit, nicht stark.

Er zieht heftig den Glockenzug.

Ende

Guntram Vesper

Ein Gedanke ganz für mich

In Weimar, wie wir
hinter Büschen
auf den Schlangenstein stießen
und erstarrten:
hier.
Herr v. Goethe im Gartenhaus
einen Augenblick am Fenster
der prachtvolle Greis
wer sich ähnlich
in die Brust wirft
werfen kann.
Das erstaunliche Käppi Eckermanns
mit Pfeife und Kaffeetasse macht er sich klein
unter Apfelbäumen.
Sogar Sohn August
hat zur Probe
im Gras gelegen
Hoffnung auf Erwachen und die Sicherheit
des Untergangs
der Abgrund gewinnt
laufend an Tiefe
aber nichts
geht spurlos verloren.

Klaus F. Weiss

Stilles Kaddisch für zwei Dichter

„Goethehaus am Frauenplan", klar, das wußte man. Also dann, gegenüber im Café einen Capuccino schlürfend, optische Kontaktnahme mit dem weitläufigen, gelben Haus, in dem er gewirkt hat. Relativ spät erst; Faust Zwei wurde dort vollendet, nehme ich an. Haus Geschenk des Herzogs Karl August wie vordem das Gartenhaus. Ich ging nicht hinein. Meine Abneigung, in historischen Gebäuden nach dem Sinn ihrer Existenz zu surfen, wird immer stärker. Architektur, na schön ... „Wenige moderne Menschen... können auf die Achtung verzichten, die sie sich selbst erweisen, wenn sie die Vergangenheit verehren. Das verhilft ihnen zu der Einbildung, daß sie eine Überlegenheit und ein besonderes Feingefühl besitzen ..." (Hervey Allen, „Antonio Adverso", S. 988).

Entweder begreift man eine Idee, ein Werk, seine lebende Gegenwart, dann bedarf es keines Aufwühlens heiligen Staubes und Herumschlürfens an historischen Orten. Es ist doch nicht von Wichtigkeit, ob die „Iphigenie" auf Pergament oder lumpengewonnenem Papier und mit welcher Gänsefeder (polnisch? ungarisch ?) geschrieben wurde. Und in welchem Haus... Oder man hakt eben auf der Liste ab, Weimar jewesen, Mäsons Joethe jesehn, jut erhalten, Wetter orntlich, im historischen Gasthaus „Zum Weißen Schwan" Sparjel mit Schinken jejess'n, Weiterfahrt 14.25 Uhr. Na bravo! Es war wieder so ein Tag, an dem ich die Hunde meiner kritischen Meute loslasse ...
Sicher, man spricht vom „genius loci", aber der ist heutzutage durch die Omnibus-Marathon-Kolonnen turnbeschuhter Plattfüße empfindlich gestört. Frage, trotzdem: Sollte, muß man als gebildeter Deutscher, einmal wenigstens, diese Kultstätte besucht haben...? Gerade wegen der unbestrittenen Bedeutung der beiden deutschen Kultur-Aushängeschilder erschien unweigerlich der skeptische Kerl da in mir drin und murrte: Das Land der Richter und Henker, Kumpel, hat sich seiner mühsam erworbenen Kultur nicht würdig erwiesen. „Glocke" von Schiller und „Über allen Wipfeln ist Ruh" Pflichtlektüre an Schu-

len und dann Zyangas ... ist es nicht ein Hohn, daß die da gleich nebenan, auf dem Ettersberg, das KZ Buchenwald etabliert hatten? Damit müssen wir nun leben! Die Goethe-Institute bemühen sich redlich um Rehabilitation, jaja, aber zumeist sehr steifleinern. Machen sie was Unorthodoxes, gibt's gleich Rüffel aus der ... aus dieser verdammten Ecke, wo die Quadratköpfe sitzen, die mit dem altfränkischen Knüppel auf alles dreinhauen, was nicht in ihr kleinkariertes Schema paßt. Derartiges schimpfen sie dann ohne hinzuschauen „links", weil das die Herrgottswinkler in ihren verseichten Lederhosen, die Sauerkrautfurzer und die Stern-auf-Kühler-Bewußten gern annehmen. Sie sagen „Kultur" und meinen Beton. Der dumpfe Sumpf in der Sektion „Weltanschauung", Anhängsel ihrer Rechenmaschinen (Hirnersatz) hat schon so manches hervorgebracht.
Wir, Jahrgang 1925, Humanisten, kennen diese Clique. Wir wurden seinerzeit mit hineingerissen in den Sog ihrer angezettelten Weltgeschichte, ohne den „Faust" im Tornister wie die armen Schweine von Langemarck. Dafür waren wir für das militärische Tötungsgeschäft optimal vorbereitet. Lachten über die Phrasen und pflegten Sachlichkeit am MG 42, die dann, wenigstens bei mir, nach dem Anblick der gehängten Zivilisten in Tulle versteinerte. „Andra moi enepe mousa poiytropon hos mala Pola...?" Reifevermerk dank „Führer-Erlaß" durch Kradmelder in Gefechtspause zugestellt. Das war nach Tulle. Hat er eigentlich Griechisch gekonnt, der Herr Geheimrat? Dumme Frage! Referendar am Reichskammergericht in Wetzlar, da hat er sich kein Bein ausgerissen. Klug erkannt, daß das Rechtssystem, je nach politischer Konstellation, zur Farce entarten kann. Siehe Nürnberger Gesetze, beispielsweise. Wußte auch, der kluge Kopf, daß Paragraphen nicht der Weisheit letzter Schluß sind, und machte lieber Gedichte.
...da drüben hat er also gelebt, mit Christiane, pekuniäre Sorgen hatte er nicht, anders als der auf Vorschlag des Großherzogs geadelte Schiller. Hinüber nun zu dessen Behausung. Darf's ein wenig kleiner sein? 4.100 Taler hat der desertierte Fähnrich vier Jahre vor seinem Tod für das Haus (dessen Fassade sich infolge Balkenverquellung etwas nach außen wölbt) bezahlt, auch gelb angestrichen. Seine in Faksimile ausgehängte Haushaltsrechnung Einnahmen-Ausgaben hat mich berührt, das Autopsieprotokoll noch mehr. Sehr viel informativer als die hübsch eingerichteten Zimmer. War ein Kämpfer und Rebell, dieser gezeichnete Mann. Hat sich mit der Willkür der Gottesbegnadeten auseinandergesetzt und den Begriff „Freiheit" kühn inter-

pretiert, unangenehm schrill für Fürstenohren, bat aber gleichwohl den Großherzog untertänigst um ein jährliches Fixum von 1000 Reichsthalern. Das ist das Dilemma des Freigeistes: auch er muß wohnen und essen, wozu er Geld benötigt. Und das kommt eben, aus seiner Sicht, von der „falschen“ Seite. Nehmen tut er‘s trotzdem. Wobei man dem herzoglichen Gönner ein gehöriges Maß Großzügigkeit und Toleranz zubilligen muß. Ich bin, entgegen eingangs erwähnter Abneigung, in das Schillerhaus hineingegangen, es hatte sich so ergeben. Das ursprüngliche Mobiliar hat seine Witwe verkauft, und was ist zurückgeblieben? Bei mir der Eindruck, daß er seine Dramen, zumindest im Winter bei ungemütlichen Zuständen, hustend und spuckend, zu Papier gebracht hat, was an ihrer Qualität nichts ändert. Insofern Besichtigung historischer Stätten also doch von einigem Nutzen...? Ach, Mann, muß man denn immer konsequent sein? Ich sage: nein, aber mein Freund Rudolf würde angesichts dieser Gedanken-Winkelzüge als Pragmatiker entgegnen: Mensch, warum fährst du denn dann hin...? Die Antwort wäre, weil ich Erleben mit Freunden schätze, das nicht aus alten Gemäuern kommen muß. Ich betrachte letztere als Dreingabe, die kunsthistorische Fakultät möge mir das, mit allem Respekt, nachsehen.
Ein „geführter Stadtrundgang“ hatte uns am Vormittag mit den wichtigsten Denk- und Sehenswürdigkeiten des Städtchens bekannt gemacht. Die führende und mit verhaltenem Witz erklärende Dame machte das ungewöhnlich nett und verzichtete vor allem auf die fürchterlichen Detailangaben, die normalerweise durch die Ohren der Betrachter, „für die Katz“, hindurchrauschen... so auch im Park. Der nun beeindruckte mich oder besser gesagt, die Stimmung bei bedecktem Himmel und frischer Luft. Durch ein Blättergewirr war verschwommen das berühmte Gartenhaus zu sehen, vom Palais der Freifrau von Stein in schicklicher Entfernung gelegen und doch nahe genug, um den Verkehr des Dichters mit der reifen Bewundererin nicht übermäßig zu erschweren. Ich weiß – Verkehr, da schnuppert der Normalbürger vielsagend, aber ich meine ganz sachlich die Wege, die vor allem die hunderte von Briefen Goethes an seine Freundin zurücklegen mußten. Haben die nun? Oder haben sie nicht? Diese Frage wurde, könnte ich mir vorstellen, sogar schon in Dissertationen abgehandelt und natürlich in sämtlichen Biographien. Ich halte die Frage für simpel und überflüssig. Man sollte vor einer derartig wertvollen und fruchtbaren Beziehung Achtung bezeigen. Sex, ja gut, der unermüdliche, biologische Motor, kann auch, sage ich ganz salopp, in

Ein stilles Kaddisch für zwei große Dichter

einer Beziehung sublimieren und wird dann zweitrangig. Schließlich, das möchte ich hier anmerken, verdankte Casanova seine Erfolge bei Frauen nicht irgendwelchen penisrelevanten Eigenschaften, sondern seiner Gabe zu erzählen und zuzuhören, die tödliche Langeweile von Rokokodamen aufzubrechen. Sicher hat er dann, aber das ist eine andere Geschichte... Was nun Goethen betrifft: Ein Tor, wer sich da den Kopf zerbricht, ob er oder ob er nicht. Dummes Zeug!

Was mich am Ort des damaligen Wirkens der beiden großen Dichter beschäftigte, war ein ganz anderes Thema. Sozialisten werden wahrscheinlich Goethe als „angepaßt" abqualifizieren, weil er zur Französischen Revolution wie auch zu anderen politischen Fragen Distanz hielt und, schon von Haus aus finanziell gut ausgestattet, soziale Probleme ausgrenzte. Die in Mode gekommene „Gleichheit" und „Brüderlichkeit" dürfte ihm, der erkennbar nach Intelligenz und Stellung differenzierte, ein wissendes Lächeln abgenötigt haben, wiewohl er durchaus erkannt hatte (Valmy), daß eine „neue Zeit" angebrochen war. Für ihn, der sich im „Faust", lebenslang kann man sagen, mit der menschlichen Tragik der Kluft zwischen Erkenntnisstreben und letztlichem Scheitern beschäftigte, war es nicht so „neu", sondern nur ein weiterer Akt des menschlichen Dramas, den er gelassen zur Kenntnis nahm.

Total anders Schiller, der sich, nicht nur als jugendlicher Feuergeist, engagiert zumindest mit der Feder „ins Getümmel menschlicher und politischer Gemeinheiten stürzte". Was soll man dazu sagen? Ich sage, daß Schiller unter den heutigen Umständen mit großer Wahrscheinlichkeit Autor erregender Dokumentar-Spielfilme bei ARD und ZDF wäre ... Goethe? Bestimmt kein Minister, schon gar nicht Kultus. Viel eher Vertragsautor von Unseld mit Villa im Tessin und gelegentlicher Beobachter, live, der Frankfurter Börse mit anschließenden Essays in der FAZ über menschliche Spielleidenschaft und den „Tanz ums goldisch' Kalb". Liebling des „Literarischen Quartetts", nein, eingewechselt für Karassek. Und selbstverständlich Patient bei einem erstklassigen Zahnarzt, der ihm mit Implantaten, Jackettkronen und Keramikinlets wieder zu ungetrübtem Lächeln und Kauvergnügen hülfe. 500er Benz mit Chauffeur und so weiter und so prominent. Schiller natürlich Sympathisant der „Grünen" und von der SPD umworben, aber abweisend, weil ihm ihre Funktionäre zu „grau" wären. Seine Forderung, sie sollten gefälligst „ihr Leben einsetzen statt über Listenplätze zu diskutieren, sonst wäre es ihnen nicht gewonnen“, stieße natürlich auf Unverständnis der muffigen Kanalarbeiter ...

Dies mein Versuch einer Umsetzung des Gesehenen, Anhebung auf die Zeitebene. Die Literaturanalytiker, bitte um Verzeihung, verstricken sich allzu leicht in Quisquilien und haben selten den Mut, über die langen Schatten der großen Schreiber zu springen, das Gesagte und Geschriebene so zu verstehen, wie das die „Olympier“ bestimmt wünschten, lebten sie denn. Verdammt, die haben doch, jeder auf seine Art, durchgeblickt, würden die heutigen Verhältnisse auch sehr rasch erfassen; und dann manche ihrer Aussagen für Makulatur erklären. Sakrileg! zetern da natürlich die Buchstabenkrümler, aber die können mich mal. Habe mir immer meine eigene Meinung gebildet und an den praktischen Erfahrungen mit dem Menschengeschlecht verprobt.
An dem herrlichen Sommer-Sonntag, hoch über dem Saaletal, auf einer Terrasse der Dornburger Schlösser, dann ein stilles Kaddisch für die zwei großen, toten Dichter als Ausdruck meiner zwiespältigen Eindrücke auf dem geschändeten Boden deutscher Kultur statt blumiger Reden.

Ich habe fertig.

Im Namen Goethes

Joachim Sartorius

Im Namen Goethes

Zu den ideellen Fundamenten der Auswärtigen Kulturpolitik heute

Das Goethe-Institut trägt den Namen des weltweit bekanntesten deutschen Klassikers. Doch der Name des Vereins zur Pflege der deutschen Sprache im Ausland und zur Förderung der internationalen kulturellen Zusammenarbeit verlockt zu Irtümern: bekanntlich handelt es sich um keine Forschungsstätte, um kein Archiv, in welchem sich Wissenschaftler über das enzyklopädische Œuvre des Weimarer Dichterfürsten beugen und sich weihevoll in ihre Studien über Goethes Leben und Person vertiefen. Die Aufgabe des Goethe-Instituts besteht auch nicht darin, wie manche fälschlicherweise anzunehmen scheinen, die Werke und das Wirken eines deutschen Universalgenies pädagogisch zu vermitteln und in der Welt zu verbreiten.

Gleichwohl ist der Titel unseres Hauses kein Etikettenschwindel. Doch wodurch wird Goethes Verhältnis zu seinem Institut bestimmt, wenn nicht dadurch, daß dort eine primär inhaltliche Auseinandersetzung mit dessen Werk und Epoche stattfindet? Hierzu zunächst eine Anekdote: Als die thüringische Landesregierung unter Ministerpräsident Vogel kurz nach dessen Amtsantritt in der sogenannten „Föderalismuskommission" über die Verlagerung von Bundeseinrichtungen aus den alten in die neuen Bundesländer nachdachte, kam es zu einem unerwarteten Eklat. Vogel hatte die Forderung erhoben, die Zentrale des Goethe-Instituts nach Weimar zu verlegen. Nach der Vereinigung sei nun der Zeitpunkt gekommen, den Sachverhalt zu korrigieren, daß der Sitz der Zentralverwaltung des Goethe-Instituts nur auf Grund der deutschen Teilung in München sei. Ministerpräsident Vogel erregte mit dieser Nachricht erhebliches Aufsehen in der Öffentlichkeit. Die Mitarbeiter des Goethe-Instituts erteilten Vogels Ansinnen mit dem Hinweis auf die Autonomie der Mittlerorganisationen in der Auswärtigen Kulturpolitik eine Absage. Ein Umzug könne einem eingetragenen Verein wie dem Goethe-Institut ohne ein entsprechendes Mehrheitsvotum seines wahren Souveräns, der Mitgliederversammlung, von politischer Seite nicht verordnet werden. In der damaligen Debatte wurde schließlich sogar die Auffassung vertreten, daß „das Goethe-Institut seinen Namen eher zufällig trägt und mit Goethe selber (anders als die Goethe-Gesellschaft) im Prinzip gar nichts zu tun hat und daß somit auch der insinuierte symbolische Zwang, in Weimar ansässig zu sein, in keiner Weise gegeben ist."[1]

Diese Position, die jegliche inhaltliche Verbindung des Goethe-Instituts zu seinem Namenspatron leugnet, war damals wie heute überzogen und ist nur aus der hitzigen politischen Diskussion verständlich, in welcher es galt, den Zugriff der Politik abzuwehren. Zugegeben, der unmittelbare Bezug zu Goethe und zur deutschen Klassik mag in der Arbeit der Goethe-Institute oft nur schwer konkret faßbar sein. Schließlich stellt er nur einen unter vielen Themenschwerpunkten des Instituts dar. Die Wirklichkeit aber ist, wie immer, wesentlich komplizierter als jenes energische Dementi.

In den Mitteilungen der Deutschen Akademie hieß es noch: „Das Goethe-Institut der Deutschen Akademie zur Fortbildung ausländischer Deutschlehrer in München ist zur bleibenden Erinnerung an den hundertsten Todestag Johann Wolfgang Goethes als ein Denkmal des Dankes für die Lehrer der deutschen Sprache im Auslande gegründet worden. Es soll allen denen zur Vertiefung der Berufsausbildung und zur Mehrung praktischer Erfahrungen dienen, die deutschen Unterricht an Nichtdeutsche erteilen. Es will dem ausländischen Germanisten Gelegenheit bieten, deutsches Streben und Wirken persönlich kennenzulernen, die mündliche Beherrschung der deutschen Sprache zu vervollkommnen und mit deutschen Berufskollegen in Gedankenaustausch zu treten. Es hofft dadurch zu einem besseren Sichverstehen der Völker untereinander beizutragen."[2]

Der Wunsch, mit der Arbeit des Goethe-Instituts im Geiste Goethes mit den Partnern den Dialog zu suchen, in intellektuellen Austausch zu treten und auf diese Weise die gegenseitige Kenntnis bzw. das Verständnis einander fremder Kulturen zu verbessern, ist dem Hause auch am Ende des zwanzigsten Jahrhunderts als prägender Impetus erhalten geblieben. Vieles andere hat sich seitdem radikal verändert, auch wenn die Zielgruppe der Deutschlehrer im Ausland auch heute noch in Kursen zur Fachdidaktik und zahlreichen anderen Fortbil-

[1] Horst Harnischfeger: Vorwort. GI-Intern 2 (1992) S. 2. nach einer dpa-Meldung der Erklärung von Generalsekretär Horst Harnischfeger am 10.4.1992 in München.

[2] Mitteilungen der Deutschen Akademie Nr. 1 (Jahrgang 1932) S. 1.

dungsveranstaltungen betreut wird. Insgesamt haben sich die Aufgaben des Goethe-Instituts aber stark erweitert.
Doch es gibt ihn noch, jenen Ariadnefaden gedanklicher Kontinuität, jene ideengeschichtliche Tradition von Johann Wolfgang von Goethe zum Goethe-Institut. Selbstverständlich ist damit aber nicht ein ausschließlich auf den Dichter bezogenes Programm oder Kulturverständnis intendiert. Das Institut weiß sich gleichwohl in seiner Spracharbeit wie in seiner kulturellen Programmarbeit dem ideellen Vermächtnis des großen Dichters, Naturforschers und Politikers Johann Wolfgang von Goethe, dem Dichter des „West-Östlichen Divans“ und Theoretiker der „Weltliteratur“, verbunden. Doch damit stellen sich heute Herausforderungen besonderer Art. Das Institut ist mit der Aufgabe konfrontiert, in seinem Selbstverständnis und seiner Arbeitspraxis an den deutschen Klassiker und sein weltanschauliches Erbe produktiv anzuschließen, aber tut dies zugleich jenseits aller Monumentalisierung und Subordinationsphilologie. Die Anknüpfungspunkte für die Arbeit der weit über hundert Goethe-Institute in aller Welt liegen also woanders.

In drei Anläufen werde ich skizzieren, inwieweit Goethe die ideellen Fundamente für die Kulturarbeit des Goethe-Instituts gelegt hat. Dabei wird ersichtlich, daß Goethe unserem Hause wesentlich mehr ist als eine Bürde oder ein zufälliger Namenspatron.[3]

Kein Fremder nahet glücklich unserm Ufer: von alters her ist ihm der Tod gewiß.
(Iphigenie auf Tauris, Thoas, I. Akt, 3. Auftritt)

In einem der Schlüsseltexte der deutschen Klassik stößt man auf ein worst case-Szenario, das die Problematik kultureller Fremdheit in den Mittelpunkt rückt: Auf Tauris herrscht radikaler Fremdenhaß. Man tötet die Fremden sogar, opfert sie den Göttern. Xenophobie als erste Bürgerpflicht und elementarer Bestandteil religiöser Gesetze. Goethe wählt damit eine extreme Konstellation. Doch sie verdeutlicht in überspitzter Form, welche erheblichen Verständigungsprobleme im Umgang mit Kulturen auftreten können, die von anderen Grundwerten ausgehen. Angesichts einer derartigen Ausgangssituation stellt

[3] Peter Wapnewski: Goethe-Institut – Von der Bürde eines Namens. In: Joachim Sartorius (Hrsg.): In dieser Armut – welche Fülle! Reflexionen über 25 Jahre auswärtige Kulturarbeit des Goethe-Instituts. Göttingen: Steidl Verlag 1996. S. 19-22.

sich die moderne Frage, wie das Versprechen und Ideal der Humanität unter solchen Bedingungen eingelöst werden kann, wie das „zivilisatorische Minimum" (Enzensberger) in einer Welt, die von Barbarei geprägt ist, überhaupt eine Chance haben kann.

Denn als Fremde auf Tauris schwebt Iphigenie in höchster Gefahr. Auch sie soll auf dem Altar der Diana geopfert werden. Doch die Ankunft dieser Frau leitet eine neue Epoche in der Geschichte dieser Kultur ein. Kraft ihrer Persönlichkeit, ihrer Fähigkeit zum verständigungsorientierten Umgang, gelingt es ihr, den Fremdenhaß der Taurer zu zähmen. Das Ritual des Menschenopfers wird nach ihrer Ankunft vorläufig aufgehoben. Es wird durch Iphigenie „von Jahr zu Jahr mit sanfter Überredung aufgehalten" (Arkas I. Akt, 2. Auftritt). Es ist die Macht der Argumente und der Verständigung, die hier eingreift und letztlich ermöglicht, daß die Fremde menschlich behandelt wird. König Thoas schenkt ihr und ihren Landsleuten, schließlich umgestimmt, das Leben und bricht damit das geltende Gesetz. Die Begegnung mit dem Fremden, die Spannung zwischen den Polen des Eigenen und des Fremden, mündet hier in den Sieg der Menschlichkeit.

Der Text formuliert eine Alternative zur Xenophobie: Der Mensch löst sich aus seiner „selbstverschuldeten Unmündigkeit", überwindet die Grenzen der eigenen Kultur, deren archaische Praktiken und bestialischen, xenophoben Rituale, um statt dem Haß auf das Fremde der eigenen „Stimme der Wahrheit und der Menschlichkeit" zu folgen – ist dies nicht ein wahrhaft utopisches Programm für eine Politik der Verständigung zwischen Völkern und Kulturen?

Goethe war sich über die Grenzen der Verständigung durchaus im Klaren. Schließlich wäre mit der Hinrichtung der Griechen der Kulturdialog zu einem abrupten Ende gekommen. Das Drama reflektiert aber die notwendigen Bedingungen, die erfüllt sein müssen, damit Verständigung gelingen kann. Denn was sich statt eines Massakers abspielt, ist ein Kampf um Anerkennung. In Goethes Verständnis von interkultureller Toleranz werden Fremde und kulturell Fremdes nicht dem Zwang zur Assimilation unterworfen und ansonsten ausgegrenzt. Sie sind vielmehr Anlaß, den eigenen kulturellen Horizont zu erweitern.[4]

[4] Zu Goethe als Theoretiker der Interkulturalität und Alterität siehe auch Peter Matussek: Goethe zur Einführung. Hamburg: Junius 1998. Vgl. besonders S. 164-209. Hier S. 209. Siehe auch: Ingo Breuer/Arpad A. Sölter (Hrsg.): Der fremde Blick. Perspektiven interkultureller Kommunikation und

Verständigung wird erst möglich auf der Basis gegenseitiger Kenntnis voneinander, gegenseitiger Information über den kulturellen Kontext, die völlig anders gearteten Traditionen, Normen und Werte. Erst als sich den Protagonisten sukzessive der jeweils ganz andere kulturelle Hintergrund erschließt, wird der Grundstein für eine geglückte Verständigung gelegt.
Auf Iphigenies Argumente reagiert Thoas mit feiner Ironie: „Du glaubst, es höre der rohe Skythe, der Barbar, die Stimme (...)?" Doch Iphigenie entgegnet mit aufklärerischem Optimismus: „Es hört sie jeder, geboren unter jedem Himmel, dem des Lebens Quelle durch den Busen rein und ungehindert fließt" (V. Akt, 3. Auftritt). Hier artikuliert sich die Zuversicht, daß es trotz aller Bindungen an Traditionen jenseits von Nationalität und Partikularität eine allgemein menschliche Ebene gibt, zu der jeder, auch völlig unabhängig von kultureller Herkunft, Zugang findet.
In einem Brief vom 20. Juli 1827 an den schottischen Schriftsteller Thomas Carlyle, der in England deutsche Dichtung bekannt zu machen suchte, benennt Goethe implizit einen Auftrag, der für das Goethe-Institut geradezu programmatischen Charakter hat: „Eine wahrhaft allgemeine Duldung wird am sichersten erreicht, wenn man das Besondere der einzelnen Menschen und Völkerschaften auf sich beruhen läßt, bei der Überzeugung jedoch festhält, daß das wahrhaft Verdienstliche sich dadurch auszeichnet, daß es der ganzen Menschheit angehört. Zu einer solchen Vermittlung und wechselseitigen Anerkennung tragen die Deutschen seit langer Zeit schon bei."[5] Wenn sich Staaten zunehmend unter Berufung auf Kultur, Tradition und Religion definieren, dann ist der Kulturdialog zwischen den Staaten unerläßlich. Dann wächst der Vermittlungsbedarf zwischen Kulturen durch Dialog. Zugleich sind die Bedingungen, die Goethe im Drama für das Gelingen von interkultureller Verständigung ausbuchstabiert, in einem normativen Sinn für die auswärtige Kulturpolitik, die das Goethe-Institut wahrnimmt, bindend und verpflichtend.

Hermeneutik. Bozen: Edition Sturzflüge; Wien: Studien-Verlag 1997. (Essay + Poesie: Bd. 6).

[5] Johann Wolfgang von Goethe: Werke. Hamburger Ausgabe in 14 Bänden. München: DTV 1998. Bd. 12. S. 353, siehe auch: S. 362. Ein Jahr später erschien diese Passage in der Rezension von Carlyles „German Romance" (Kunst und Altertum, Sechsten Bandes zweites Heft).

Toleranz sollte eigentlich nur eine vorübergehende Gesinnung sein: sie muß zur Anerkennung führen. Dulden heißt beleidigen. (Maximen und Reflexionen)

Der internationale wie interkulturelle Austausch von Gedanken und Ideen macht nur Sinn, sofern er auf dem Prinzip der wechselseitigen Anerkennung basiert. Goethe betrachtet in seinen Reflexionen zum Dialog der Kulturen dieses Prinzip als eine Steigerung von Toleranz. Die bloße Duldung des Anderen ist zu wenig, man muß den Anderen vielmehr in seiner Individualität anerkennen, ihn sogar darin bestärken. Denn Goethe wußte, daß die gegenseitige Befruchtung der Kulturen nur gelingen kann, wenn die Vielfalt unterschiedlicher Perspektiven erhalten bleibt. Das Ziel jeder kulturellen Begegnung kann daher nicht darin liegen, die kulturellen Unterschiede einzuebnen, sondern besteht vielmehr darin, sie hervorzuheben. Denn erst die klaren Konturen erlauben, daß die Begegnung einander fremden Kulturen wirklich zu einer wechselseitigen Bereicherung führt.

„Die höchste Kultur (...) erwiese sich wohl darin: daß alles Würdige, dem Menschen eigentlich Werte, in verschiedenen Formen nebeneinander müßte bestehen können und daß daher verschiedene Denkweisen, ohne sich verdrängen zu wollen, in einer und derselben Region ruhig nebeneinander fortwandelten.“[6]

Der Kulturdialog pocht auf das Recht auf kulturelle Differenz. Schließlich erwächst aus der Basis einer Kultur, aus ihren historischen Wurzeln, Mythen, Traditionen, ihrer Sprache, ihren Werten auch eine Verantwortung für das Eigene. In diesem Sinne formuliert das neue Grundsatzpapier des Goethe-Instituts, das die Ziele und Aufgaben des Hauses bestimmt:

„Dialog und Zusammenarbeit, ein historisches Bewußtsein von der eigenen Kultur und die Aufgeschlossenheit für fremde Kulturen sind die Grundlage unserer Auslandskulturarbeit. Austausch im Sinne eines ausgewogenen, weltoffenen Gebens und Nehmens bleibt die oberste Maxime der Arbeit des Goethe-Instituts. Das Dialogprinzip bedeutet jedoch nicht, daß Positionen, auch Vorurteile der Dialog-Partner kritiklos übernommen werden. Kulturaustausch ist nicht möglich ohne Verantwortung für das Eigene. Dialog kommt zustande zwischen Partnern, die in ihren Interessen, Eigenarten und ihrem Selbstwertgefühl einander kenntlich sind.“

---

[6] Johann Wolfgang von Goethe: Die Schriften zur Naturwissenschaft. Hrsg. im Auftrag der Deutschen Akademie der Naturforscher von Dorothea Kuhn/R.Matthaei/W. Troll/K.L.Wolf. Weimar 1947ff. S. 285.

Goethes Patronat ist in diesem Sinne als Auftrag zu verstehen, als Mandat, als Verpflichtung und Herausforderung. Daraus erwachsen Aufgaben in mehrere Richtungen. Zum einen vermittelt das Goethe-Institut das Eigene, d. h. nationale Kultur im Ausland (ohne jedoch in eine Renationaliserung der auswärtigen Kulturpolitik zurückzufallen). Zum anderen nimmt das Goethe-Institut aber auch die menschenrechtliche und friedenspolitische Dimension seines Auftrags wahr, die das Nationale weit überschreitet. Die Arbeit des Goethe-Instituts – und dies gilt zugleich für die auswärtige Kulturpolitik unseres Landes insgesamt – ist insofern eine Investition in Völkerverständigung, in eine gemeinsame Zukunft, die auf einer besseren Kenntnis der Kulturen untereinander beruht. Sie darf dabei ihre wesentlichen Ziele – Verständigung, Vertrauensbildung, Friedenssicherung – nicht aus den Augen verlieren.
Daraus leitet sich die Aufgabe ab, die Kultur in Inhalt, Form und Vielfalt, wie sie sich in Deutschland frei von staatlicher Einflußnahme ereignet, spiegelbildlich auch im Ausland zu präsentieren. Einen besonders tiefen und nachhaltigen Zugang zur Wirklichkeit und Kultur eines Landes kann das Goethe-Institut etwa eröffnen, indem es durch namhafte Persönlichkeiten des öffentlichen und akademischen Lebens, insbesondere durch führende deutsche Intellektuelle, Politiker, Akademiker über die deutsche Gesellschaft der Gegenwart informiert. Zugleich werden dabei internationale Netzwerke mit den Eliten vor Ort geknüpft. Das ist der Grund, warum das Goethe-Institut im Ausland die deutsche Kulturlandschaft mit Jürgen Habermas, Durs Grünbein, Ingo Schulze, Marcel Beyer, Tom Tykwer, Sasha Waltz oder den DJ Westbam mit Rainald Goetz vorstellt.[7]
Dabei zielen unsere Kulturveranstaltungen darauf, daß die öffentliche Bearbeitung von kulturellen Differenzen zum Anstoß für Selbstreflexion auf beiden Seiten wird. Weil die jeweils andere Sicht auf den deutschen und europäischen Beitrag auch uns bereichert, suchen wir in Kairo, Istanbul, Jakarta das Gespräch mit Vertretern des politischen Islam, konfrontieren wir in Asien die dortigen Intellektuellen mit deutschen Perspektiven zur Frage der „asiatischen Werte“. Der lang-

[7] Vgl. Hilmar Hoffmann: Zum Beispiel Deutschland. Kulturelle Programmarbeit und weltweite Lerngemeinschaft: Ein Plädoyer in eigener Sache. Süddeutsche Zeitung 19. Juni 1998. S. 15. Siehe auch: Weder Vatikan noch Weißes Haus. Die Berliner Republik braucht keinen Kulturpapst: Ein Gespräch mit Außenminister Klaus Kinkel und Hilmar Hoffmann, dem Präsidenten des Goethe-Instituts. FAZ Nr. 204 vom 3. September 1998. S. 42-43.

fristige Einsatz des Goethe-Instituts z. B. für das deutsche Tanztheater, für die Klassiker der deutschen Philosophie von Kant bis zur Frankfurter Schule, für den deutschen Film der 20er und 70er Jahre geschieht nicht aufgrund einer zentralen PR-Strategie, eines Kanons oder gar einer „Weltanschauung", sondern ist angeleitet durch die kontinuierliche Nachfrage unserer Partner an den Institutsstandorten. Es geht also nicht um einen Kulturexport. Durch sein weltumspannendes Institutsnetz wird die Aufgabe des Goethe-Instituts definiert: The Art of being local world-wide. Die Kulturprogramme des Goethe-Instituts im Ausland werden grundsätzlich im Dialog mit den Partnern des Gastlands durchgeführt. Die Qualität kultureller Zusammenarbeit bemißt sich immer auch daran, inwieweit sich unsere eigene Kultur gegenüber ausländischen als lernfähig und aufnahmebereit erweist. Es gilt, die kulturellen Interessen und Bedürfnisse des Gastlandes wahrzunehmen und in gemeinsamer Planung Programme zu gestalten, die für beide Seiten neue Perspektiven und Einsichten einbringen. Sache des Goethe-Instituts ist es insofern, seine ureigenste Aufgabe, den interkulturellen Dialog, als eine kooperative, von offener Neugier gegenüber fremden Kulturtraditionen geprägte Lernkultur zu gestalten. Deshalb stehen Themen wie Strategien für eine überlebensfähige und -werte Gesellschaft, ein gemeinsames Nachdenken über die Gestaltung des zukünftigen Europa dabei im Mittelpunkt.
Denn durch die Kultur- und Spracharbeit des Institutsnetzes entwickeln sich weltweit Bindungen und Sympathien zu Deutschland, die wir dringend benötigen. Emotionen, Sympathien, kognitives Kennen, Rückwirkung und Dialog – all dies bedarf der echten Begegnung. Sie braucht einen Raum, der friedliches Nebeneinander ermöglicht. Es wäre geradezu fahrlässig, den unschätzbaren Wert dieser Netze der gegenseitigen Kenntnis und Sympathie zu ignorieren. Diesen Begegnungsraum zu sichern und zu gestalten, darin liegt die wichtigste Aufgabe für Goethes Erben.

Überall hört und liest man von dem Vorschreiten des Menschengeschlechts, von den weiteren Aussichten der Welt- und Menschenverhältnisse. Wie es auch im Ganzen hiemit beschaffen sein mag, welches zu untersuchen und näher zu bestimmen nicht meines Amts ist, will ich doch von meiner Seite meine Freunde aufmerksam machen, daß ich überzeugt sei, es bilde sich eine allgemeine Weltliteratur, worin uns Deutschen eine ehrenvolle Rolle vorbehalten ist." [8]

---

[8] Johann Wolfgang von Goethe: Werke. Hamburger Ausgabe in 14 Bänden. München: DTV 1998. Bd. 12. S. 361.

Als Goethe 1827 den Begriff „Weltliteratur" prägte, meinte dies bekanntlich nicht die Lektüre und Aneignung fremder Literatur oder die Summe der Nationalliteraturen. Er hatte mit diesem Terminus ebensowenig die Entwicklung eines Kanons von literarischen Meisterwerken aller Völker mit ewiger, universaler Geltung im Sinn. „Vielmehr schwebte ihm ein globaler Kommunikationsverbund vor, in dem Schriftsteller und Literaturen der Völker in einem beständigen Austausch des Gebens und Nehmens lebten. Die Beschränkung aufs Eigene und Begrenzte sollte hinfällig werden, ohne daß das je Eigentümliche eingeebnet würde oder gar verloren ginge."[9]

In einer Phase, als die deutsche Nationalbewegung erstarkte, propagierte Goethe die Grenzüberschreitung, den lebhaften Austausch und die globale Vernetzung auf dem Wege der Literatur. In diesen programmatischen Gedanken über eine Kultur, die keine nationalen Grenzen kennt, formuliert Goethe als Theoretiker der „Weltliteratur" zugleich seine geistige Alternative zum Ethnozentrismus. Er beschreibt damit trefflich – sofern wir pars pro toto gleich die gesamte intellektuelle und künstlerische Elite mitdenken – auch die Aufgaben unserer Arbeit an den Goethe-Instituten weltweit: Am internationalen geistig-künstlerischen Austausch aktiv teilzunehmen, die weltläufigen Verbindungen zu pflegen, nachhaltige Strukturen für den künstlerischen und wissenschaftlichen Dialog zum Gastland zu legen, dazu aufzurufen, die geistige Selbstbezogenheit zu überwinden, den Blick auf die ungeheure kulturelle Vielfalt dieser Welt zu richten, sich diese im Dialog anzueignen, anstatt sich bloß aufs Heimische zu beschränken – all dies hat sich auch das Goethe-Institut auf seine Fahnen geschrieben.

Mit dem Ideal gelingender transnationaler Kommunikation weiß sich das Goethe-Institut in seinem Selbstverständnis und seiner Aufgabenbeschreibung dem Vermächtnis seincs Namenspatrons verbunden. Die Idee eines globalen Kommunikationsverbundes qua Kultur zu fördern, auf internationale kulturelle Wechselwirkungen und gegenseitige Bereicherung zu zielen, ist auch das Anliegen des Goethe-Instituts. Dabei wird die weltweite Kulturarbeit im weitesten Sinn von der Hoffnung getragen, daß die Internationalisierung der Verständigungs- und Austauschprozesse dazu beitragen kann, Konflikte und den Umgang mit kulturellen Unterschieden human zu bewältigen.

---

9 Karl-Otto Conrady: Goethe. Leben und Werk. Frankfurt/Main: Athenäum 1981 & 1985. Bd. II, S. 498.

Der Theoretiker der „Weltliteratur" hat vorgedacht, wie auf dem Feld der Kultur Angehörige fremder Kulturen in produktiver Weise voneinander lernen können. Idee und Ideal des internationalen kulturellen Austauschs sind zur Zeit Goethes und im Kreis der Weimarer entstanden. Sie wurden vom Namenspatron des Instituts und durch viele seiner Freunde und Zeitgenossen besonders glänzend repräsentiert. Mit ungezwungener Selbstverständlichkeit schließt der Namensgeber Goethe insofern den kulturgeschichtlichen Geist seiner Zeit und andere Namen ein: Schiller und Kant, Wieland, Lessing und Herder, Mozart, Beethoven und Schubert.

An diese Tradition schließt das Goethe-Institut an. Weil wir uns diesem Vermächtnis verpflichtet fühlen, wählen wir das Beste aus dem deutschen Beitrag zum europäischen Humanismus aus, um es in der ganzen Breite seiner geistigen und künstlerischen Ausformung im Ausland darzubieten. Im Geist Goethes ist es unser Anliegen, einer Humanität zur Wirkung zu verhelfen, die diesen Impetus auch dann atmen läßt, wenn von ästhetischen Zeugnissen, der sozialen Realität und historischen Abläufen unserer Zeit die Rede ist.

Goethes eigenen globalen kulturellen Horizont und die Öffnung seines ästhetischen Gesichtskreises betrachtet das Goethe-Institut als eine Herausforderung für seinen eigenen Auftrag. Die hohe Bereitschaft, Fremdes zu rezipieren, sich im Dialog anzueignen, sich als Grenzgänger zwischen verschiedenen Disziplinen, zwischen Traditionen und Kulturen zu bewegen, erfordert eine mentale Mobilität, die es zu fördern gilt. In kosmopolitischer Weite öffnete er sich nicht nur der englischen, französischen, italienischen und spanischen, sondern auch der polnischen, böhmischen und serbischen Literatur. Von den Werken der altpersischen Dichtung Hafez' und dessen Liedersammlung („Divan") angeregt, versenkt er sich in die Welt des Orients. Bereits der Titel der Gedichtsammlung hat programmatischen Charakter. Goethe behält die persische Bezeichnung „Divan" bei und zeichnet die Begegnung zweier Kulturkreise vor. Von der altindischen bis zur chinesischen Literatur hat er sich in die Kulturen vieler Epochen und Weltteile vertieft. Aus dieser Annäherung entsteht der Zyklus „Chinesisch-deutsche Jahres- und Tageszeiten" von 1827.

Goethes Lebenswerk als Vermächtnis verstanden lehrt: Wir müssen mehr als bisher den Austausch und die Vermittlung, das heißt das Übersetzen zwischen den Kulturen als zentrale Aufgabe begreifen. Denn in den zahlreichen Begegnungen, die das Werk Goethes durchziehen, zeigt sich, wie der Kulturdialog zur wechselseitigen Bereicherung, zur gegenseitigen Befruchtung beiträgt. In diesem Zugang zu fremden Kulturen offenbart sich Goethes Verständnis von interkultureller Toleranz. Es fußt in seinem Humanitätsgedanken, der eine Absage an jedwede „Weltsendung der Deutschen" impliziert. Humanität bedeutet für Goethe „weltbürgerliche Offenheit gegenüber allen menschlichen Kulturen".[10] Nie erhalten die Begriffe „Orient" und „Okzident" deshalb eine pejorative Färbung. Auch sein Interesse für den Islam blieb unvoreingenommen. In seinen Studien eignet sich Goethe als Dichter Motive der fernen Kultur und Religion an. Sie werden mit seinen künstlerischen Ausdrucksmöglichkeiten verknüpft und zur eigenen Welt, zum abendländischen Kulturkreis, zur eigenen Gesellschaft und zum eigenen Erbe in ein Verhältnis gesetzt. All dies versteht das Goethe-Institut als Ideal und Vorbild.

> „Wer sich selbst und andre kennt
> Wird auch hier erkennen:
> Orient und Okzident
> Sind nicht mehr zu trennen."
> (West-östlicher Divan)

Goethe wußte um die heranziehende Vernetzung in einer globalisierten Welt und befürwortete sie. Gleichzeitig glaubte Goethe im Rahmen seines Polaritätsdenkens an die Möglichkeit, eine Vereinigung des Heterogenen, oft Antithetischen zu erreichen. Aus seiner Diagnose, daß Orient und Okzident nicht mehr zu trennen sind, erwächst ein auch heute gültiger Auftrag: „sinnig zwischen beiden Welten sich zu wiegen (...); also zwischen Ost und Westen sich bewegen" (West-östlicher Divan). Der hierin verborgene Imperativ formuliert die Bestimmung des Kulturmittlers.
„Lebt wohl!", lautet schließlich der freundliche Abschiedsgruß des Thoas an Iphigenie und die Ihren. Die xenophoben Rituale, die grausamen Menschenopfer sind überwunden. Die genaue Kenntnis und das daraus hervorgehende, tiefere Verständnis einer anderen Kultur bergen hier den Schlüssel für den friedlichen, zivilen Umgang der Menschen miteinander. Denn Goethe wußte, daß es die Übersetzer sind, denen als Vermittlern zwischen den Welten, als Deeskalateuren zwischen den Kulturen, die Zukunft gehört.

---

[10] Thomas Zabka: Humanität. In: Bernd Witte, Theo Buck, Hans-Dietrich Dahnke, Regine Otto, Peter Schmidt (Hrsg.): Goethe Handbuch. Personen, Sachen, Begriffe 4/1. Stuttgart: Metzler 1998. S. 498-501. Hier S. 499.

Hilmar Hoffmann

Goethe braucht kein Denkmal

Es wird zu den Ritualen des Goethejahres gehören, daß dem beflissenen Preis der Leistungen unseres Klassikers auch der nicht minder beflissene Spott beigesellt wird. Beide Positionen werden dieser Klassik natürlich nicht gerecht. Sie kann aber, und dies gilt nicht nur für Goethes Werk, deshalb getrost darüber triumphieren, weil sie auch einer aktuellen Aneignung noch gut standhalten kann.

Die Geschichten unseres informellen Bildungskanons müssen freilich nicht nur immer wieder neu erzählt, sondern auch neu gewichtet werden. In der Neuinterpretation werden die Themen der Klassik Teil der Themenskala und der Problemfelder unserer Gegenwart. Ihre Qualität als „offene Kunstwerke" wird auch nicht dadurch abgeschwächt, daß die Epochen sie je unterschiedlich interpretieren. Auch wenn jede Epoche das Recht hat, souverän mit ihnen umzugehen, stehen sie gleichwohl unversehrt der abermaligen Aneignung zur Verfügung. Weil ihnen Qualität immanent ist und weil sie „klassisch" „sind, halten sie das aus – und umgekehrt: Nur wenn sie es aushalten, lohnt die Beschäftigung mit ihnen. Das sind Binsenweisheiten.

Es gibt kein Verfallsdatum für Ideen und Visionen – im Gegenteil! So zeichnet sich z. B. die Philosophie aus durch einen mehr als zweitausendjährigen Konsens in der Nichtübereinstimmung bei Grundsatzfragen: Was ist der Mensch? Was kann er? Was will er? Zeitlos sind jene analogen vier Fragen von Immanuel Kant: Was kann ich wissen? Was soll ich tun? Was darf ich hoffen? Was ist der Mensch?[1]

Grundfragen des Menschseins müssen immer wieder neu gestellt, für jede Zeit, für jede Situation und jede Generation neu beantwortet werden. Vielleicht müssen sie auch nur offen gehalten werden, damit nicht voreilige endgültige Antworten den Horizont Zukunft verstellen. Und just da im Ungewissen ist auch der Unterschied zwischen Information und Wissen, ja auch zwischen *Wissen* und *Erkenntnis* zu finden.

---

[1] Vgl. Berthold, Lothar (Hg.): Zur Architektonik der Vernunft. Akademie Verlag Berlin 1990, S. 5.

Im Goethe-Institut, dem weltweit tätigen Institut zur Pflege der deutschen Sprache im Ausland und zur Förderung der internationalen kulturellen Zusammenarbeit, wurde vor einiger Zeit darüber diskutiert, wie wohl die Gewichte zu verteilen wären zwischen den ästhetischen und literarischen Gestaltungen (das „Erbe" eingeschlossen) und den die Kultur aus Deutschland prägenden Charakteristika von Alltag und Lebenswelt. Solche Auseinandersetzungen machen nur dann Sinn, wenn damit die Frage verbunden ist, womit sich denn die Potenzen für den Umgang mit der Gegenwart und für den kulturellen Dialog erhöhen und verbessern ließen. In diesem Kontext ist für mich ausschlaggebend: Die Traditionen der deutschen Geistesgeschichte sind mit unserem Namensgeber und den Traditionen der Weimarer Klassik nicht nur dekorativ präsent. Indem wir nach dem heute noch Gültigen bei den Klassikern fragen, aktualisieren wir sie für die Gegenwart.
Neben der pflichtgemäßen Feier-Literatur wird es 1999 eine gewiß nicht unerkleckliche Zahl von recht fruchtbaren Aneignungen Goethes geben. Ich möchte einige Trends herausgreifen, die mir auch im Zusammenhang mit der internationalen Arbeit des Goethe-Institut besonders interessant erscheinen.
Unsere Weimarer Klassiker haben in einer Zeit großer Umbrüche wie in einer Nußschale sich der menschlichen und universalen Fragen impulsgebend und wegweisend so intensiv angenommen, daß ihr Denken uns auch heute immer wieder herauszufordern vermag. Sie waren, um eine heute inflationierte Vokabel aufzugreifen, innovativ.
Freilich sind Innovationen kein Selbstzweck. Kulturelle Innovationen sind notwendig, wenn immer es darum geht, Probleme zu bewältigen. Üblicherweise helfen die tradierten Strukturen von Kultur und Bildung den Menschen, aus der Vielzahl der ihnen gebotenen Handlungsmöglichkeiten eine Auswahl zu treffen. Kontingenz wird reduziert durch die Orientierung an Standards und Werten, an Symbolen und Normen. In solchem Kontext sind Innovationen aber eher kontraindiziert, weil sie Verunsicherung mit sich bringen.
Gleichzeitig *sichern* und *erweitern* Kultur und Künste aber auch Spielräume, indem sie den Menschen bewußt machen, daß sie nicht in einem Käfig von biologischen, geographischen, ökonomischen oder psychischen Zwängen handlungsunfähig gefangen sind. Künste imaginieren die Höhen und Tiefen alles dessen, was Menschsein bedeutet. Weil Künste und Kultur so auch Spielräume öffnen und Kontingenz sichern, sind Kulturen nie geschlossene Systeme,

sondern dynamische Gebilde; sie besitzen die Fähigkeit zur überlebenssichernden Innovation.
Wo das Gleichgewicht einer Kultur aus den Fugen gerät, besteht wachsender Bedarf für Innovationsschübe. Nicht Technik, nicht Ökonomie, nicht politische oder militärische Macht allein entscheiden über die Zukunftsfähigkeit der Gesellschaft und über die Qualität unseres individuellen Lebens: Sie gaukeln uns alternativlose Sachzwänge bloß vor. Die Künste aber erinnern uns an die Freiheit der Entscheidung, indem sie uns zeigen, daß es auch anders geht; sie ermutigen uns damit sogar, zerstörerische Sachzwänge durch eigenes Handeln zu überwinden. Die Künste geben den Menschen, die ihnen in ihrem Leben Raum geben, mit ihrem Diskurs die Freiheit und die Würde zurück. Die Geistes- und Kulturwissenschaften sekundieren ihnen dabei durch den Nachweis der Vielfalt von Möglichkeiten menschlicher Lebensweise.
Die deutsche Klassik kann als eine Phase erinnert werden, in der in außerordentlicher Weise diese Innovationksraft der kulturellen Sphären aktiviert wurde. Ekkehard Krippendorf hat die gesellschaftspolitische Dimension der intellektuell-künstlerischen Innovationen dieser Epoche plausibel herausgearbeitet. Er legt Wert auf das historisch neue Versprechen der deutschen Klassik, Politik nicht nur macchiavellistisch aus Machtstreben zu begründen und auch nicht nur politökonomisch als Mittel zur Durchsetzung ökonomischer und gesellschaftlicher Interessen zu rechtfertigen, sondern mit dem „erregenden Versprechen, dem ganz und gar neuartigen Versuch, Politik allein zur Beförderung geistig-kultureller Werte zu betreiben und sie nur zu diesem Zwecke zu legitimieren."[2]
Daß Goethe im überschaubaren Raum von Weimar wirkte, anstatt eine Diplomatenlaufbahn in Frankreich anzustreben,[3] ist für Krippendorf kein Zufall; es hängt vielmehr mit dem Einfluß Johann Gottfried Herders zusammen, von dem Goethe seit seiner Straßburger Zeit viel Anregungen empfangen hat, aber wohl auch mit dem Interesse an den Ideen von Justus Möser, der die übersichtliche Welt der kleinen Staaten und Gemeinschaften verteidigte – freilich mit jenem

---

[2] Krippendorf, Ekkehart: Für eine dritte Begründung der Politik. Bezugspunkt Deutsche Klassik. Ein Vorschlag zum historischen Nachdenken über Maßstäbe, Werte und Perspektiven. Freitag Nr. 39 v. 19.9.1997; vgl. auch ders.: „Wir wissen mit Goethes Radikalität nichts anzufangen." In: Frankfurter Rundschau v. 21. März 1987, Dok.

[3] Vgl. Matussek, Peter: Goethe zur Einführung. Hamburg: Junius 1998, 81.

Goethe empfindet Berlin als Quelle des Krieges
(Andreas Schlüter, Sterbende Krieger)

patriarchalischen Gestus, der später der Klassik nicht mehr genügen konnte.

In den aktuellen heutigen Auseinandersetzungen um die Folgen der Globalisierung kommt es nicht von ungefähr ebenfalls wieder zu einer Aufwertung der regionalen Lebenswelten.

Dabei läßt sich durchaus an die Klassik anknüpfen, wie des Hannoveraner Germanisten Leo Kreutzer Plädoyer „Für die Phantasie des Lokalen" belegt.[4] Wenn es heute auf ein Umlenken des Laufs der Geschichte in Richtung auf nachhaltige Entwicklung ankommt, dann läßt sich dafür ebenso gut an Aufklärung und Klassik anknüpfen wie beim Diskurs um die scheinbar entgegengesetzte Programmatik von „Weltbürgertum", die wir in gleicher Weise in der Klassik finden können; man denke an Goethes Programm der Weltliteratur.

Das kosmopolitische Denken muß im Zusammenhang mit anderen Ideen der Klassik gewürdigt werden, um zu erkennen, wie dort in einer dialektischen Verschränkung von Lokalem und Weltläufigem Globalität und Lokalität sich gegenseitig durchdringen.

Diese Sicht der dialektische Dinge steht zu Zeiten der Klassik in deutlichem Spannungsverhältnis zur gleichzeitig stattfindenden machtpolitisch orientierten Modernisierung in Europa. Mit ihr sympathisierte auch Karl August von Weimar, der gleichwohl um ihre Gefahr für sein bescheidenes Weimar wußte. Ort dieser Modernisierungen in Deutschland war zur gleichen Zeit das Berlin der siebziger Jahre, wohin 1778 Goethe (zum ersten und letzten Mal) und Carl August sich aufmachten, um Informationen über die Kriegsgefahr im Streit um die Bayerische Erbfolge zu sammeln.[5] Berlin wird von Goethe als Quelle des Kriegs empfunden und als Zentrum einer beängstigenden ruhelosen Fortschrittsdynamik, einer „veloziferischen" Moderne, also derjenigen einer Vereinigung von Velocitas (Geschwindigkeit) und Luzifer. Deren sechs Gespenstern „Benutzen,

---

[4] Kreutzer, Leo: Für die Phantasie des Lokalen. Rehabilitierung eines Begriffs. Klassik als Laboratorium einer Dialektik des Globalen und des Lokalen. Lockerungsübungen im eigensinnigen Stellungskrieg gegen eine weltweite Angleichung. In: Freitag Nr. 43 v. 17.10.1997, 12 und Kreutzer, Leo: Phantasie des Lokalen. Globalisierungsdiskurs in der Goethezeit - Afrikaner befragen deutsche Literatur nach alternativen Entwicklungsoptionen. In: epd Entwicklungspolitik 22/1997, 16-19.

[5] Vgl. Osten, Manfred: „In ganz Europa kein so gottloser Ort". Goethe als Berlinverweigerer. In Freitag Nr. 47 v. 14. Nov. 1997, 12.

Krieg, Verzehren, Technik, Wissen, Verstand" huldigt auch Faust mit dem Wort „Fluch vor allem der Geduld".[6]

Jene deutsche Klassik ist zwar unterlegen, aber nicht widerlegt. Deshalb ist der Hinweis auf die Kritik, die sie an Berlin übte, auch nicht als Polemik gegen die „Berliner Republik" zu werten. Berlin kann sich schließlich auch auf die anderen Zweige der Klassik berufen, auf Wilhelm von Humboldt,[7] auf die preußischen Reformen oder auf andere Phasen seiner bewegten Geschichte, etwa die Zeit Adolph Menzels und Theodor Fontanes oder später jene der *roaring twenties*.

Als die Klassik ihre Entwürfe vorlegte, schien die Entwicklungsbahn Europas für die erwartete Zukunft weitgehend identisch mit derjenigen der übrigen Welt - insoweit waren sie alle Erben der Aufklärung. Inzwischen können wir *davon* nicht mehr mit Selbstverständlichkeit ausgehen. Aber noch intensiver als damals wissen wir um die Abhängigkeit unserer zukünftigen Trajektorie von derjenigen der anderen.

Angesichts der extremen dynamischen Veränderungen sind heute weltweit nicht nur technische und politische, sondern auch außerordentliche intellektuelle und kulturelle Innovationen nötig. Sie mögen von gleicher Intensität sein wie jene der Klassik, als die feudalbürokratische Welt unter den Schlägen der Französischen Revolution und den Ideen der Aufklärung zusammenbrach.

Nicht zuletzt deswegen kann Klassik wieder interessant werden. Dies wird sie freilich nur in der lebendigen Aneignung und eben nicht als Kanonbestandteil, denn nach Hannelore Schlaffer markiert der Kanon das Ende eines geistigen Abenteuers.[8]

Dies war 1997 der Ausgangspunkt der Debatte „Letzte Ausfahrt Weimar. Bezugspunkt Deutsche Klassik" in der Ost-West-Wochenzeitung Freitag, aus der die vorausgegangenen Zitate von Krippendorf, Osten und Schlaffer stammen.[9] *Weimar weiterdenken* bedeutet,

---

[6] Osten a.a.O.

[7] Vgl. Irma Hanke: In weltbürgerlicher Absicht. Wilhelm von Humboldt. In: Freitag Nr. 50 v. 5.12.1997, S. 12.

[8] Schlaffer, Hannelore: Klassik - woher nehmen? (zu Ulrich Greiners Zeit-Umfrage vom Mai 1977 über den Lektürekanon in deutschen Schulen). In: Freitag Nr. 47 v. 14. Nov. 1997, S. 12; ähnlich auch Dresen, Adolf: Klassiker-Verramschung. Wo nur das Neue zählt. Normbruch wird zur Sache des Gruppendrucks. In: Freitag Nr. 45 v. 31. Oktober 1997, S. 12.

[9] Begonnen mit Krippendorf (s. Anm. 2). Außer den genannten Beiträgen trugen noch bei: Haslinger, Josef: Ausfahrt Weimar gesperrt. Freitag Nr. 48 v.

diese Klassik als Provokation für das moderne Denken zu erschließen. Goethes *Faust* z. B. bietet eine Menge von Anknüpfungspunkten dafür – etwa die wirklich aufregenden Szenen mit *Philemon und Baucis* am Schluß von Faust II, Goethes „Hauptgeschäft" bis ins hohe Alter.[10] Sie sind mir in der Krise der von Faust repräsentierten Moderne auf außerordentliche Weise neu aktuell geworden.
Albrecht Schöne erinnert an die verschiedenen Lesarten dieser Szene – die Feier des Unternehmer-Ingenieur des Wilhelminischen Zeitalters hat sich darin wiedergefunden, ist doch Faust für diese Zeit der „Prototyp eines modernen Ingenieurs und Unternehmers".[11] In der Formel „Solch Gewimmel möcht ich sehn, / Auf freiem Grund mit freiem Volke stehn" (11572) erkennt sich auch die sozialistische Utopie. Aber dieser Akt des Faust II beschreibt ja nicht zuletzt das schaurige Schicksal der beiden Alten Philemon und Baucis, die Mephisto samt dem Fremdling, der sie verteidigen will, in ihrem Hüttchen verbrennen läßt. Als „Residuum eines traditional gelungenen gesellschaftlichen Naturverhältnisses" werden sie vom „Generalbevollmächtigten" „warmsaniert".[12]
Für Philemon und Baucis bringen die fortschrittstrunkenen Interpretationen nur Mitleid auf, oder sie trösten sich mit jener Benjaminschen Maxime, daß jedes Zeugnis der Kultur gleichzeitig auch eines der Barbarei ist – leitet sich doch auch die Szene mit dem brennenden Häuschen mit den unvergeßlichen Versen von Lynkeus dem Türmer ein:

> „Zum Sehen geboren,
> Zum Schauen bestellt."

---

21. Nov. 1997 – er setzt sich keptisch mit den Hoffnungen der Kulturpolitik auseinander; von Norbert Blüm wird eine Rede auf Hilde Domin beigesteuert (Blüm, Norbert: Politisch Lied, ein garstig Lied? In: Freitag Nr. 49 v. 28. Nov. 1997, S. 12); Glaser, Hermann: Klassik - ganz persönlich. Der Weg zu Goethe. Freitag Nr. 51 v. 12.12.1997, 12, und Harig, Ludwig: Der freie Gebrauch des Eigenen. Dem Menschen nahe. Eine autobiographische Auseinandersetzung mit Grundsätzen der Klassik. A.a.O. S. 13.

[10] Vgl. Schöne, Albrecht: Goethes Hauptgeschäft. Vortrag ... bei der Verleihung der Goethe-Medaillen 1995 in Weimar. Goethe-Institut, München 1997.

[11] Kreutzer, Leo: Tod durch Globalisierung. Woran Philemon und Baucis in „Faust II" sterben. In: epd Entwicklungspolitik 22/1997, S. 24-28, S. 26.

[12] Kreutzer S. 25.

Warum eigentlich gibt Faust seinem Generalunternehmer Mephisto den Auftrag: „So geht und schafft sie mir zur Seite!" (11273). Ein wirkliches Hindernis für die abgeschlossene erste Phase der Kultivierung bedeuten sie ja nicht. Ist es also bloß der Wunsch, auf dem Hügel, wo sie wohnen, einen Luginsland zu errichten? Oder ist es der Neid auf die Idylle? „Die wenig Bäume, nicht mein eigen, / Verderben mir den Weltbesitz", klagt Faust (11238 f). Ist's der Machtrausch, den Mephistopheles benennt, wenn er triumphiert:

Man hat Gewalt, so hat man Recht.
Man fragt ums Was und nicht ums Wie!

Faust selbst deutet ein humanitäres Programm der Zwangsmodernisierung an: „Tausch wollt ich, wollte keinen Raub!"
Albrecht Schöne macht darauf aufmerksam, daß Goethe mit den Worten, das Refugium der Alten sei ihm *Dorn den Augen, Dorn den Sohlen,* auf das 4. Buch Mosis anspielt, wo der Herr den Kindern Israel gebieten läßt, Kanaan einzunehmen und seine Einwohner zu vertreiben: Denn sonst werden „die, die ihr übriglaßt, zu Dornen in euren Augen und zu Stacheln in euren Seiten und werden euch bedrängen in dem Lande, in dem ihr wohnt."[13]
Aber Schöne stellt auch die Verbindung her mit dem Totalitätsanspruch der Herrschaft der Moderne. Er wird schon erkennbar, als Faust angesichts der ihm nutzlosen Gewalt der Meereswogen den Plan zur Kultivierung entwickelt:

Da herrschet Well auf Welle kraftbegeistert,
Zieht sich zurück, und es ist nichts geleistet!
Was zur Verzweiflung mich beängstigen könnte:
Zwecklose Kraft unbändiger Elemente! (10213 f.)

Der gewalttätige und keine Ausnahme duldende Herrschaftsanspruch der Moderne ruft uns Schillers mahnende Skepsis in Erinnerung, dessen *Briefe zur ästhetischen Erziehung des Menschen* angesichts der Erfahrungen der Französischen Revolution die Herrschaft der praktischen Vernunft relativieren:[14] „Einheit fordert zwar die Vernunft, die Natur aber Mannigfaltigkeit, und von beiden Legislationen wird der Mensch in Anspruch genommen." Gegen den Terror der ökonomischen Vernunft, gegen diejenigen, „die keinen andern Maßstab des Wertes kennen als die Mühe der Erwerbung und

---

[13] Schöne (s. Anm. 10), S. 7.

[14] Schiller, Friedrich: Über die ästhetische Erziehung des Menschen (1793/94), zit. nach F.S.: Gedichte, Prosa, hg. v. Benno v. Wiese, Frankfurt am Main 1961, 481-576, 4, 490.

den handgreiflichen Ertrag....", argumentiert er mit dem Prinzip des Gegenspieler-Modells: „Die mannigfaltigen Anlagen im Menschen zu entwickeln war kein anderes Mittel, als sie einander entgegenzusetzen. Dieser Antagonism der Kräfte ist das große Instrument der Kultur..." Die „Einseitigkeit in der Übung der Kräfte" führt nur für die Gattung zur Wahrheit, für das Individuum aber zum Irrtum. „Kann aber wohl der Mensch dazu bestimmt sein, über irgendeinem Zwecke sich selbst zu versäumen?" Darüber nachzudenken fordert Schiller uns auf.
Leo Kreutzer betont, daß Philemon und Baucis weder die einzigen Opfer Fausts sind, noch die letzten Opfer der Modernisierung. „In dem ‚allgewaltigen Willen', mit dem er sich dort der beiden Alten entledigt, scheint immer noch etwas von dem wirksam zu sein, was ihn einst für das junge Mädchen zum furchtbaren Liebhaber hatte werden lassen. Indem diese Antriebe eine Verbindung mit der ökonomischen, wissenschaftlich-technischen und administrativen Rationalität Fausts eingehen, werden sie zur globalen Bedrohung für ‚seitwärts' gelegene Lebenswelten. Mit dem letzten Akt seines ‚Faust' hat Goethe die literarische Urszene einer frenetischen Beseitigung ‚veralteter' Lebenswelten durch die Begeisterung für Großbaustellen geschrieben. Für die Verbreitung dieses Szenarios in allen Literaturen der Welt hat seither eine Globalisierung entsprechender Erfahrungen gesorgt."[15] Der afrikanische Autor Elias O. Dunu, in Deutschland studierend, beklagt, „mit welcher Aggressivität die Moderne in traditionale Lebenswelten eindringt"[16] – das dürfte für die chinesische Zwangsmodernisierung der Tibeter genauso zutreffen wie für die kapitalistische Modernisierung anderswo.
In der Dialektik von Globalisierung und Regionalisierung ist die Zeit gekommen, dies nicht mehr nur als unausweichliche Tragik für nettbeschauliche kleine Lebenswelten zu empfinden – es ist ein Verbrechen nicht nur an den Opfern Philemon und Baucis, sondern auch an den Zukunftschancen der Menschheit. Javier Pérez de Cuéllar, ehemaliger UN-Generalsekretär und Leiter der Weltkommission für Umwelt und Entwicklung, schreibt im Vorwort des Berichtes dieser Kommission: „Schon im Jahr 1988 waren wir uns

[15] Kreutzer (s. Anm. 11), S. 28.

[16] Dunu, Elias O.: Residuale Räume. Literarische Beispiele zur Ökonomie der Zwangsresidualisierung und Widerstandsräumen. In: epd Entwicklungspolitik 22/1997, S. 29-33, S. 33; vgl. auch Sow, Alioune: Geschichtspantheismus. Johann Gottfried Herders Theorie dezentrierter Entwicklung. In: epd Entwicklungspolitik 22/1997, S. 20-24.

darüber im klaren, daß Entwicklung eine sehr viel komplexere Angelegenheit ist, als wir uns vorgestellt hatten. Sie konnte nicht länger als ein einziger, überall gleicher und linearer Weg gelten, denn ein solches Modell müßte unvermeidlich die Faktoren kulturelle Vielfalt und kulturelles Experiment ausschalten und so das kreative Potential der Menschheit mit Blick auf das Erbe der Vergangenheit und die Unwägbarkeiten der Zukunft auf gefährliche Weise begrenzen."[17]

Das Spannungsverhältnis von Universalismus und kultureller Vielfalt wird innerhalb der Klassik in den unterschiedlichen Akzenten von Herders Plural der *Kulturen* und Kants Programm der *Kultivierung* erkennbar. Goethes Vorstellung von Weltbürgertum oder von Weltliteratur läßt sich in Verbindung mit dieser Konzeption von *Vielfalt* in der *Einheit* denken. Das Programm des Nationalismus des 19. und 20. Jahrhunderts hat sich nicht einfach nur über dieses Projekt eines Weltbürgertums hinweggesetzt, sondern genauso über Herders „Konzert der Kulturen", von denen jede ihre eigene Legitimation und Würde hat und die sich wechselseitig akzeptieren und bereichern. Herder sensibilisiert uns für einen solchen Umgang mit der kulturellen Vielfalt. Schon allein solcher Denkanregungen wegen sollte uns die Klassik wieder wert und teuer sein. Wohin einer sich auch wendet, er findet in diesem kleinen Weimarer Kreis und in dem, was sich um ihn herumrankt, eine Fülle ähnlicher hebenswerter Schätze.

In klassischen Zuständen werden Idealbilder der eigenen Zeit gezeichnet, die gleichzeitig über sie hinausweisen und kommenden Generationen als Leitbild und Anregung taugen. Wechselnde Facetten treten dabei mit der späteren Aneignung ins Zentrum.

Niemand weiß so recht, wann und wie eine Phase der Klassik entsteht: Was muß (mußte) zusammenkommen, damit in einem so kleinen Provinznest wie Weimar mit sechzehntausend Bürgern sich etwas so Großes entwickeln konnte? Herzog Karl August von Weimar warb um die Intellektuellen und schenkte ihnen privilegierte Wirkungsmöglichkeiten, aber das allein war es auch nicht. Die Epoche stellte die Fragen, mit denen die Klassiker impulsgebend umgingen.

Auch heute läßt sich Zukunft nicht gewinnen ohne eine neue kulturelle Grundlegung, in ihrer Intensität vergleichbar derjenigen, die in der Weimarer Klassik und ihrem weiteren Umkreis die Idee einer den

---

[17] Unsere kreative Vielfalt. Bericht der „Weltkommission Kultur und Entwicklung" (Kurzfassung). Deutsche UNESCO-Kommission, Colmantstr. 15, 53115 Bonn, 2. erw. Aufl. 1997.

Menschen als Mittelpunkt gewichtenden Kulturgesellschaft bedeutete.
Dieter Kramer erinnert an diese globale Perspektive: „Eine neue Klassik muß in ihren Entwurf Ost und West, Nord und Süd einbeziehen. Deshalb wird sie nicht nur den Zentren, sondern auch den Peripherien gerecht werden müssen – möglicherweise gerade diesen Rändern und den heute von der Globalisierung links liegengelassenen Gebieten, weil die inselhafte Globalisierung ihre stärksten Widersprüche in den Verliererregionen produziert. Mag so vielleicht eine neue Klassik in Ouagadougou, in Gaborone, in Hyderabad, in Curitiba, in einer anderen Provinzstadt vom Gewicht (wenn auch nicht der Kleinheit) Weimars entstehen? Oder in einer Provinz wie Chiappas? Oder in den Regionen Ostasiens, in denen die Menschen sich an den Grenzen des Wachstums blutige Nasen, zerfressene Lungen holen?"[18]
Mit solch offensivem Denken wird Zukunft ein *kulturelles Programm.* Die notwendig werdenden „mentalen Innovationen" sind nicht mehr nur solche der *unternehmerischen Wissensgesellschaft*, auch nicht nur sozialtechnische; sie beziehen sich vielmehr auf die Frage nach dem humanen Sinn, nach den Leitbildern des guten und richtigen Lebens. Zu diesem kulturellen Programm Zukunft, zur unverzichtbaren Wegzehrung der Wissensgesellschaft gehören als unvergängliche Potentiale Kultur und Kunst. Sie liefern nicht nur nostalgische Kompensationen für die Verlusterfahrungen in der beschleunigten Modernisierung, sondern sind Teil der Sinnfindung.
So gesehen braucht Goethe kein Denkmal. Er braucht Leser. Oder vielmehr: Nicht er braucht uns – wir sind es, die ihn oder eine erneuerte Goethe-Lektüre sehr gut gebrauchen können, um die Fragen der Gegenwart zu beantworten.

---

[18] Kramer, Dieter: Entsteht die mentale Infrastuktur für morgen in Chiappas? Klassische Ausgangslage. Die Voraussetzungen für eine neue Kultur und das Weimarer Potential. In: Freitag 44 v. 24. Oktober 1997, S. 12.

Barbara Strohschein und Friedrich Schorlemmer

Was Gott ist, was der Mensch sein soll

Wir alle kennen ihn, diesen Goethischen Satz, der Poesiealben und Sonntagsreden schmückt: Edel sei der Mensch, hilfreich und gut. Ein Mahnsatz ohne Fortsetzung. Ein Appell, unzählige Male zitiert, bis durch Wiederholen und Verkürzen die Banalität den Sinn verschlingt. Die Wenigsten kennen weder die Überschrift noch das ganze Gedicht. Die Überschrift „ Das Göttliche“ sowie der Gedankenfortgang dieses Gedichtes, das um 1783 entstand, lassen erkennen, wie vielschichtig die so scheinbar einfach klingenden Moralworte sind.

Doch ist dieser Satz nicht nur aus Zusammenhängen herausgerissen, sondern auch ad acta gelegt – ein beschnittenes, vergilbendes Papier.

Mit dem Ende unseres Jahrhunderts ist eine Zeit gekommen, in der der Satz im Orkus des Vergessens verschwunden ist. Theologische Erwägungen, moralische Leitsätze, handlungsleitende Glaubensverpflichtungen lösen sich ins Lebensfern-Abstrakte auf oder spielen, als überholt abgetan, im heutigen Leben der Menschen bewußt keine Rolle mehr. Individuelle Setzungen nach jedem Geschmack, Regellosigkeit und Ratlosigkeit bestimmen Erziehung, den öffentlichen Diskurs und das soziale Verhalten, in dem nur noch rudimentär und hilflos überlieferte Ethik nachscheint. Die Postmoderne spielt in endlosen Varianten ihr Beliebigkeitsspiel und macht sich über jeglichen moralischen Ernst lustig. Edel sein – wozu? Hilfreich – für wen? Gut – was ist das?

Haben wir solch konsequenzlose Ermahnungen angesichts der Schrecken – von den Schützengräben vor Verdun bis zu den Verbrennungsöfen in Auschwitz –, die der Mensch zu verantworten hat, wegschieben müssen, weil sich in der Realität die moralische Forderung nicht erfüllt und damit auch keine Bedeutung mehr zu haben scheint?

Von den Gesetzen unserer Vergänglichkeit bestimmt, können wir die Gesetze unserer Selbsterhaltung nicht ungestraft brechen. Ist der Mensch nur mehr sich selbst der Nächste, leugnet er sein Angewiesensein auf den anderen. Hilft er nicht, wird ihm nicht geholfen. Bemüht er sich nicht um Tugenden, die mit dem Wort „gut“ ein anständiges Handeln in der Gemeinschaft umfassen, wird er ausgeschlossen und sanktioniert. Ohne ein Mindestmaß an verbindlichen Werten bricht eine Gesellschaft auseinander.

Goethes Satz wie das gesamte ihm folgende zehnstrophige Gedicht appelliert nicht nur an das Gewissen, sondern bricht auf ins Ungewisse.

Was *gefordert* scheint, erweist sich bei genauem Lesen als lediglich *möglich*. Der Mensch ist nicht gut, er sei es. Goethe gesteht ihm zu, daß er sich durch das Edle, Hilfreiche und Gute *von allen Wesen, die wir kennen*, unterscheide. Keinem Tier, so können wir weiter denken, ist es gegeben, gut und böse zu erkennen. Der instinktverunsicherte Mensch weiß nicht aus sich heraus, welchen moralisch vertretbaren Weg er gehen soll. Sein Dilemma ist vorgegeben in seiner Zwienatur als Geist- und Triebwesen, zwischen Erkenntnisvermögen und Blindheit schwankend.

In der zweiten Strophe läßt Goethe keinen Zweifel daran, wem wir uns anzugleichen hätten: *Heil den unbekannten höhern Wesen, die wir ahnen*! Die Sprachfigur jenes höheren Wesens, das wir verehren, greift Böll 1955 in „Dr. Murkes gesammeltes Schweigen" auf, um die Unverbindlichkeit von diffusem Glauben zu karikieren. Nach Goethe kennen wir diese Wesen nicht. Wir ahnen nur. Wen Goethe meint, das sagt er nicht.

Die geahnten Wesen holt er in der letzten Strophe des Gedichtes noch einmal heran, und noch entschlossener wiederholt er: *Der edle Mensch sei hilfeich und gut! Unermüdet schaff er das Nützliche, Rechte, sei uns ein Vorbild, jener geahnten Wesen.*

Zwischen der ersten und der letzten Strophe entwickelt sich eine goethe-eigentümliche Dynamik: die Natur beschreibt er als unfühlend. *Es leuchtet die Sonne über Bös' und Gut.* Die Natur schert sich nicht darum, ob die Menschen moralisch oder amoralisch handeln. Sie bricht über die Menschen herein, erfaßt uns, betrifft uns, gleich, in welchem inneren und äußerem Zustand wir uns befinden. So sagt es das Gedicht, obgleich es Goethe eigentlich nicht entgangen sein kann, daß in der Bergpredigt dieses Verhalten Gott selbst zugesprochen wird, der seine Sonne aufgehen läßt über die Bösen und die Guten, ja dem Menschen die Liebe zu seinem Feind zumutet und Entfeindung stiften will. (Matthäus 5,43-48)

Als Goethe sechs Jahre alt war, wurde die europäische Welt am 1. November 1755 durch das Erdbeben von Lissabon erschüttert. 60 000 Menschen wurden getötet, Flutwellen schlugen über die Stadt, die in ein ungeheuerliches Chaos versank. Warum, so fragten sich die Menschen dieser Zeit, läßt Gott dies zu? Unterschiedslos kamen die Alten und Jungen, die Besten und die Verbrecher um, als gäbe es keine Gerechtigkeit.

Für Georg Büchner wurde das ungerechte Leiden geradezu zum „Fels" des Atheismus.

Wir stellen uns nicht mehr diese Fragen nach den Naturkatastrophen in China, in Afrika, in Mittelamerika. Wir sprechen von Klimakatastrophen und reflektieren im besten Fall das eigene Verschulden durch den sträflichen Umgang mit unserer Welt. Warum Gott wen tötet, beschäftigt uns nicht.

Goethe hat als lutherisch erzogenes Kind den Schrecken dieses Erdbebens bewußt erlebt und Zeit seines Lebens nicht vergessen. Dieses Jahrhundertereignis trug dazu bei, Gott als gütigen Vater, die Religion der Amtskirche als Schutz vor dem Unfaßbaren, nicht mehr in Betracht ziehen zu können. Denn welch ein Gott sollte es sein, der dies Grauen erbarmungslos geschehen ließ? Die Theologenzunft konnte dem jungen Goethe keine Antwort darauf geben. Seine Abwendung von der Kirche und einem festen Gottesbild kam allmählich, aber sicher und wendete sich in seiner Leipziger Zeit in kritische Distanz und in Parodieren der empfindsamen Christlichkeit, zum Beispiel von Gottsched und Gellert. *O Vater allen wahren Sinns Und des gesunden Lebens, Du Geber köstlichen Gewinns, Du Fördrer treuen Strebens, Sprich in mein Herz dein leises Wort, Bewahre mich so fort und fort Für Heuchlern und für Huren.* (Aus der Leipziger Zeit 1766/67)

Wenn Gott sich nicht mit seinem Gesetz in der Natur zeigt, sie, die Natur, vielmehr moralisch gleichgültig über den Menschen ohne scheinbaren Grund hereinbricht, wo zeigt sich Gott dann?

Goethe verneint nicht die Existenz höherer Wesen, doch er unterwirft sich keinem kirchlichen Dogma. Ohne sichtliche Gewissensbisse schreibt er an Ernst Theodor Langer 1768: *Gewiss ich weiss was in mir Ihre Predigt gewürckt hat. Liebe und Condescendenz gegen die Religion, Freundschafft gegen das Evangelium, heiligere Verehrung gegen das Wort. Genung, alles was Sie tuhn konnten. Freylich binn ich mit allem dem kein Christ, aber ist das, die Sache eines Menschen mich dazu zu machen?*

Wäre es die Sache von Gott selbst, einen Menschen zu einem Christen zu machen?

Goethe entspann schon früh Gedanken, die aus der Hermetik und einer kosmologischen Ideenlehre verdeutlichten, wie dem selbst-

gestalteten Glauben, dem subjektiven Empfinden Berechtigung in Glaubensfragen gewährt werden muß.
Wenn alles mit allem zusammenhängt, ist der Einzelne Teil des Ganzen und hat das Recht darauf, seine Wahrnehmung des Göttlichen jenseits allen kirchlichen Dogmas zu formulieren, ganz im Sinne der Aufklärung und ihres Toleranzanspruches. 1773 schreibt Goethe: *Denn wenn man's beim Lichte besieht, so hat jeder seine eigne Religion. Wenn wir immer (...) recht im Herzen fühlten, was das sei: Religion, und jeden auch fühlen ließen, wie er könnte, und dann mit brüderlicher Liebe unter alle Sekten und Parteien träten, wie würde es uns freuen, den göttlichen Samen auf so vielerlei Weise Frucht bringen zu sehen. Dann würden wir ausrufen: Gottlob, daß das Reich Gottes auch da zu finden ist, wo ich's nicht suchte.*
Der Mensch, als Teil des Ganzen, ist demnach teilhaftig des Göttlichen selbst. Dies wird nicht nur in der Gedichtzeile des Gedichtes „Das Göttliche" evident, in der Goethe von den höhern Wesen spricht, denen wir gleichen, sondern in der unmißverständlichen Zeile: *Nur allein der Mensch vermag das Unmögliche: Er unterscheidet, wählet und richtet; er kann dem Augenblick Dauer verleihen.* Und noch fordernder, ja anmaßender fährt Goethe fort: *Er allein darf den Guten lohnen, den Bösen strafen, heilen und retten, alles Irrende, Schweifende nützlich verbinden.*
Der Mensch, gottgleich, ist der Gesetzesgebung und -vollziehung mächtig. Der Grund seiner Macht ist verankert in der Anerkennung eines Höheren, die zu verehren immer der Anlaß alles moralischen Handelns bleibt: *Und wir verehren die Unsterblichen, als wären sie Menschen, täten im großen, was der Beste im kleinen tut oder möchte.*
Der Paradiesmythos aber, der den Menschen aus der Einheit mit der Natur entläßt und ihn nicht nur *erhebt*, sondern dazu *verdammt*, unterscheiden und urteilen zu müssen, scheint Goethe nicht präsent gewesen zu sein. Die menschliche Freiheit ist zweideutig, ist nicht nur mit Urteilsvermögen begabt, sondern mit der Qual des Gewissens, aus dem moralisches Urteil zu fällen ist. Das göttliche Potential jedes Menschen nimmt Goethe nicht nur einbildend an, sondern erklärt es aus der existentiellen Gleichheit dessen, der erkennt, mit dem, was er erkennt. Wenn Goethe sich einen Gott vorstellt, dann wäre er goethegleich. So nimmt er Feuerbach bestätigend vorweg.
Aus den „Zahmen Xenien" stammt der ebenfalls vielzitierte Vers: *Wär' nicht das Auge sonnenhaft, die Sonne könnt' es nie erblicken; läg nicht in uns des Gottes eigne Kraft, wie könnt' uns Göttliches entzücken.*
In der Zeit der Aufklärung leistete sich Goethe hoffnungsfroh und des Menschenmöglichen noch sicher, auch ungeschützt durch ein

Netz religiöser Absicherung, ein sicheres moralisch-ethisches Urteil. Der Mensch bedient sich seines eigenen Verstandes ohne Anleitung eines anderen, übersieht die Folgen seines Handelns und richtet sein Handeln danach aus. Den kategorischen Imperativ hatte Kant zum Mittelpunkt seines Philosophierens gemacht. Ein Menschenbild war geschaffen, das mit Goethe und, wie Goethe zeigt, ohne Einbettung ins Christentum von einer grundsätzlichen, im Menschen verankerten Ethik ausging – in der Entsprechung zwischen moralischem Gesetz in uns und kosmischem Gesetz über uns.

Im 20. Jahrhundert sind wir uns unserer Sache nicht mehr sicher. Die Verstand dient dem Konstruieren einer ungeheueren Atom-Mordmaschine, dem ausgeklügelten Vernichtungsapparat der Nazis, dem Herstellen qualvoll wirkender chemischer Waffen und der Entwicklung zahlloser anderer, hochrationalisierter Prozesse, die die Prinzipien von Edelmut, Hilfe und Gutsein verhöhnen. Der Mensch handelt so, unbewußt wie bewußt, wie die von Goethe zitierte gefühllose Natur, die mit den von ihr hervorgebrachten Katastrophen jeder Gnade spottet. Sollte das kosmische Gesetz über uns und das moralische in uns doch „defekt" oder „fehleranfällig" sein?

An die Stelle des Ursache-Wirkungssystems der Natur tritt das morallose menschliche Kalkül, das die Zerstörung des Lebens ebenso hervorbringt wie die Konstruktion dessen, was dazu „notwendig" erscheint. Wie dünn und gefährdet die Zivilisationsschicht in uns ist, wie die menschliche Maßlosigkeit vor keiner ethischen Grenze, vor keiner göttlich getragenen Verantwortung halt macht, zeigt die Geschichte unzählig viele Male. Wie wenig der Mensch in der Lage ist, trotz Wissen und Erkenntnis, seine zerstörerischen Triebe zu kontrollieren, seinen Machtanspruch dem anderen Menschen und der Natur gegenüber moralisch zu prüfen, wußte Goethe selbst gut genug. Das Problem spitzt sich heute dadurch zu, daß höchste Ziele verwerfliches menschliches Handeln zunächst moralisch völlig zu rechtfertigen scheinen. Wie die Erfindung von DDT gepriesen wird als Wunderwaffe gegen den Hunger, so wird die Gentechnologie ohne gesicherte Folgeabschätzung und in vollem Wissen um ihre Irreversibilität patentiert und als Neuschöpfung des Menschen auf dem Markt verkauft.

Der Zauberlehrling – als „Sohn Gottes"? – kennt zwar die ersten Zaubersätze, die bewirken, was er will. Er vermag etwas auszulösen, aber er weiß die Geister nicht zu bändigen, die er rief. Es sind nicht nur die bösen Geister außerhalb von ihm, sondern jene in ihm selbst,

Gott ist goethegleich

die das Verbot des Meisters überschreiten und sich an Kräfte wagen, denen er nicht gewachsen ist. Die Überschwemmung droht das Haus zu zerstören, kurz bevor der Meister nach Hause kommt und das Zauberwort spricht, um das Unheil in letzter Sekunde abzuwenden.

Der Zauberlehrling war am Anfang, Faust am Ende, als sein Stück beginnt. Faust klagt in der Tragödie erster Teil, in der Nacht, in seiner Stube, alles zu wissen – und sieht, *daß wir nichts wissen können! Das will mir schier das Herz verbrennen. Zwar bin ich gescheiter als alle die Laffen, Doktoren, Magister, Schreiber und Pfaffen; mich plagen keine Skrupel noch Zweifel, fürchte mich weder vor Hölle und Teufel – dafür ist mir auch alle Freud' entrissen, bilde mir nicht ein, was Rechts zu wissen, bilde mir nicht ein, ich könnt was lehren, die Menschen zu bessern und zu bekehren.*

Faust ist am Ende seiner Weisheit angekommen und verspürt nicht die geringste Lust, jemanden an seinem Wissen teilhaben zu lassen. Er gibt sich der Magie hin, in der letzten traurigen Hoffnung, *daß ich nicht mehr mit saurem Schweiß zu sagen brauche, was ich nicht weiß.*

Er kann nichts mehr fühlen, nichts mehr wissen, selbst Zweifel und Bedenken hat er hinter sich gelassen wie die Wissenschaft, der er sich als *Wissensqualm* entledigen will. Er fragt nicht Gott nach Rat in seiner verzweifelten Lage, er fragt nicht, was er tun muß: er will einzig und allein aus dem inneren Gefängnis entfliehen, das seine Gelehrtenexistenz um ihn geschaffen hat. *Weh! steck' ich in dem Kerker noch? Verfluchtes dumpfes Mauerloch, wo selbst das liebe Himmelslicht trüb durch gemalte Scheiben bricht! Beschränkt mit diesem Bücherhauf, den Würmer nagen, Staub bedeckt, den bis ans hohe Gewölb' hinauf ein angeraucht Papier umsteckt; mit Gläsern, Büchsen rings umstellt, mit Instrumenten vollgepropft, Urväter-Hausrat dreingestopft – das ist deine Welt! Das heißt eine Welt!*

Und weiter klagt er: *Und fragst du noch, warum dein Herz sich bang in deinem Busen klemmt? Warum ein ungeklärter Schmerz dir alle Lebensregung hemmt? Statt der lebendigen Natur, da Gott die Menschen schufhinein, umgibt ihn Rauch und Moder nur, dich Tiergeripp' und Totenbein.*

Faust will hoffen, daß die Natur ihn wieder lehrt zu leben und lebendig zu sein. Doch was tut er, um dorthin zu kommen? Er öffnet ein neues Buch, bleibt in seiner Stube und spricht: *Flieh! auf hinaus ins weite Land! Und dies geheimnisvolle Buch, von Nostradamus' eigner Hand, ist dir es nicht Geleit genug? Erkennest dann der Sterne Lauf und wenn Natur dich unterweist, dann geht die Seelenkraft dir auf, wie spricht ein Geist zum andern Geist: Umsonst, daß trocknes Sinnen hier die heilgen Zeichen dir erklärt: Ihr schwebt, ihr Geister neben mir; antwortet mir, wenn ihr mich hört.*

Goethe weist an: Er, Faust, schlägt das Buch auf und erblickt das Zeichen des Makrokosmos und fragt: *War es ein Gott, der diese Zeichen schrieb?* Er beantwortet die Frage nicht, sondern läßt Faust sprechen: *Bin ich ein Gott? Mir wird so licht!* Faust Herz geht auf, er fühlt sich, fühlt sich durch die Beschwörung an den Kosmos wieder angeschlossen. Doch sieht er, ahnt er: *Welch Schauspiel! Aber ach! ein Schauspiel nur!*
Das gottgleiche Suchen und Finden gleicht einer Selbstinszenierung. Wir wissen, daß kurz darauf der Geist erscheint und dann Mephisto. Kein Meister tritt auf, der den Zauberlehrling von seinem Unwissen und dessen Folgen erlöst. Faust selbst ist Meister, der sich nach dem Vergraben in eine tote Welt sei es der Illusion, sei es der Wahrheit hingeben will, um sich im Leben, sprich, in seiner eignen Natur, wiederzufinden. Moral interessiert ihn nicht auf dem Weg in das Abenteuer mit Gretchen, die er zu Schanden kommen läßt.
Das individuelle Selbsterlebnis, das mit gottgleicher Grenzüberschreitung einhergeht, treibt Faust an. Des menschlichen Lebens und Wissens müde, die Aporien durchschauend, läßt den Doktor der verschiedenen Wissenschaften von einschränkendem ethischen Maß abrücken.
Dabei ist Faust von keinen Gotteszweifeln geplagt, kein Gotteszorn hat ihn gezwungen, mit seiner Existenz zu hadern und Gott in Frage zu stellen, wie Hiob es geschah. Hiob wurde aus seinem Wohlleben scheinbar ohne Sinn und Verstand herausgerissen und schuldlos gestraft, bis zur verzweifelten Frage, welch ein Gott ihm diese Qualen zumutet. Hiob wußte dann, was Leiden heißt, und war reicher geworden durch die Prüfung, hatte etwas erfahren, was sein Leben vor der Prüfung ihm nicht mitgeschenkt hatte.
Mit der Tragödie beginnt das Denken. Aber nicht bei Faust. Seine Tragödie beginnt mit dem Abschiednehmen vom Denken und der Moral – zugunsten der Lust und der Hoffnung: *Ha! wie's in meinem Herzen reißt! Zu neuen Gefühlen all' meine Sinnen sich erwühlen! Ich fühle ganz mein Herz dir hingegeben! Du mußt! du mußt! und kostet' es mein Leben!*
Kein anderes Unglück war Faust widerfahren, als die Grenzen seiner Gelehrtheit zu erkennen. Er mußte nicht die bodenlose und rätselhafte Gnadenlosigkeit Gottes durchleben, die ihn hätte vom Glauben abbringen können. Er gehörte nicht zu den Opfern einer sichtlichen Katastrophe, nicht zu den Opfern, die Gott ohne Rat prüft. Er war sich selbst zur Last geworden.
Faust ist modern. Ausgebrannt vom Wissen aus unzähligen Büchern, vom Leben leer, nur eines im Sinn, die Gefühle wiederzufinden, die

das Feuer im Menschen entfachen. Wer bei dieser Findung zugrunde geht, wer auf der Strecke bleibt, spielt eine vollkommen untergeordnete Rolle.
Faust weiß, was er angerichtet hat, aber ist sich selbst der nächste. Er scheint im Kerker vor Gretchens Zelle von seinem Unglück mehr berührt zu sein als von dem, das er bewirkte: *Mich faßt ein längst gewohnter Schauer, der Menschheit ganzer Jammer faßt mich an. Hier wohnt sie, hinter dieser feuchten Mauer, und ihr Verbrechen war ein guter Wahn! Du zauderst, zu ihr zu gehen! Du fürchtest, sie wiederzusehen! Fort! Dein Zagen zögert den Tod heran.*
Dem Hilferuf des bedrängten Menschen entzieht er sich – er, der Verursacher des Unglücks.
Die christliche Nächstenliebe hätte ihm geradezu das Wagnis des eignen Lebens abgefordert, um Gretchens Leben zu retten. Wie jener barmherzige Samariter, der die Angst um sich selbst zurückstellt, um dem Zusammengeschlagenen zu helfen. Dieses verbindliche Handeln ist weit entfernt von einer konjunktivischen Möglichkeit, was der Mensch alles sei. Gott ist Liebe, und wer Liebe hat, ist in Gott und Gott ist in ihm. Das sind Analogien anderer Art als jene zwischen göttlicher und menschlicher Urteilsmacht. Schien dem vornehm aufgeklärten Geheimrat Goethe diese Wahrheit fern, oder welch ein Exempel wollte er mit Faust statuieren?
Faust fragt sich: *Werd' ich den Jammer überstehen?* Er fragt nicht für Gretchen, die irre und verloren für immer, seinen halbherzigen Fluchthilfeversuch gar nicht mehr versteht. Faust, dem Mephisto hingegeben zu einem einfachen Lebenspreis, ahnt von der Menschengottgleiche nur noch sich, die Macht und nicht Gnade. Das fromme Gretchen, das ihn vor ihrem Niedergang nach seinem Glauben fragt, bringt ihn nicht aus der Fassung. Er hat eine ausbalancierte Antwort parat: *Nenn's Glück! Herz! Liebe! Gott! Ich habe keinen Namen dafür! Gefühl ist alles; Name ist Schall und Rauch, umnebelnd Himmelsglut.*
Was wir nicht benennen können, verpflichtet auch zu nichts. „Edel", „hilfreich" und „gut" werden Worte – an kein Handeln gebunden, von keinem Vorbild zu einem Nachbild einladend.
Faust gleicht somit nicht dem, was der Mensch sei – edel, hilfreich und gut –, sondern dem unväterlichen Gott, der den Menschen Leid ohne Vergehen zumutet. Ähnlich der gefühllosen Natur, die keine Gnade und Gerechtigkeit kennt. Faust hat Abschied genommen vom bindenden Maßstab für den Menschen. Er weiß zuviel von den Dingen und zu wenig von sich selbst, um sich auf höherer ethischer

Ebene dem *höhern Wesen* anzugleichen. Er bricht auf, aber wohin? Ins Reich der Mütter?

Goethe wollte sich in seiner spekulativen Privatreligion von keinem Menschen zum Christen machen lassen. Mit dem Gestus einer auf Freiheit dringenden Selbstherrlichkeit baut sein Gottesverständnis auf Analogien, wie er Anfang 1770 in sein Heft die *Ephemerides* (lateinische Sätze) eintrug, deren Herkunft unbekannt ist, möglicherweise vom Autor selbst stammen: Gott analog der Natur, die Seele analog dem Körper, Gott erschaue man nur, erschaut man die Natur, die Seele könne man nur im Körper erkennen. Alles wiederum entstamme, entspringe dem göttlichen Wesen.

Natürlich ist eine solche Analogiebildung biblisch ebenso beweisbar wie widerlegbar. Und auch die emanatistische Philosophie hat ihre Wahrheit, nach der die Welt nicht geschaffen, sondern aus der Fülle des höchsten Seins ausströmt. Was gänzlich offen bleibt, woher die Kraft kommt, aus der der Mensch analog zu Gott oder den höhern Wesen edel, hilfreich und gut sein könnte, wenn Gott selbst wie der Mensch ein launisches, zorniges und unberechenbares Wesen ist – gleich der Natur, in der sich beide spiegeln.

Edel zu sein, hilfreich und gut, beschreibt das eigentlich „Unmögliche", das der Mensch versucht, ohne das Wesen, dem er sich angleicht, bei seinem Namen nennen zu können. Den Namen Christus jedenfalls meidet Goethe. Warum? Die zum Poesiealbumsspruch geronnene Sentenz erweist sich als ein nur scheinbar theologisch und anthropologisch verankerter Gedanke. Es ist vielmehr eine dem Kitschigen nahe, moralgefühlige Abstraktion, vom Geist der Bergpredigt soweit entfernt wie vorm jüdischen Verbot, Gottes Namen auszusprechen. Und trotzdem kann der Mensch in seinem Handeln und für sein Überleben in unserer glaubensleeren Zeit nicht auf die Werte verzichten, die sich im Edlen, Hilfreichen und Guten zum Ausdruck bringen können, wenn die konkreten Konflikte und die inneren Zerreißproben nicht umgangen werden.

Peter Hamm

Goethes Nöte
Nöte mit Goethe

„Manchmal habe ich das Gefühl, als ob Goethe nicht durch die Hölle des menschlichen Daseins gegangen ist, wie etwa Hölderlin und van Gogh, Poe und Dostojewskij, und daß ihm darum doch manchmal etwas fehlt, das, was eben gerade die Allergrößten kennzeichnet": das schrieb 1944 im KZ Dachau der Häftling und glühende Goethe-Bewunderer Nico Rost.

Es gibt eine Sorte von Schriftstellern, es sind die Märtyrer der Literatur, vor denen wird alles, was man über sie sagt, vergröbernd, profan, unangemessen. Ihnen kann man nur entsprechen – oder nicht entsprechen. Sie appellieren weniger an unser Verständnis als an unsere Existenz. Hölderlin, Kafka, Robert Walser waren solche Autoren. Denen gegenüber ist, solange man sich selbst noch zweckmäßig zu verhalten versteht, Scham wohl die einzig angemessene Reaktion. Zu anderen Autoren, es sind die Repräsentanten, darf man Ansichten äußern, Widerspruch anmelden. Auch zu Goethe? Vom armen Mann im Tübinger Turm bis zum Herrn Geheimen Staatsminister in Weimar: das ist jedenfalls der denkbar weiteste Weg. Und umgekehrt, von Weimar nach Tübingen, führt da überhaupt ein Weg?

Den Märtyrern der Literatur war alles vorgeschrieben, der Frankfurter Großbürgersohn hatte die Wahl. Scheinbar. Aber er brauchte ein Programm, ein Rechtfertigungs-Programm. Wenn Goethe die Märtyrer der Literatur so auffallend heftig abwehrte und *das Klassische* als *das Gesunde* gegen sie ausspielte, tat er es gewiß nicht aus mangelndem Verständnis, sondern als Verfechter seines Programms. Ihm paßte die ganze Richtung nicht, die Richtung nach unten. In diese Richtung, in Richtung Abgrund und „Lazarettpoesie" wollte er sich nicht ziehen lassen. Aber zog es ihn überhaupt? Mußte er sich wehren? Der sich vor Beerdigungen so fürchtete, daß er zu keinem Begräbnis – nicht einmal dem der eigenen Frau – erschien, war ja wohl nicht lediglich eifersüchtig auf die anderen, die Schmerzensmänner, denen die Todesnähe selbstverständlich war. Werthers Leiden waren schließlich von der Art, daß dem Jüngling mit gelber Hose und blauem Frack nur

der Griff zur Pistole blieb. In Faust II heißt es: „Jeder Trost ist niederträchtig, und Verzweiflung nur ist Pflicht." Daß er sich, wo immer es ging, dieser Pflicht zu entziehen suchte, ist das nur vernünftig-verständlich oder vielleicht doch noch mehr?
Nachdem Goethe 1812 in Teplitz Beethoven kennengelernt hatte, schrieb er an Zelter: „Sein Talent hat mich in Erstaunen gesetzt; allein er ist leider eine ganz ungebändigte Persönlichkeit, die zwar gar nicht unrecht hat, wenn sie die Welt detestabel findet, aber sie freilich dadurch weder für sich noch für andere genußreicher macht." Das ist Goethes Rechtfertigungs-Programni in nuce. Es lautet: nur Bändigung garantiert ein bißchen Genuß! Aber der ungebändigte Beethoven leuchtet in der Teplitzer Konstellation freilich viel stärker. Der Bändigungspanzer des Repräsentanten (der Goethe damals längst ist) schützt nicht nur, er verbirgt und verfremdet auch.

„Goethes dauernde Fremdheit", so überschrieb Joachim Fest eine noble Rede, mit der er sich für die Verleihung der Goethe-Plakette der Stadt Frankfutt bedankte. Fests Titel zielt auf zweierlei: wie sehr Goethe der Nation, die sich so gern seines Namens bedient, im Grunde fremd geblieben ist, aber auch, wie sehr er jene, die sich ihm zu nähern versuchten, immer wieder befremdete und abstieß. Schon Schiller bekannte: „Öfters um Goethe zu sein, würde mich unglücklich machen: er hat auch gegen seine nächsten Freunde kein Moment der Ergießung, er ist an nichts zu fassen... Er machte seine Existenz wohltätig kund, aber nur wie ein Gott, ohne sich selbst zu geben ... Ein solches Wesen sollten die Menschen nicht um sich herum aufkommen lassen." Dieses wahrhaft entsetzliche Resümee inspirierte Thomas Mann dann zu seiner Schiller-Erzählung „Schwere Stunde".

1912 plante Franz Kafka, laut Tagebuch, einen Aufsatz des Titels: „Goethes entsetzliches Wesen". Wenige Wochen später vermeldet das Tagebuch: „Goethe, Trost im Schmerz". Was nun, Entsetzen oder Trost? Offensichtlich löst Goethe beide Reaktionen, beide Gefühle aus. Seine Widersprüchlichkeit entspricht genau seiner Größe. Und Entsetzliches und Tröstlich-Erhebendes liegen bei ihm noch näher beisammen als die beiden Eintragungen in Kafkas Tagebuch, ja sie sind oft ineinander verwirkt bis zur Ununterscheidbarkeit. Schon deshalb ist Goethe das Gegenteil von einem populären Autor. Zur Popularität gehört Eindeutigkeit, die Eindeutigkeit Schillers etwa.
„Warum stehen sie davor? / Sind doch Türe da und Tor! / Kämen sie getrost herein, / Würden wohl empfangen sein": um eine Bildunter-

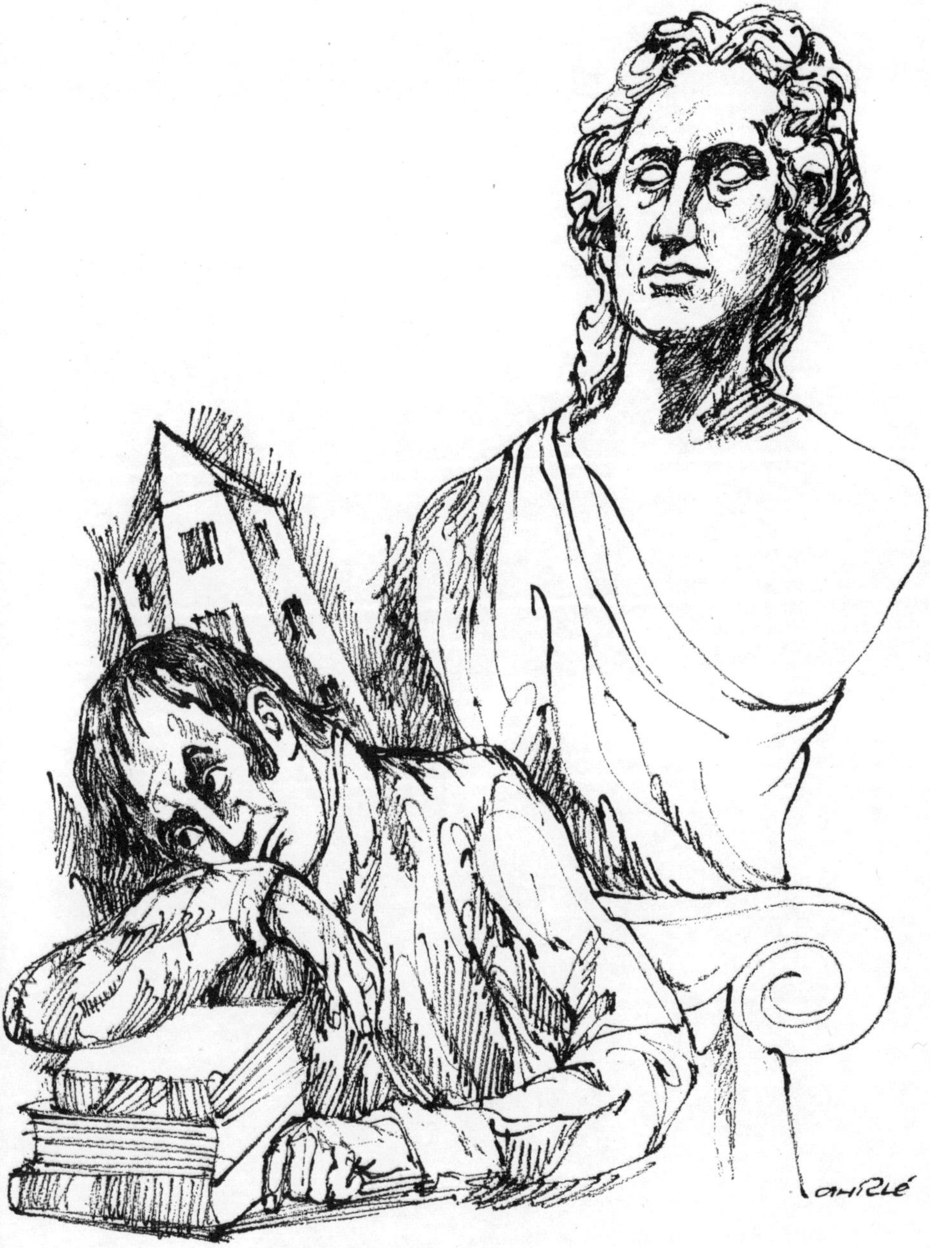

Vom armen Mann im Tübinger Turm
zum Geheimen Staatsminister in Weimar

schrift zu der 1827 von O. Wagner verfertigten Zeichnung seines Hauses am Frauenplan gebeten, lieferte Goethe diesen – ziemlich geschwindelten – Vierzeiler. Wahrhaftiger war wohl seine Tagebucheintragung von 1778: „Ich bin nicht zu dieser Welt gemacht. Wie man aus seinem Haus tritt, geht man auf lauter Kot." Tatsächlich waren ihm die impertinenten Goethe(haus)gaffer genauso zuwider wie die Goethe-Indifferenten, die Masse, über die er skandalöse Sätze geschrieben hat, etwa diesen: „Gestern tief in dem Geschwirre der Messegeleits-Zeremonien fiel mir Ariostens Wort vom Pöbel ein: wert des Tods, vor der Geburt." Eine andere seiner Auslassungen über die Masse ist schon schwerer abzuweisen: „Nichts ist widerwärtiger als die Majorität: denn sie besteht aus wenigen kräftigen Vorgängern, aus Schelmen, die sich akkomodieren, aus Schwachen, die sich assimilieren, und der Masse, die nachtrollt, ohne nur im mindesten zu wissen, was sie will."
Kein Zweifel: sich selbst zählte er zu den *kräftigen Vorgängern,* und sein Lebensmotto könnte lauten: »Sagt es niemand, nur den Weisen, / Weil die Menge gleich verhöhnet ..." Ihm schien „edlen Seelen vorzufühlen wünschenswertester Beruf". Noch der Greis gestand Eckermann: „Liebes Kind, ich will Ihnen etwas vertraun ... Meine Sachen können nicht populär werden; wer daran denkt und dafür strebt, ist in einem Irrtum. Sie sind nicht für die Masse geschrieben, sondern nur für einzelne Menschen, die etwas Ähnliches wollen und suchen."
Nun war es allerdings gerade der junge Goethe-Anbeter Eckermann, der diesen Irrtum, Goethe populär machen zu wollen, beging: seine Gespräche mit Goethe haben das bis heute nachwirkende Goethebild vom Olympier, vom tönenden Gips-Denkmal in die Welt gesetzt. Durch dieses Buch, das doch lediglich die letzten neun Jahre eines dreiundachtzigjährigen Lebens weniger spiegelt als in ein majestätisches Biedermeier projiziert, wird Goethe jener „joviale Alterspräsident der europäischen Literatur, der auf die verschiedensten Fragen prompt mit druckreifen Aphorismen antwortet" (Josef Hofmiller). Derselbe Nietzsche, der Eckermanns Gespräche mit Goethe als das beste deutsche Buch überhaupt rühmte, beklagte, daß Goethe in der Geschichte der Deutschen „ein Zwischenfall ohne Folgen" gewesen sei. Daß diese Folgenlosigkeit eben auch mit Eckermanns Goethe-Zubereitung zu tun hatte, wie konnte ihm das entgehen? Auch bei den Goethe-Bewunderern also ebenso viele Widersprüche wie beim Objekt ihrer Bewunderung?

Schon dem jungen Gottfried Keller, den es schmerzte, „daß das große Genie (Goethe) einen solchen Privatcharakter oder vielmehr Privatnichtcharakter hatte“, ging der Goethekult nicht nur deswegen fürchterlich auf die Nerven: „Es existiert eine Art Muckertum im Goethe-Kultus, das nicht von Produzierenden, sondern von wirklichen Philistern, vulgo Laien, betrieben wird. Jedes Gespräch wird durch den geweihten Namen beherrscht, jede neue Publikation über Goethe beklatscht – *er selbst aber nicht mehr gelesen.*“ Ein gelesener Autor war Goethe im Grunde tatsächlich nur einmal, mit seinem »Werther“. Alles Spätere und Weitere war Lektüre für Wenige. Der eminent schwierige „Hesperus“ des Jean Paul war, gemessen am vergleichsweise süffigen „Wilhelm Meister“, ein Bestseller.

Als 1832 Goethe starb, war das der führenden deutschen Zeitschrift, dem „Stuttgarter Literaturblatt“, keine Notiz wert, obwohl diese Zeitschrift bei *Cotta* erschien, dem Verlag also, der das ausschließliche Verlagsrecht an Goethes Werken innehatte.

Der Mann der Stunde, ja des Jahrhunderts war Schiller. Ihm und nicht Goethe wurde kaum fünf Jahre später in Stuttgart das erste Denkmal errichtet, das nicht einen Feldherrn oder Regenten zeigte, sondern einen Schriftsteller. Wieder einige Jahre später, 1849, blieb der 100. Geburtstag Goethes in Deutschland fast unbemerkt, während ein Jahrzehnt darauf, bei Schillers Hundertstem, ganz Deutschland in einen Begeisterungstaumel ohnegleichen geriet. Man – genauer: das sich emanzipierende deutsche Bürgertum – verzieh Goethe den Höfling nicht, den *Fürstendiener*, sein Ausweichen vor der Politik und der Revolution.

„Wie sich in der politischen Welt irgendein Ungeheures, Bedrohliches hervortat , so warf ich mich eigensinnig auf das Entfernteste“: was uns, nach den letzten Kriegen und gescheiterten Revolutionen, bereits wieder als Zeugnis von Goethes Lebensklugheit vorkommen mag, erschien seinen jüngeren progressiven Zeitgenossen unannehmbar. „Stabilitätsnarr“ nannte ihn Börne und – eine Spur respektvoller – „einen Adler, der unter einer Dachtraufe nistet“. Beethoven schrieb nach der Teplitzer Begegnung an seinen Verleger: „Goethe behagt die Hofluft sehr, mehr als einem Dichter ziemt. Es ist nicht vielmehr über die Lächerlichkeit der Virtuosen hier zu reden, wenn Dichter, die als die ersten Lehrer der Nation angesehen sein sollten, über diesem Schimmer alles andere vergessen können.“ Das war wohl exakt das, was man in Deutschland damals über Goethe dachte, es bestand das

dringende Bedürfnis nach *Lehrern der Nation;* doch Goethe war etwas weniger und viel mehr zugleich, nämlich Lehrer der Einzelnen.
Und *seine* Nation, *sein* Vaterland mußte nicht erst erkämpft werden, sondern bestand schon längst: „Das Wahre war schon längst gefunden, / Hat edle Geisterschaft verbunden. / Das alte Wahre, faß es an!" Das *alte Wahre,* das war für Goethe das organische, das Ganze, die Natur - und mit ihr konnte das *erwachende Deutschland* wenig anfangen. Auch die Natur war nur als domestizierte genehm, als Ausbeutungsfeld und als Kulisse, als Zweck. In Namen der Natur aber verwarf Goethe gerade Zweckdenken und Zweckdichter: „Natur und Kunst sind zu groß, um auf Zwecke auszugehen, und haben's auch nicht nötig, denn Bezüge gibt's überall und *Bezüge sind das Leben.*"
Bezüge bedeuteten ihm mehr als Behauptungen, Polarität mehr als Parteinahme. »Mir scheint..., daß sich alles gut verbindet, wenn man den Begriff der Polarität zum Leitfaden nimmt ...", schrieb er zur Erläuterung der *Farbenlehre.* Die in Hegels Dialektik „konkret" genannte *Einheit von Gegensätzen* versuchte auch Goethe an allen Erscheinungen wahrzunehmen. Mit „elbischer Dichtergesinnungslosigkeit", die Thomas Mann ihm attestierte (um die eigne zu legitimieren), hat das nichts zu tun.
Im übrigen sah Goethe im Alter etwa die Französische Revolution, die er zunächst so schroff abgelehnt hatte, sehr wohl als „Folge einer großen Notwendigkeit", auch wenn ihm ihre direkte Übertragung auf Deutschland, sicher zu Recht, immer noch nicht möglich schien. „Das kollektive Wesen, das den Namen Goethe trägt" – es ist der Greis Goethe, der sich selbst so charakterisiert – hatte sich entferntere Ziele als bloß politisch-parteiische gesteckt. »Willst du ins Unendliche schreiten, / Geh im Endlichen nach allen Seiten": so eine Maxime sorgte bei der aufs Endliche orientierten *verspäteten Nation* – bei den Deutschen – nicht für - Beliebtheit. Daß Goethe allerdings geradezu *undeutsch* gewesen wäre, läßt sich auch nicht behaupten; gerade an deutschen Defiziten partizipierte er heftig, man denke nur an seine Angst vor Unordnung. „Es liegt nun einmal in meiner Natur, ich will lieber eine Ungerechtigkeit begehen, als eine Unordnung ertragen": dieser so eminent deutsche Satz Goethes ist ebensowenig zu retten wie seine philiströse „Lebensregel": »Willst du dir ein hübsch Leben zimmern, / Mußt dich um's Vergangne nicht bekümmern", eine Devise, an die sich nach 1945 die kurz zuvor gerade wieder einmal zu heftig *erwachte Nation* getreulich gehalten hat.

Als der Tod sich nicht länger abweisen ließ und ans Zimmern eines hübschen Lebens wahrlich nicht mehr zu denken war, kümmerte sich Goethe auch dergestalt ums Vergangne, daß er sich Briefe, die er ein halbes Jahrhundert zuvor geschrieben hatte, von den Empfängern zurückerbat: er wollte sich ein hübsches Nachleben zimmern. Goethe war ums künftige Goethe-Bild penibel besorgt und wahrscheinlich desto mehr, je weniger Echo sein Werk in seinen letzten Lebensjahren auslöste. Daß er sein Nachleben sichern wollte, indem er das eigne Bild so abschliff und aufs Gesunde und Lebenstüchtige hinbog, wie es durch Eckermann – dem er sich ja bewußt so präsentierte – auf uns gekommen ist, darin darf man wohl auch seine Angst am Werk sehen, die Angst, mit dem Tod im Rachen des „ewig verschlingenden, ewig wiederkäuenden Ungeheuers“ zu verschwinden, das für ihn Natur *auch* war – und die menschliche Gesellschaft ohnehin.

Überhaupt seine Angst! Wie hat er sich bemüht, sie zu kaschieren, sie zu leugnen, er, der doch die Schönheit „eine Tochter der Angst“ nannte! Man sollte ja nicht vergessen, daß das neugeborene Kind Wolfgang drei Tage lang um sein Leben zu kämpfen hatte und wie bereits den Sechsjährigen die „schrankenlose Willkür der Natur“ entsetzt hat, als er 1755 vom Erdbeben in Lissabon hörte. Hier, in den frühen traumatischen Erfahrungen der Zerstörung und des Kampfs gegen den Tod, hat der „Dämon des Schreckens“ eine der Wurzeln gelegt für Goethes Hypersensibilität und sein zeitlebens beharrlich verfolgtes Harmonisierungs- und Ganzheitsprogramm.

An Frau von Stein schrieb Goethe im Juni 1787 aus Rom: „Übrigens habe ich glückliche Menschen kennenlernen (dürfen), die es nur sind, weil sie *ganz* sind, auch der Geringste, wenn er ganz ist, kann glücklich und in seiner Art vollkommen sein, das will und muß ich nun auch erlangen, und ich kann's, wenigstens weiß ich, wo es liegt und wie es steht, ich habe mich auf dieser Reise unsäglich kennen lernen.“ Diesen Brief schrieb kein glücklicher, kein ganzer, sondern ein ziemlich zersplitterter Mensch (und daß Goethe erst in Italien zu sich zu finden begann und die alte Angst ein wenig abschütteln konnte, ist noch einmal ein bezeichnendes Kapitel im Buch »Goethe und die Deutschen“). Das Harmoniegefühl der Griechen, das er so pries, hatte er selbst sicher nicht, er hätte es sonst schwerlich in Italien suchen müssen; der „harmonische Mensch“ Goethe ist ebenso eine Legende wie der *gesunde Goethe*, allerdings konnte er, wie Gottfried Benn betonte, „seine Zusammenbrüche gut verschleiern“.

„Ich suchte mich vor diesem furchtbaren (dämonischen) Wesen zu retten, indem ich mich nach meiner Gewohnheit hinter ein *Bild* flüchtete«, so lesen wir's im „Wilhelm Meister". – *Bild,* das bedeutet Flucht – Goethe sagt es selbst -, und wie seine Reise nach Italien Flucht war, so war Flucht seine lebenslange Abwehr des Tragischen, des Negativen; bekanntlich ertrug er das Bild des Gemarterten am Kreuze nicht, auch diesem wollte er ausweichen, wenn er Beerdigungen mied. Und Flucht war wohl auch sein Ausweichen in das, was er für Naturwissenschaft hielt, was aber doch mehr *Naturglaube* war. „Goethes morphologische Betrachtungsweise", sagt Adolf Muschg, „ist ja nichts anderes als die Entdeckung eines ‚heilsgeschichtlichen Prinzips' in der Natur! Und im Grunde bleibt es für Goethe ein Leben lang die einzige Form von Geschichte, die ihn interessiert, während er in der politischen Weltgeschichte keinen Sinn zu erkennen vermag. Sinnvoll wird die Geschichte durch die immanente Autorität eines Gesetzes, und bei den Subjekten durch den *Glauben* an dieses Gesetz, der sich zu dessen Wahrnehmung und frommen *Anschauung* steigert."
Auch noch sein Insistieren auf der reinen Anschauung ist Flucht, Flucht vor der eigenen Ruhelosigkeit und Getriebenheit in die Ruhe der Naturbetrachtung. „Die verfluchte Unnatur", so hat er Kleist abgewehrt, dem die Flucht in die ruhige Naturbetrachtung nicht gelang, sondern nur in einen inmitten der Naturkulisse schön inszenierten Freitod. Aus seiner „Campagne in Frankreich" wissen wir, wie Goethe dem verzweifelten Plessing (den er – wohl auch im Versuch seiner Abwehr des Tragischen – incognito aufsuchte) riet, „... man werde sich aus einem schmerzlichen, selbstquälerischen, düstern Seelenzustande nur durch Naturbeschauung und herzliche Teilnahme an der äußern Welt retten und befreien; schon die allgemeinste Bekanntschaft mit der Natur, gleichviel von welcher Seite, ein tätiges Eingreifen, sei es als Gärtner oder Landbebauer, als Jäger oder Bergmann, zieht uns von uns selbst ab." Darauf also kommt es an: *sich von sich selbst abzuziehen.* Selbstwerdung durch Selbstminimalisierung.
Cioran hat einmal Goethes „großartige Mittelmäßigkeit" nicht etwa polemisch angeprangert, sondern gepriesen. *Großartig* ist diese Mittelmäßigkeit, weil ein so maßloser, so von Gegensätzen zerrissener Mensch wie Goethe sich permanent zwang, statt der Extreme das *Mittlere* anzustreben, sein Maß in der Mäßigung zu finden, auch auf die Gefahr hin, philiströs zu erscheinen. Seine *großartige Mittelmäßigkeit* ist seine Humanität. Und zu dieser gehört eben auch, daß Goethe stets ein Feind alles Finsteren und ein der Schöpungsformel „Es werde

Licht!“ Verpflichteter blieb. Der sich 1775 den „herrlichen Morgenstern“ zum Wappen wählte, schrieb im „Diwan“: „Laß mich nicht so der Nacht, dem Schmerze, / Du Allerliebstes, du mein Mondgesicht, / O du mein Phosphor, meine Kerze, / Du meine Sonne, du mein Licht.“ Daß wir fürs Licht geboren sind, das war seine Überzeugung: „Wär' nicht das Auge sonnenhaft, / Die Sonne könnt' es nie erblicken. / Läg nicht in uns des Gottes eigne Kraft, / Wie könnt' uns Göttliches entzücken?“

Nicht nur als *Stabilitätsnarr*, sondern auch als den *Dichter der Glücklichen*, dessen Religion die Bequemlichkeit sei, beschimpfte ihn der rebellische Börne. Heute, zwanzig Jahre nach einer Rebellion, die jene Verhältnisse, die sie verändern wollte, nur noch stabilisierte, sind wir nicht mehr leichtfertig genug, *Glück, Bequemlichkeit* und *Mäßigung* als unbedingt reaktionäre Attribute zu denunzieren. Unser Bedarf an Zerschlagung, Chaos und Maßlosigkeit ist ebenso einigermaßen gedeckt wie unser Bedarf an einer politisierenden Bedürfnisliteratur, die ihre winzigen Wahrheiten auch stilistisch nur in kleinster Münze auszuzahlen in der Lage ist.

„Der große Stil entsteht, wenn das Schöne den Sieg über das Ungeheure davonträgt“, das meinte Nietzsche mit Blick auf Goethe. „Den höheren Stil lehret die Liebe dich nur“, so deklarierte es Goethe selbst in den „Römischen Elegien“. Kein anderer Autor unserer Literaturgeschichte ließ sich so gern und so gut wie er von Liebe belehren, das ist sicher. Der Fünfundsiebzigjährige schrieb dann noch den beherzigenswerten Satz: „Wer mich nicht liebt, der darf mich auch nicht beurteilen.“

Martin Walser, dem es lange Zeit ziemlich schwerfiel, Goethe zu lieben, weil er sich unmittelbarer zu denen hingezogen fühlte, die Selbstbewußtsein nur fingieren konnten, den Märtyrern der Literatur, die für ihn identisch sind mit Kleinbürgern, sieht inzwischen Goethe seine großbürgerliche Herkunft großzügig nach und hat hinter dem Selbstbewußtseins-Panzer des Weimarer Repräsentanten einen ganz anderen Goethe entdeckt, einen, dessen „vorsätzliche Güte“ ihn mehr anzieht „als die vorsätzliche Ungüte, die jetzt in der Kunst so prächtig gedeiht“, einen, dessen Angezogensein „von dem jeweils Lebendigsten“ ihn dazu befähigte, wenn schon nicht die deutsche Gesellschaft, so doch „das Gefühl und die Sprache aus dem Hof- und Kirchendienst zu befreien“.

Walsers Goethefindungs-Prozeß scheint symptomatisch für die Wandlungen des Goethe-Bildes seit den Gründerjahren und ihrer

Sophienausgabe. Wenn Walser etwa als Goethes „größtes Lebenswerk ... seine Gemeinschaft mit der sechzehn Jahre jüngeren Christiane Vulpius", der von der Weimarer Gesellschaft geschnittenen Kleinbürgerin, preist, preist er nichts anderes als Cioran, eben *Goethes großartige Mittelmäßigkeit,* die ihn auch dazu befähigte, Klassenschranken zu ignorieren. Undenkbar allerdings, daß zu der Zeit, als die *Sophienausgabe* seiner Werke veranstaltet wurde, irgendwer Goethe ausgerechnet wegen seiner Beziehung zu Christiane gerühmt hätte – oder wegen seiner großartigen Mittelmäßigkeit! Die Epoche mußte erst entsetzlich viel Extremes erzeugen, um *diesen* mittleren Goethe schätzen zu lernen.

Jede Zeit, jede Generation hat ebenso *ihren Goethe* wie jeder einzelne Leser *seinen Goethe* hat, jeweils konstruiert nach dem akuten Empfindungsbedürfnis. Die „Goethe-Gott-Puppe", die Thomas Mann in seiner *Lotte in Weimar* auftreten ließ, Thomas Mann, dieser sich bei Goethe „ankumpelnde Imitator..., der sich für jedes konservative Gelüst rücksichtslos Zitate holte bei ihm" (Martin Walser), sie ist nur *eine,* wenn auch eine äußerst abstoßende Goethe-Vergegenwärtigung. Tatsächlich ist bei dieser *Allnatur* Goethe immerzu das zu holen, was die eigene Sehnsucht und die eigene Tendenz momentan gerade braucht. Goethe war sich, selbstredend, auch dessen bewußt: „Gewöhnlich hören die Menschen etwas anderes, als was ich sage", schrieb er an Zelter – und dann folgt der für Goethes manchmal so abstoßende und dann wieder so anziehende Gelassenheit bezeichnende Zusatz: „und das mag denn auch gut sein".

Verzeichnis der Autoren

Jürg Amann, geb. 1947 in Winterthur, Dr. phil., freier Schriftsteller. Lebt in Zürich. Ingeborg-Bachmann-Preis, Conrad-Ferdinand-Meyer-Preis, Preis der Schweizer Schiller-Stiftung u.a.; Mitglied der Gruppe Olten und des P.E.N. – Prosa, Theaterstücke, Hörspiele, Lyrik, Essay; zuletzt: „Robert Walser. Eine literarische Biographie in Texten und Bildern", Arche 1995; „Rondo", Erzählungen, Arche 1996; „Schöne Aussicht", Prosastücke, Haymon 1997; „Ikarus", Roman, Arche 1998.

Ilse Borchard, geb. 1930 in Hannover. Lebt in Overath. Durch Bomben vertrieben, die letzten Kriegsjahre bei Verwandten (Zigarrenheimarbeiterinnen) in Ostwestfalen verbracht. Studium der Geschichte u. Germanistik in Bonn; Realschullehrerin. – Roman „Die Zigarrenlady" 1996; Aufsätze in Zeitungen.

Werner Dürrson, geb. 1932 in Schwenningen/Neckar. Studium der Musik und der Literaturwissenschaft in Tübingen und München. Dr. phil. Lehrtätigkeit an der Universität Poitiers/Frankreich und in Zürich. Zahlreiche Preise und Auszeichnungen, 1997 die Ehrengabe der Deutschen Schillerstiftung Weimar. Mitglied des PEN-Zentrums, der Humboldt-Gesellschaft und der Association internationale des critiques littéraires, Paris. Lebt in Oberschwaben und Paris. – Neuere Veröffentlichungen: „Werke in vier Bänden" (Lyrik und Prosa), Baden-Baden 1992; „Ausgewählte Gedichte", Hamburg 1995; „Stimmen aus der Gutenberg-Galaxis", Essays zur Literatur, Zürich 1997.

Wolfgang Duffner, geb. 1937. Veröffentlichungen: „Rollwagenbüchlein", „Kusters Tour", „Helles Haus vor dunklem Grund", „Der Traum der Helden"; Hörspiele und Theaterstücke.

Juri Elperin, geb. 1917 in Davos. Autor und literarischer Übersetzer aus dem Russischen ins Deutsche. Mitgliedschaften: P.E.N. (früher West), deutscher und russischer Schriftstellerverband, Die Kogge – Europäische Autorenvereinigung. Rundfunksendungen, Essays: „Der neue Mensch auf den Trümmern der Utopie", „Zur Lage einer zwiespältig vereinten Nation", „A. Sacharow", alle: RIAS Berlin. „Rußlands Zukunft", Feature, Saarland Radio. „Mein Berlin" – „TIP" Berlin-Magazin u.a. Publikationen in Zeitungen und Zeitschriften. Romanübersetzungen: A. Rybakow, „Schwerer Sand", Claassen, Düsseldorf; Trilogie „Die Kinder vom Arbat", „Jahre des Terrors", Kiepenheuer und Witsch, Köln, und dtv, München; „Stadt der Angst", dtv,

München. Bühnenstücke: Juhan Smuul, „Der wilde Kapitän", Gorki-Theater, Berlin. Lyrik, Autoren: Tjutschew, Fet, Bunin, Achmatowa, Jewtuschenko.

Iring Fetscher, geb. 1922 in Marbach/Neckar. Prof. Dr., 1963 bis 1998 Prof. für Politikwissenschaft und Sozialphilosophie an der Johann-Wolfgang-Goethe-Universität Frankfurt. Gastprofessuren und Rufe an die Universitäten Konstanz, Wien, Nimwegen, New School for Social Research New York usw. Mitglied des P.E.N. Lebt in Frankfurt. – Wichtigste Publikationen: „Rousseaus politische Philosophie", 1960, 1993 7. Auflage; „Karl Marx und der Marxismus", 1967 (ital., engl., span., japan. Übersetzungen); „Neugier und Furcht. Versuch, mein Leben zu verstehen", 1995 (Autobiographie).

Ota Filip, geb 1930 in Ostrau/Tschechische Republik. Studium. Tätig als Redakteur. Nach 1959 bis 1968 Hilfsarbeiter. Bis 1969 Verlagsdirektor. Nach 14 Monaten Haft „wegen Unterwühlung der sozialistischen Gesellschaft" bis zu seiner Ausbürgerung und Auswanderung in die BRD 1974 Hilfsarbeiter. In der BRD freier Schriftsteller. Mitglied der Bayerischen Akademie der Schönen Künste. Lebt in Murnau. – Romane u.a. „Das Café an der Straße zum Friedhof", „Die Himmelfahrt des L. Lapatschek aus Schlesisch Ostrau", „Zweikämpfe" und „Café Slavia" bei S. Fischer, Frankfurt.

Karlhans Frank, geb. 1937 in Düsseldorf. Seit 1961 freischaffender Autor. Mitglied des P.E.N. – Letzte Buchveröffentlichung für Kinder: „Ein Tischbein und zwei Beuys"; für Jugendliche: „Süchtig nach Satan"; für Erwachsene: „Südwest-Frankreich" (Reisebuch); „Ringelstern und Morgennatz" (Gedichte) und im Frühjahr 1999 als 99. Titel: „Bin dein Liebestropfes Tier" mit 99 Liebesgedichten.

Werner Frizen, geb.1950 in Bergisch Gladbach, studierte Germanistik, Philosophie und Theologie in Bonn und Münster, promovierte 1978 über die Schopenhauer-Rezeption Thomas Manns, veröffentlichte vor allem Untersuchungen zur Literatur der klassischen Moderne und zur zeitgenössischen Literatur, ist als Lehrer in Köln tätig.

Christoph Gahl, geb. 1947 in der Lausitz. Studium der Theater- und Musikwissenschaft, Publizistik und Philosophie in Hamburg und Berlin; Ausbildung zum Musiker. Tätig als Kirchenorganist, Redakteur, Theaterkritiker, Sozialpädagoge. Seit 1975 freier Autor: Hörspiel, Fernsehfilm, Kinderbuch, Erzählung, Essay. Mehrere Auszeichnungen, u. a. Prix Italia für „Intensivstation". Mitglied P.E.N.-Zentrum, Verband deutscher Schriftsteller, Autorenkreis der Bundesrepublik.

Ralph Giordano, geb. 1923 in Hamburg, fiel in der Nazizeit unter die sog. Nürnberger Rassegesetzte. Befreiung am 4. Mai 1945. Journalist, Fernsehdokumentarist, Schriftsteller. – Bücher u.a.: „Die Bertinis", „Die zweite Schuld oder Von der Last Deutscher zu sein", „Wenn Hitler den Krieg gewonnen hätte", „Israel, um Himmels Willen, Israel", „Ostpreußen ade", „Deutschlandreise". – Er lebt in Köln.

Günter Grass, 1927 in Danzig geboren, absolvierte nach der Entlassung aus amerikanischer Kriegsgefangenschaft eine Steinmetzlehre, studierte Grafik und Bildhauerei in Düsseldorf und Berlin. 1956 erschien der erste Gedichtband mit Grafiken, 1959 der erste Roman „Die Blechtrommel". Grass lebt in der Nähe von Lübeck.

Alfred Grosser, geb. 1925. In Frankreich seit 1933, Franzose seit 1937. Prof. em. Institut d'études politiques, Paris. Friedenspreisträger des deutschen Buchhandels (1975), Goethe-Plakette Stadt Frankfurt (1986). – In deutscher Sprache u.a.: „Mein Deutschland", 1993; „Deutschland in Europa", 1998.

Peter Hamm, geb. 1937 in München. Kulturredakteur beim Bayerischen Rundfunk. Literaturkritik für Spiegel, Zeit, Neue Zürcher Zeitung u.a. Essaybände „Der Wille zur Ohnmacht" und „Aus der Gegengeschichte"; Lyrikbände „Der Balken" und „Die verschwindende Welt" (alle Hanser Verlag). Herausgeber zahlreicher Anthologien. Dokumentarfernsehfilme u.a. über Ingeborg Bachmann, Robert Walser, Fernando Pessoa, Hans Werner Henze, Alfred Brendel. Mitglied zahlreicher Jurys sowie der Deutschen Akademie für Sprache und Dichtung (seit 1996 Vizepräsident) und der Bayerischen Akademie der Schönen Künste.

Eugen Helmlé, geb. 1927. Lit. Übersetzer u. Schriftsteller, VS, P.E.N.-Zentrum, College de Pataphysique. Lebt in Sulzbach/Saar. – *Publ.*: „Papa, Charly hat gesagt" (m.a.); „Im Nachtzug nach Lyon", lipogr. Roman; „;Knall und Fall in Lyon", l.R.; (Hrsg.) „Resonances", fr. Lyrik; 1, Henry Monnier: Aufstieg und Fall des Joseph Prudhomme. *Übers.:* Gesamtwerk v. Raymond Queneau, René de Obaldia, Georges Perec; ferner Werke von Aragon, Cohen, Duras, Jarry, Larbaud, Simenon, Vian uva. Aus d. Spanischen: Max Aub, L. Martin-Santos, J. Goytisolo, P. Gimferer u. a.

Hilmar Hoffmann, geb. 1925 in Bremen, Professor Dr.h.c. Kulturdezernent in Oberhausen (1965-1970) und in Frankfurt am Main (1970-1990), Präsident des Goethe-Instituts in München (seit 1992). Zahlreiche Buchveröffentlichungen, u.a.: „Kultur für alle", „Kultur für Morgen", „Kultur als Lebensform", „Hundert Jahre Film", „Triumph of Propaganda", „Mythos Olympia", 6 Bde. „Kultur unseres Jahrhunderts" (Hg.), „Das Guggenheim-Prinzip". Träger des Käutner-Preises, des Wartburg-Preises, des Filmbandes in Gold, des Stoltze-Preises. Ehrenpromotion Universität Bamberg, Honorarprofessor Universität Marburg.

Helmut Kindler, geb. 1912 in Berlin, Verleger und Autor, lebt in Küsnacht am Zürichsee. Gründer des Kindler Verlags. Ehrenmitglied der „Union Internationale de la Resistance et de la Deportation“ und Mitglied des deutschen P.E.N. Veröffentlichungen: „Berlin – Brandenburger Tor“, eine Dokumentation (1956); „Zum Abschied ein Fest“, die Autobiographie eines deutschen Verlegers (1991); „Leg mich wie ein Siegel auf dein Herz“, ein Indizien-Roman (1997). Alle im Kindler Verlag, München. Zahlreiche Beiträge zu den Themen Zeitgeschichte, Literaturgeschichte, Exilliteratur, Pazifismus und Psychoanalyse.

Sibylle Knauss, geb. 1944 in Unna/Westfalen. Freie Autorin und Professorin für Text und Dramaturgie an der Filmakademie Baden-Württemberg. Mitglied im P.E.N. – Publikationen: „Ach Elise oder Lieben ist ein einsames Geschäft“, Roman 1981; „Das Herrenzimmer“, Roman 1983; „Erlkönigs Töchter“, Roman 1985; „Charlotte Corday“, Roman 1988; „Ungebetene Gäste“, Roman 1991; „Die Nacht mit Paul“, Roman 1994; „Schule des Erzählens, ein Leitfaden für Film- und Buchautoren“, 1995; „Die Missionarin“, Roman, 1997.

Thilo Koch, geb. 1920 in Halle a.d. Saale, 1939-1945 Soldat, Studium Philosophie und Geschichte in Berlin. War Chefreporter und Amerikakorrespondent des Ersten Deutschen Fernsehens (ARD), des Norddeutschen und Westdeutschen Rundfunks und der Wochenzeitung DIE ZEIT. Er schreibt für eine Reihe von Tageszeitungen eine politische Kolumne. – Insgesamt veröffentlichte er 32 Bücher als Autor und weitere 18 als Herausgeber. Besondere Beachtung fanden seine Gottfried-Benn-Biographie, seine „Briefe aus Krähwinkel“, das „Tagebuch aus Washington“, die „Berliner Feuilletons“, „Deutschland“ und „Begegnungen“. Auch ein Teil seiner „Tischgespräche“ erschien als Buch.

Klaus Konjetzky, geb. 1943 in Wien. Lebt seit 1949 in München. Nach dem Studium der Geschichte, Germanistik und Philosophie Autor, Publizist und Lektor. Seit Mitte der 80er Jahre vor allem Rundfunktätigkeit (BR) und Arbeit an einem literaturphilosophischen „Nachlass zu Lebzeiten“. Mitglied im P.E.N. – Veröffentlichungen u.a.: „Perlo peis ist eine isländische Blume“, 1971; „Poem vom Grünen Eck“ 1975; „Die Hebriden“, Ged. 1979; „Am anderen Ende des Tages“, Roman 1981 (alle Piper Verlag); „Was interessiert mich Goethes Geliebte? Tendenziöse Gedanken und Gespräche über Literatur und Wirklichkeit“, Bertelsmann 1977. Mitherausgeber von Anthologien. Theaterstück: „Hauskonzert in h“, Suhrkamp 1981 (Uraufführung im Stadttheater Ingolstadt 1981).

Jens Korbus, geb. 1943. Studium der Germanistik und Philosophie in Bonn und Düsseldorf. Mitarbeit am Heine-Institut in Düsseldorf. Gymnasiallehrer. Mitglied im VS und im FÖK. 1988 Kulturpreis für „Brief an Goethe". – „Cagliostro. Aufzeichnungen eines Magiers", 1990. „Die Geschwister", Erzählung, 1990. „Tie-Break im Taunus. Unterbrochene Geschichten im Clubhaus", 1998.

Max Kruse, geb. 1921 in Bad Kösen/Saale. Abitur in Weimar. Kurzstudium (Phil., rer.pol.), bis zur Schließung der Universität Jena im Krieg. Er war nie Soldat. Wiederaufbau der in der sowjetischen Zone enteigneten mütterlichen Firma in der BRD (Käthe-Kruse-Puppen). Danach Werbetexter, später freier Schriftsteller. Verheiratet mit Shaofang aus Hanchou/China. Lebt in Oberbayern. Auswahlliste, Buch des Monats. Mitglied des P.E.N., BVK. – Bücher in Auswahl: „Der Löwe ist los", Kinderbuchreihe, 5 Bände seit 1952; „Urmel" Kinderbuchreihe, 9 Bände, seit 1969; „Im weiten Land der Zeit, Roman über die Entwicklung der Menschheit vom Urknall bis Galilei", 1997. Sendungen und Reiseberichte im Bayerischen Rundfunk; Verfilmungen im Fernehen mit der Augsburger Puppenkiste; Hörspiele für Kinder und Erwachsene; Theaterstücke, auch für Kinder, darunter: „Die Nacht der leuchtenden Pantoffeln"; „Les Chants d'Avignon"; Musical „Die Brücke der Zukunft" von Hans-Georg Wolos; „Urmel", Zeichentrickserie in der ARD 1996/1997. Videos und Audiokassetten. Übersetzungen ins Chinesische, Dänische, Englische, Estnische, Finnische, Französische, Holländische, Italienische, Japanische, Katalanische, Koreanische, Schwedische.

Volker Kühn, geb. 1933, Autor und Regisseur. Schrieb und inszenierte zahlreiche Theater-Revuen („Bombenstimmung", „Libertäterä"), textete das Musical „EinsZweiDrei" und drehte eine Reihe satirischer Fernehfilme („Die halbe Eva", „Der Eremit", „Euer Clown kann ich nicht sein", „Hochkant"). Seine Theaterstücke: „Das Wunschkind", „Wortschatz" und „Bankers Opera" wurden vom Schauspiel Frankfurt und vom Düsseldorfer Schauspielhaus uraufgeführt. Zahlreiche Buchveröffentlichungen zum Thema Kabarett und Satire, darunter „Der totale Neuss", die Friedrich-Hollaender-Biographie „Spötterdämmerung", die fünfbändige Kabarett-Anthologie „Kleinkunststücke" sowie der Parodienband „Leise rieselt der Schmäh". Mitglied des P.E.N. Lebt in Berlin

Franz Liebl, geb. 1923 in Heiligenkreuz/Böhmen. Seit 1952 in Weißenburg/Bayern. Mitglied im P.E.N. – Prosa und Lyrik; zuletzt „Elegie für Flügelhorn", Gedichte, 1983; „Blaue Iris", Gedichte, 1988. Beiträge in Akzente, Neue Rundschau, Frankfurter Hefte, Jahresring, Jahrbuch für Lyrik, Ensemble, Neue Deutsche Hefte, Universitas, Dichtung und Sprache, Literatur und Kritik, Neue Zürcher Zeitung. Beiträge in Anthologien der Verlage

Suhrkamp, Carl Hanser, S. Fischer; in Wörterbuch des Friedens, Duden Verlag. Übersetzungen ins Amerikanische, Französische, Spanische.

Volker Neuhaus, geboren 1943, Studium der Germanistik, Evangelischen Theologie und Vergleichenden Literaturwissenschaft in Zürich und Bonn. 1967 Staatsexamen, 1968 Promotion. Tätigkeit im Kulturmanagement bis 1977. Habilitation in Köln 1975, dort seit 1977 Professor für Neuere Deutsche und Vergleichende Literaturwissenschaft. Veröffentlichungen zu Goethe und seiner Zeit, zum europäischen Roman seit dem 18. Jahrhundert, zum Kriminalroman und zur Gegenwartsliteratur, vor allem zu Günter Grass (3 Monographien, zahlreiche Aufsätze, Herausgeber aller Werkausgaben seit 1987).

Siegfried Obermeier, geb. 1936 in München. Lebt in Oberschleißheim. Zahlreiche Veröffentlichungen, v.a. Romane und Sachbücher historischen Inhalts sowie Beiträge für Rundfunk, Fernsehen, Zeitungen und Zeitschriften. Träger der „Littera-Medaille“ und des „Schleißheimer Kulturpreises“.

Hans Peters, geb. 1927, nach 1 1/2 Jahren Kriegsdienst Abitur, Studium der Germanistik, Altphilologie, Philosophie und Pädagogik in Köln. Studiendirektor i.K. in Münster. – Veröffentlichungen: Aufsätze in Zeitschriften, z.B. Rudolf Pechels „Deutscher Rundschau“, mehreres über Goethe, seit 1989 pensioniert.

Herrmann Peter Piwitt, geb. 1935 in Hamburg. Lebt seit 1969 in Hamburg als Romancier und Essayist. Zuletzt erschien: Ein unversöhnlich sanftes Ende, Roman, Rowohlt 1998.

Elisabeth Plessen, geb. 1944. Studierte Geschichte, Philosophie und Germanistik in Paris und Berlin. Lebt in Berlin und Lucca/Italien. Freie Schriftstellerin und Übersetzerin. Mitgliedschaft im P.E.N. – Veröffentlichungen: Romane: „Mitteilung an den Adel“, 1976, „Kohlhaas“, 1979, „Stella Polare“, 1984, „Der Knick“, 1997; Erzählungsbände: „Zu machen, daß ein gebraten Huhn aus der Schüssel laufe“, 1981, „Lady Spaghetti“, 1992. Herausgeberin des Buches „Katia Mann. Meine ungeschriebenen Memoiren“. Übersetzungen aus dem Englischen (vor allem Shakespeare), Französischen (Duras, Ramuz), Bearbeitungen (u. a. Tschechow).

Hans Peter Renz, geb. 1933 in Bremen. Lebt in Westrittrum. Seit 1966 freier Schriftsteller und Regisseur. 1968 Bericht vom Tode Georg Heyms, biographischer Beitrag; 1994 Die Nacht der Wölfe, Erzählung; 1998 Winckelmanns Ende, Erzählung. – Bis 1998 Mitherausgeber der Literaturzeitschrift STINT, Bremen. Mitglied der Heinrich-von-Kleist-Gesellschaft Berlin; Mitglied der

Friedo-Lampe-Gesellschaft Bremen. Niedersächsischer Förderpreis des MWK Hannover, 1994.

Joachim Sartorius, geb. 1946 in Fürth/Bay. Lyriker, Herausgeber, Übersetzer neuer amerikanischer Lyrik. 1990-92 Vorsitzender des Beratenden Kulturausschusses der EG-Kommission: Seit 1996 Generalsekretär des Goethe-Instituts. Paul-Scheerbart-Preis 1998. – Drei Gedichtbände im Verlag Kiepenheuer und Witsch, zuletzt: Keiner gefriert anders, 1996; zahlreiche Aufsätze zur Bildenden Kunst, zur Literatur und zu kulturpolitischen Fragen. Hrsg, der gesammelten Werke von Malcolm Lowry und William Carlos Williams und des Atlas der neuen Poesie.

Albert von Schirnding, geb. 1935 in Regensburg. Veröffentlichte Gedichte, Erzählungen, Essays. Er ist Literaturkritiker der Süddeutschen Zeitung und leitet als Mitglied der Bayerischen Akademie der Schönen Künste die Abteilung Literatur.

Klaus F. Schmidt-Mâcon, geb. 1936 in Mannheim. Lebt seit 1968 in Heppenheim. Freier Schriftsteller. Ordentliches Mitglied der Akademie der Humboldt-Gesellschaft (Berlin, Göttingen, Mannheim). – Letzte Buchveröffentlichungen „Aschenspur“, 1988; „Ortstermin: Deutschland“, 1990; „Zeit für Mikroben“, 1995; „Lob den Piranhas“, 1997.

Friedrich Schorlemmer, geboren 1944, aufgewachsen in der Altmark. Volkshochschulabitur. Studium der Theologie in Halle, Vikar in Halle-Neustadt. Studieninspektor in den Franckeschen Stiftungen, dann Jugend- und Studentenpfarrer. Von 1978 bis 1992 Dozent am Evangelischen Predigerseminar und Prediger an der Evangelischen Schloßkirche in Wittenberg. Seit 1992 Studienleiter an der Evangelischen Akademie Sachsen-Anhalt in der Lutherstadt Wittenberg. P.E.N. Carl-von-Ossietzky-Medaille der Internationalen Liga für Menschenrechte (1989). Friedenspreis des Deutschen Buchhandels (1993). – Publikationen u. a.: Versöhnung in der Wahrheit. Vorschläge und Nachschläge eines Ostdeutschen, München 1992; Was ich denke, München 1995; Einschärfungen zum Menschsein heute, Freiburg 1996; Eisige Zeiten, Ein Pamphlet, München 1996. Zeitansagen, Berlin 1999.

Günther Schulze-Wegener (Günther S. Wegener), geb. 1925. Journalist, Direktor des Ev. Presseverbandes Kurhessen-Waldeck. Seit 1988 im Ruhestand. Mitglied der Ranke-Gesellschaft. – Kultur- und kirchengeschichtliche Sachbücher, darunter die Geschichte der Bibel: „6000 Jahre und ein Buch“, 12. Aufl. 1997.

Hans Eberhard Schumacher, geb. 1938 in Paderborn. Ausbildung und Studium zum Dipl.-Ing. Garten- und Tiefbau. Geschäftsführer und Seminarleiter in der Erwachsenenbildung in den Bereichen ökologischer Land- und Gartenbau, gesunde Ernährung und regenerierbare Energietechnologie, Lehrer an den Waldorfschulen in Frankfurt und in Medellin, Kolumbien. Seit 1996 im Ruhestand. Forschungen auf den Gebieten Agrarhomöopathie und Heilpädagogik. – Veröffentlichungen in ökologischen Zeitschriften und der Zeitschrift des Bundesministeriums für Forschung und Technologie.

Gertrud Seehaus, geb. 1934 in Merzig/Saar. Lebt in Köln. Studium: Theaterwissenschaft, Pädagogik. Lektorin, Lehrerin, Schriftstellerin. Mitglied im VS und im P.E.N. – Veröffentlichungen: „Lisa und Anatol", Roman, 1984; „Katzengesang und Eselsschrei", Erzählungen, 1985; „Gruß an Ivan B.", Roman 1987; „Der Pokal des Riesen", Roman 1996; „Die Zeit im Kopf", Theaterstück 1997; „Lehmann und Zuckermann", Theaterstück u. Hörspiel; „Reisefieber", Theaterstück 1998; Features, Essays, Lyrik.

Joachim Seyppel, geb. 1919 in Berlin. Dr. phil., Soldat, Sowjetgefangenschaft, Dozent USA, DDR, Dissident, ausgebürgert 1982. Lebt seitdem in Hamburg und Mecklenburg. Mitglied: P.E.N., Kogge und Guggenheim Fellow. – Publikationen: „Abendlandfahrt"; „Columbus Blue Jeans"; „Ein Yankee in der Mark (Fontane)"; „Abschied von Europa (H. Mann)"; „Die Mauer"; „Lesser Ury"; „Trottoir & Asphalt"; „Schlesischer Bahnhof (Erinnerungen)". Arbeiten zur Literatur und Mystik.

Leona Siebenschön, geb. 1933, lebt in Hamburg. Studium. Redakteurin, Chefredakteurin, jetzt freie Autorin. Mitglied P.E.N. – Zahlreiche Veröffentlichungen, u.a.: „Ehe zwischen Trieb und Trott"; „Niemandskind"; „Nichts wie weg"; „Wenn du die Freiheit hast ...".

Kurt Sigel, geb. 1931 in Frankfurt/M. Schriftsetzerlehre, freier Grafiker und Retuscheuer, Galerieleiter und Kustos. Seit 1982 freier Schriftsteller. Mitglied des internationalen P.E.N., der „Kogge" und des VS. – Zahlreiche Bücher: Gedichte, Erzählungen, Satiren, hessische Mundarttexte und Romane, zwei Langspielplatten. Verschiedene Förderpreise; zweimal Stipendiat des Deutschen Literaturfonds; 1992 Ehrenmedaille der Stadt Frankfurt am Main.

Nicolaus Sombart, geb. 1923, Kultursoziologe und Schriftsteller, lebt nach langem Aufenthalt in Frankreich (Leiter der Kulturabteilung des Europarates) seit 1982 wieder in Berlin, wo er geboren ist. Akademische und publizistische Tätigkeit. Dr. phil. – Die wichtigsten Publikationen: „Jugend in Berlin, 1933-1943", „Die deutschen Männer und ihre Feinde – Carl Schmitt zwischen Männerbund und Matriarchatsmythos", „Pariser Lehrjahre 1952-1954" mit dem Untertitel „Leçon de sociologie", alle Fischer Taschenbuch; „Kaiser Wilhelm II., Sündenbock und Herr der Mitte", Verlag Volk und Welt. Zur Zeit arbeitet er an einem Buch über Heidelberg, wo er 1945-1952 studierte und bei Alfred Weber promovierte. – Das hier abgedruckte „Gespräch mit Goethe“ wurde 1949 mit dem Goethe-Preis des NWDR ausgezeichnet.

Barbara Strohschein, studierte Philosophie und Sozialwissenschaften in Regensburg und Hamburg. Nach dem Staatsexamen Promotion über Ernst Blochs „Prinzip Hoffnung“. Wissenschaftliche Assistentin, Lektorin, Redakteurin, freie Schriftstellerin. – Buchveröffentlichungen, Anthologie- und Zeitschriftenbeiträge (Prosa, Lyrik, Vorträge und Essays), Fernsehmoderation, fünfteilige Sendereihe im NDR. Konzeption und Moderation von literarischen Symposien im Literaturhaus Hamburg, Literaturhaus Berlin und im Literaturforum des Brecht-Hauses Berlin. Hörspielproduktionen im SFB, RB, BR, ORF und Theaterstücke. Preise und Stipendien u.a.: Hamburger Literatur-Stipendium, Stipendium Künstlerhaus Schloß Wiepersdorf. Mitglied im P.E.N. und VS. – Letzte Veröffentlichungen: Levantes Haus, Suhrkamp 1997; Stat sua cuique dies, in: Perspektiven der Philosophie Blochs, Suhrkamp 1997; Die Schachtel des Herrn Paterno, Hörspiel SFB 1997, Suhrkamp.

Gerhard Tänzer, geb. 1937 in Nordhausen am Harz. Studium der Germanistik, Geschichte und Kunstgeschichte in Göttingen. Mitglied des VS und der Goethe-Gesellschaft Weimar. – Veröffentlichte u. a.: „Die Nachtwache“, Studiobühne Bayreuth 1984; „Schönes Blumenfeld – kleine erotische Versschule“, Fischer Taschenbuch Verlag, Frankfurt a. M. 1988; „Sommerreise/voyage d'été“, Editions Voix, Metz 1993.

Guntram Vesper, geb. 1941 als Sohn eines Landarztes in Frohburg/Sachsen. Lebt als Schriftsteller und Privatgelehrter in Göttingen. Peter-Huchel-Preis, Prix Italia, Gastprofessuren, Akademie-Mitgliedschaften, P.E.N. – Lyrik- und Prosabücher seit 1963, zuletzt: „Die Krankheit, zu schreiben“, Berlin 1998. Außerdem: Zahlreiche Hörspiele und 3 Fernsehfilme.

Klaus F. Weiss, geb. 1925. Jurist (Syndikus Bleistiftfabrik, Bund Deutscher Gebrauchsgraphiker, Rechtsanwalt). – Über 2000 populärwissenschaftliche Artikel in deutschsprachigen Tageszeitungen. 1966-1968 ca. 500 Leitartikel, Kommentare, Glossen in der Wochenzeitung „echo“. 3 Bände „Langs gesammeltes Leben“. Reportagen in „Wochenend“ und „Gong“. Seit 3 Jahren Arbeit an Romanen („Sodom und Germania“).

Ferry Ahrlé

1924 in Frankfurt am Main geboren und aufgewachsen in der pulsierenden Metropole Berlin, kommt Ferry Ahrlé schon früh mit der Kunst in Berührung. Sein Vater, René Ahrlé, zählt zu den Großen der Werbegraphik und erschließt ihm die Faszination des Malens und Zeichnens. Kontakte zum damaligen Deutschen Theater nehmen ihn für die Bühne gefangen. Er studiert an der Akademie der bildenden Künste. Hier bietet sich ihm die Gelegenheit, von berühmten Lehrern – u. a. Max Kaus – zu lernen. Neben seinem Studium nimmt er bei Albin Skoda, einem der großen Darsteller, Schauspielunterricht. Zwei Spielzeiten zeichnet er die Programmtitel der Berliner Philharmoniker, darunter die Porträts von Furtwängler, Menuhin und Klemperer.

Sein Atelier wird zum Treffpunkt für Politiker, Kulturschaffende und Wissenschaftler. Er entwirft Dekorationen für den Film „Berliner Ballade" und arbeitet für das bekannte literarische Kabarett „Die Stachelschweine". Die fünfziger Jahre bringen Ahrlé nach Frankfurt am Main. Hier entwirft er seine ersten Filmplakate, u. a. zu Filmen von Fellini, Bergmann, Buñuel, Truffaut und Polanski.

In den sechziger Jahren geht er nach Paris. Sein Interesse gilt hauptsächlich der Architektur und der Stadtlandschaft. Für seine Bildserie „Deutsche Städte" erhält Ahrlé 1983 in Frankreich den ersten Preis auf dem „Internationalen Tourismusplakatwettbewerb".

Zurück in Frankfurt am Main, zeigt er ab den siebziger Jahren seine Bilderzyklen „Signal und Schiene", „Von Ikarus bis Überschall", „Das Geld in Oper und Schauspiel" und „Mozartissimo".

1979 wird das Fernsehen zu seinem neuen Medium. In seiner Serie „Sehr ähnlich, wer soll's denn sein?" unterhält er sich mit seinem Gesprächspartner und porträtiert ihn gleichzeitig dabei. Martin Held, Paul Dahlke, Karl John, Johannes Heesters, Maria Schell, Erika Pluhar und viele andere gehören zu seinen Gästen.

Für die besondere Art seiner Talkshow erhält Ahrlé 1980 in New York die Goldmedaille auf dem „Internationalen Film- und Fernsehfestival". In seiner Serie „Die Kleinen der Großen" erfindet er dienstbare Geister großer historischer Persönlichkeiten, und in der Serie „Galerie der Straße" stellt er die Großen der Plakatkunst vor. Zu allen Filmen schreibt er die Drehbücher. In seinem Buch „Flötentöne ohne Noten" reflektiert er Geschichte und Gegenwart mit hintergründigem Humor. 1994 zeigt er in Frankfurt am Main seine Ausstellung „Theater in Tusche" im Leinwandhaus und 1995 „Plakate und Portraits aus aller Welt des Films" im Deutschen Filmmuseum. 1999 Ausstellung „Alles Theater" im Stadtmuseum Hofheim am Taunus.

Weitere Veröffentlichungen: „Sehen und sehen lassen", Autobiographie; „Galerie der Straße", Große Meister der Plakatkunst; „Balkone – Vier Wände

und ein bißchen mehr"; „Mögliche Begegnungen" – Mosaik eines Erfinderlebens (Henri Nestlé).
Auszeichnungen: 1962 Prix Toulouse-Lautrec; 1965 Grand Prix International des Dessins de Deauville; 1984 Ehrenplakette der Stadt Frankfurt am Main; 1985 Bundesverdienstkreuz 1. Klasse; 1990 Ehrenkreuz für Wissenschaft und Kunst der Republik Österreich; 1994 Prix Rabelais, Chinon.

Verzeichnis der Druckorte

Die Beiträge zu dieser Anthologie sind Erstveröffentlichungen – mit folgenden Ausnahmen:

Jürg Amann: Ich war die Bettine, u. d. T.: Weimar, Ende Oktober 1821, in Jürg Amann: Nachgerufen. Elf Monologe und eine Novelle. München: Piper 1983

Wolfgang Duffner: Hebel trifft Goethe, aus: Allmende, Nr. 23, 1989

Ralph Giordano: Deutschlandreise. Aufzeichnungen aus einer schwierigen Heimat. Köln: Kiepenheuer & Witsch 1998

Günter Grass: Goethe oder eine Warnung an das Nationaltheater zu Mannheim, aus Günter Grass: Gedichte und Kurzprosa, Werkausgabe Bd. 1. Göttingen: Steidl 1998

Peter Hamm: Goethes Nöte, Nöte mit Goethe, in: DIE ZEIT, Nr. 50 vom 04. 12. 1987, S. 7-8

Jens Korbus: Brief an Goethe, aus: Brief an Goethe. Mainz: Fachinger 1988

Max Kruse: Erinnerung, aus: Max Kruse: Die behütete Zeit. DVA 1993

Franz Liebl: Sesenheimer Elegie, aus: Franz Liebl: Elegie für Flügelhorn. München: Delp 1983

Siegfried Obermeier: Der Schlüssel zu allem liegt in Sizilien ... Goethes Sizilienreise mit Chr. H. Kniep, aus: Siegfried Obermeier, Im Schatten des Feuerbergs. Der Roman Siziliens. München: List 1989

Hans Peter Renz: Goethes Leiden oder Die Kanonade von Valmy, aus: Goethes Leiden, Kollektion Stint. Bremen: Hauschild 1998

Kurt Sigel: Goethe-Rummel, aus: Kurt Sigel: Gegenreden/Quergebabbel, hessische Mundartsprüche, Gedichte, Redensarten. Düsseldorf: Claassen 1978

Guntram Vesper: Ein Gedanke ganz für mich, aus: Leuchtfeuer auf dem Festland. Gedichte. Ausgewählt und mit einem Nachwort von Fritz J. Raddatz. München: Hanser 1989

Von Houben zu Hänsel-Hohenhausen

Notiz zur neueren Skandalgeschichte der „Weimarer Goethe-Gesellschaft"

Schon im 19. Jahrhundert gab es Überlegungen, neben der Weimarer Goethe-Gesellschaft auch in Frankfurt eine dem Dichter gewidmete Vereinigung zu etablieren. Das Geburtshaus Johann Wolfgang Goethes wurde in der Folge Sitz des sogenannten Freien Deutschen Hochstifts, das einen breiteren bildungsbürgerlich-kulturellen Zweck verfolgen sollte.

Der Gedanke, daß es nun auch noch zusätzlich zum „Hochstift" eine „Goethe-Gesellschaft" in Frankfurt geben sollte, blieb immer lebendig. Nicht weil das sog. Freie Deutsche Hochstift nicht hätte leisten können, was sich die sich mehrenden „Goethe-Gesellschaften" als Zweck auferlegten, sondern weil sich der Begriff der „Goethe-Gesellschaft" mit einer besonderen, eigentümlich idealen Vorstellung anzureichern begonnen hatte. Wer die Sitzungsberichte der Gesellschaften und insbesondere der Weimarer Hauptveranstaltung liest und die Quellen zur Vereinsgeschichte studiert, spürt, daß es hier nicht allein um ein Dichterwerk ging, sondern um wirklich Großes, so als ob die „Goethe-Gesellschaft" für die Deutschen der Ort kultureller Rückversicherung sei. Als ein Ort sicher geglaubter Identität bildete sich die „Goethe-Gesellschaft" heraus, an dem man sich geradezu in Goethes Gesellschaft fühlen zu können meinte. Die Idee der „Goethe-Gesellschaft" lud sich dadurch mit einer Art bildungsbürgerlicher Transzendenz auf, die erklärt, warum es sich beim Weimarer Verein heute um „die" Goethe-Gesellschaft handelt, ohne deren Sanctus keine den Dichter verehrende Gesellschaft gegründet werden darf. Kann aber die dem Dichter eigene geistige Vielfalt in Freiheit durch eine alles regulierende Institution verwaltet werden? Die Geschichte der „Goethe-Gesellschaften", die satzungsgemäß Filialen „der" Goethe-Gesellschaft in Weimar sind, entwickelte signifikante Züge einer religiösen Vereinigung, in der das Dichterwerk der Altar für das Unverfügbare der Nation wurde. Die DDR hatte dies konsequent mit den in Weimar errichteten „Nationalen Forschungs- und Gedenkstätten" zum Ausdruck gebracht. Vor dem Hintergrund der nationalen Entwicklung im 19. und 20. Jahrhundert, wenn man also die Einigung des Zersplitterten und dann Geteilten, die sich vor allem in der gemeinsamen Sprache und Kultur garantiert wußte, bedenkt, wird das bis heute immer neu reflektierte Einkasteln des Dichters in eine – für eine Literaturvereinigung überraschend autoritäre Institution verständlich. Unabhängige Gelehrte wie der im Vorwort erwähnte Universitätsprofessor Heinrich Hubert Houben, dem Vereinsmeierei einfach unsympathisch war und seinen Forschungsinteressen als hinderlich, um nicht zu sagen als ganz und gar „ungoethisch", erschien, stießen immer wieder bei den Vorständen „der Goethe-Gesellschaft" an. Die Hierarchen verweigerten dem selbstbewußten Hochschullehrer unter Vorwänden den Zutritt zu Dokumenten, die dieser für seine epochalen Goethe-Forschungen erbeten hatte, so wie sich bestellte Verwalter zu allen Zeiten, der Logik ihrer eigenen Biographie verpflichtet, den Besitz anmaßten und Huldigung und Teilnahme an jenem Heiligen ihrem Gutdünken und Machtstreben unterwarfen. Was der Dichter selbst von dem Vereinsgewese um seine Person halten würde?

Als der Poet Schmidt-Macon in den sechziger Jahren des 20. Jahrhunderts in der Mitgliederversammlung des sog. Freien Deutschen Hochstifts darauf drang, dem „Hochstift" die Bezeichnung „Goethe-Gesellschaft Frankfurt" beizulegen, wurde er nicht ernstgenommen. Man fand die hochtrabende, von Anfang an und bis heute ziemlich unverständliche Bezeichnung als „Hochstift" immer noch zutreffend und auch die Idee der „Goethe-Gesellschaft" wohlumfassend. Es kann dabei kaum als Zufall gelten, daß gerade für die am Geburtshaus des Dichters ansässige Vereinigung ein mit großer kirchlicher Geschichte befrachteter Begriff als so passend befunden wurde, daß sogar die eigentlich näher liegende Bezeichnung „Goethe-Gesellschaft" ganz verdrängt wurde. In den deutschen Hochstiften wurde bekanntlich an der Verwirklichung von Gottes Reich in bestimmten Reichsterritorien gearbeitet. Im Geburtshaus Goethes, dem „Hochstift", sollte es also, ganz ausdrücklich, um etwas Vergleichbares, Religiöses gehen, wenn man es ironisch ausdrücken wollte: um die Verwirklichung von Goethes Reich. Wenn das Weimarer Kapitel an vielen Orten der Welt seine Altäre errichtete, dann gebot es die Ehrfurcht vor etwas Allerheiligstem, in Frankfurt, am Geburtsort des Dichters, nicht ebenfalls eine simple Filiale zu errichten. Der genius loci bedurfte eines „Hochstifts" und nicht einer „Goethe-Gesellschaft". Bis 1997 gab es daher keine nur dem Dichter gewidmete Vereinigung.

Der Herausgeber dieses Buches, Dr. phil. Markus von Hänsel-Hohenhausen, der Verleger der Frankfurter Verlagsgruppe Holding, war 1990 für seine kirchenhistorische Arbeit mit „höchstem Lob" und Universitätspreisgeld von der Goethe-Universität in Frankfurt entlassen worden und etablierte

nun eine unabhängige Fortbildungseinrichtung für die Buchautoren der ebenfalls von ihm gegründeten Buchverlage im Großen Hirschgraben, also in direkter Nachbarschaft zum Goethe-Haus. Für die alsbald staatlich anerkannte Studienmöglichkeit wählte er mit Respekt für den Ort und mit Zustimmung der Behörden die vakante Bezeichnung „Goethe-Gesellschaft Frankfurt mbH". Denn, so sagte er später, nach dem öffentlich geführten Angriff der Weimarer Gesellschaft, in einem Beitrag in der „Frankfurter Allgemeinen Zeitung", das „Hochstift" lasse es offensichtlich beim Verzehr von Steuergeldern und mit hilflosen Gesangsabenden bewenden, so daß durchaus noch Platz im Großen Hirschgraben sei für neue, auf die gegenwärtige Literatur innovativ wirkende Impulse. Ein Jahr darauf erschien dann bereits das vorliegende Buch als kreative Huldigung für den Dichter an der sich die Großen der deutschsprachigen Literatur beteiligten. Während die meisten damals erschienenen Jubiläumsarbeiten sich in Historienerzählung und in „Hier schlief Goethe nicht"-Detailversessenheit verloren, darf des vorliegende Buch in der Rückschau als gewichtigste Publikation zum Goethe-Jubiläum des Jahres 1998 gelten.
Um so erboster waren die Oberen der Weimarer „Goethe-Gesellschaft". Professor Keller, der zu dieser Zeit infulierte Oberpriester „der" Goethe-Gesellschaft, bezichtigte die in Frankfurt eingerichtete unabhängige Goethe-Gesellschaft, auf deren Firma sie selbst, gewissermaßen vertreten durch das „Hochstift", stets dankend verzichtet hatte, der Scharlatanerie. Keller attackierte auch den renommierten Soziologen Iring Fetscher dafür, daß er das vorliegende Buch Presse und Öffentlichkeit vorgestellt hatte. Zunächst unverständliche Angriffe auf eine auf offensichtlich provozierend hohem Niveau Inhalte generierende Einrichtung. Wer indessen den halbkirchlichen Habitus „der Goethe-Gesellschaft" bedenkt und sich überhaupt auf die Psychologie von Glaubensgemeinschaften versteht, erkennt, daß das wohlmeinende Engagement des Buchverlegers zu Gunsten der Buchautoren unter der Patronage Goethes von den Vertretern des Alleinanspruchs in Weimar als Spiegel der eigenen Selbstgefälligkeit und professoralen Schläfrigkeit verstanden werden mußte. Es wurden auch die wirklichen Befürchtungen laut, allerdings nur hinter vorgehaltener Hand, daß die Frankfurter Revolution mit der ihr eigenen Dynamik und den Dr. von Hänsel-Hohenhausen zur Verfügung stehenden Mitteln der Frankfurter Verlagsgruppe im großen Stil Spenden erwirken könnte, die dem Tempel in Weimar abhanden kommen könnten.

Die Sorge um das schnöde, bare Geld war es dann vor allem, die die Weimaraner Gralspriester schließlich dazu motivierte, der Frankfurter Goethe-Gesellschaft, wohlunterstützt durch die Deutsche Bank, den Prozeß zu machen. Man glaubte in Weimar schließlich sogar, nicht nur den Namen des Dichters rechtmäßig zu führen, sondern verstieg sich dazu, das exklusive Recht am Namen Goethes besitzen zu wollen, ein Recht, das vor von Hänsel-Hohenhausen schon andere angetastet hatten und den Unwillen der Weimarer zu spüren bekommen hatten. Ambitionierte Vereinigungen mit anspruchsvollen Programmen wie die Wiesbadener Goethe-Gesellschaft konnten lange Jahre nur im von Weimar aus verbreiteten Zwielicht existieren und wurden von der Vereinsgeschichte bislang meist als illegale Seitentriebe ignoriert. Der Streit mit der Goethe-Gesellschaft Frankfurt/M. mbH hatte dagegen einen Widerhall in der Öffentlichkeit, die von beinahe allen Medien mit Informationen versorgt wurde. Das Gesellschaftsblatt „Die Bunte", deren Leser mutmaßlich noch nie vom Weben eines Dichtervereins in Weimar gehört hatten, titelte mit Aplomb: „Der Kampf der Goethe-Gesellschaften". Das von Weimar aus nach Kräften angestachelte Kesseltreiben gegen die neue Frankfurter Fortbildungseinrichtung würzte der Hessische Rundfunk mit einem Bericht voller falscher, ehrabschneidender Behauptungen über die Goethe-Gesellschaft Frankfurt mbH, die sogar die weitgesteckten Grenzen der Pressefreiheit überschritten und durch das Oberlandesgericht in Frankfurt rechtskräftig als Verleumdung verboten wurden. Die Weimarer „Goethe-Gesellschaft", ebenfalls am Frankfurter Landgericht agierend und von einer internationalen Großkanzlei (mit guten Kontakten zur Deutschen Bank) beraten, stimmte schließlich zähneknirschend zu, daß die sich auch der Förderung des Frauenanteils unter den Schriftstellern widmende Autorenakademie des Verlegers von Hänsel-Hohenhausen künftig als „Cornelia Goethe Akademie" und ein dazu eingerichteter eigenständiger Buchverlag als „Brentano-Gesellschaft" auftreten durften. Alle etwaigen Markeninhaber, das „Hochstift" als Herausgeberin der Brentano-Gesamtausgabe, der Kohlhammer-Verlag als Verlag dieser Edition, und natürlich die „Goethe-Gesellschaft in Weimar" räumten dem Verleger das unbefristete Recht der Markennutzung – eine juristische Unterlizenz – auch deshalb ein, weil die die Kläger beratenden Anwälte den Professoren in Weimar und in Frankfurt allmählich klarzumachen wußten, daß sie das Recht am Namen Johann Wolfgang Goethes eben nicht besäßen und nicht verhindern könnten, daß auch andere ihm ihre Arbeit widmeten.

Später stellte sich dann auch noch heraus, daß im Zuge der Europäisierung des Patentrechts die Namen historischer Persönlichkeiten nicht mehr ohne weiteres als eintragungs- und schutzfähig gelten würden.
Hinter der Bugwelle des Landgerichtsverfahrens waren freudig die Wettbewerber der Frankfurter Verlagsgruppe gesegelt, die den Prozeß durch gezielte Falschinformation (die Frankfurter Verlagsgruppe nutze die Akademie und den Namen des Weimaraner Dichterclubs, um Autoren für sich zu gewinnen) schon vor Erscheinen des vorliegenden Buches in Gang gebracht hatten. Die Beilegung des Konfliktes sah vor zu veröffentlichen, daß die Frankfurter Autorenakademie nun nicht mehr den Namen Johann Wolfgang Goethes, sondern, wie erwähnt, den Namen Cornelia Goethes trage, also den Namen der Schwester des Dichters und daß die Kläger, also die Weimarer Goetheaner, die – für eine auf Mitgliedsbeiträge und auf Spender angewiesene gemeinnützige Vereinigung zu verantwortende – hohe Summe von etwa 20.000 DM für Verfahrenskosten zu tragen haben.
Der Verleger der Frankfurter Verlagsgruppe ging also mit der Gestattung des Goethe-Tempels zu Weimar und mit Mitteln der Anpassung unerreichbaren Markenlizenzen strahlend aus dem Streit hervor. Zu verdanken hatte er dies allerdings auch einem Frankfurter Kleinverlag, der voll Eifers selbst auch gegen die Verwendung der Bezeichnung „Goethe-Gesellschaft Frankfurt mbH" geklagt hatte, um der erkennbar die Marktführerschaft anstrebenden Frankfurter Verlagsgruppe den Weg an die Spitze der Branche der Dienstleisterverlage zu erschweren. Aus blindem Übereifer hatte dieser Kleinverlag das gerichtliche Eilverfahren gewählt und war an den Weimaraner Tempelrittern vorbei, die gerade erst vor dem Landgericht die Lanzen zum Stoß senkten, schon beim Frankfurter Oberlandesgericht vorstellig geworden. Dort erfuhr von Hänsel-Hohenhausen, daß der Vorsitzende Richter Dembowski, selbst voller Muße und möglicherweise sogar selbst Mitglied „der" Goethe-Gesellschaft, trotz aller markenrechtlichen Erwägungen, die die Behörden der Neueintragung hatten zustimmen lassen, dem neuen Frankfurter Schößling nicht zugeneigt war. Spätestens wenn also auch die Weimaraner Dichterapotheoten dort im normalen Prozeßgang anlangen würden, wäre das Schicksal der jungen Autorenakademie besiegelt gewesen. Hiervon hatte man aber in Weimar, wo man das prekäre Erscheinungsbild einer prozessierenden Dichtervereinigung zu empfinden begann, keine Kenntnis. Man ließ sich auf die Einigung ein, die der Verleger, vertreten durch den Justitiar der Frankfurter Verlagsgruppe, Franz Frank, nun plötz-

lich anbot und gab unbefristete und kostenfreie Lizenzen für Goethe-Marken. Hänsel-Hohenhausen weiß noch heute der Verlagskollegin dank, die mit der Anschwärzung des Verlegers in Weimar zwar bereits im Trüben gefischt, es aber nicht dabei belassen, sondern ungeschickterweise für ihn beim Oberlandesgericht ihre Fischernetze ausgeworfen und ihm damit erst die endgültige Etablierung der Cornelia Goethe Akademie ermöglicht hatte. Die Bedrohung, die von der erschreckend aktiven Frankfurter Gesellschaft für die bestallten und ihrer jeweiligen Pensionierung entgegenarbeitenden Goethe-Diener auszugehen schien (Professor Keller wurde nach seinem im Fernsehen ausgestrahlten Zornesausbruch über die Frankfurter Konkurrenz in den Ruhestand verabsentiert, Professor Perels, der Chef des „Hochstifts", blieb noch ein kleines Weilchen im Amt, der Weimarer Nachfolgepräsident Jochen Golz mußte nur eine kostenpflichtige Unterlassungserklärung darüber abgeben, den Verleger von Hänsel-Hohenhausen nicht mehr durch Verbreitung falscher Angaben zu schädigen), sollte noch zusätzlich dadurch gebannt werden, daß die Frankfurter Goethe-Autorenakademie Mitglied des Hochstifts und der Weimarer Gesellschaft wurde. Seither wissen sich die Autoren, die die Zusammenarbeit mit der Frankfurter Verlagsgruppe wählen, den heiligen Stätten der Goethe-Verehrung in Goethe Akademie, „Hochstift" und Weimarer „Goethe-Gesellschaft" besonders nahe. Mit dieser (Ver-)Einigung hätte sich ein weiteres, turbulentes Kapitel in der Geschichte „der Goethe-Gesellschaft" schließen können, wenn nicht das Dasein der mit einem staatlich anerkannten Literaturfernstudium ausgezeichneten Cornelia Goethe Akademie, das jedes Jahr 100 Buchautoren abschließen, des Cornelia Goethe Akademieverlags und des davon unabhängigen, mit fast 400 Publikationen im Jahr bedeutenden August von Goethe Literaturverlages (Frankfurter Verlagsgruppe) dem Nachwuchs in den Vorständen der Goethe-Stätten immer wieder sauer aufstieße, die ja, um ihre von Bund und Deutscher Bank gestifteten Pfründenstühle zu erhalten, über besondere, in der Öffentlichkeit oftmals beklagte Fähigkeiten im Networking verfügen und jede Abweichung von der hierarchischen Vettern-Ordnung als Bedrohung ihrerselbst empfinden müssen. So konnte die neue Direktorin des „Hochstifts" (das übrigens bis heute auf die Bezeichnung einer Frankfurter Goethe-Gesellschaft dankend verzichten zu können glaubt), Anne Bohnenkamp, es auch nach vielen Jahren einer stillen Nachbarschaft nicht unterdrücken, an den jetzt als Privatier auf den Besitzungen der Familie in Schottland und in Holland lebenden Altverleger des August von Goethe Literaturverlages, Markus von Hänsel-Hohenhausen, einen Brief zu schreiben und aus heiterem Himmel ihr Mißfallen auszudrücken. Sie wüßten doch beide, attackierte sie ihn, daß sie und er „nicht wirklich am selben Gegenstand arbeiteten", darauf anspielend, daß Akademie und Buchverlage ihr Dasein selbst erwirtschaften, also mit ihrer Arbeit Geld verdienen müssen, während die Direktorin es ihrerseits als Arbeit versteht, die von Unternehmern wie von Hänsel-Hohenhausen erwirtschafteten Steuern mit vollen Händen für elegische Abende mit Gedichtrezitationen auszugeben. Schon Thomas Mann hatte die „Schamlosigkeit der selbstempfindlich-reizbar gewordenen Materie" als Urprinzip des Lebens festgestellt. Es ist eine „wollüstig-verstohlene Unsauberkeit von Nährsaugen und Ausscheidung, ein exkretorischer Atemhauch von Kohlensäure und üblen Stoffen verborgener Herkunft". Ob nun nur die Kellers und Bohnenkamps es sind, die an der Kraft der anderen saugen und sich damit auch noch großtun, mag bezweifelt werden, wenn man weiß, daß schon Goethe selbst die Verauktionierung seiner noch uneingesehenen Manuskripte erfand, um die Verlage blind bieten zu lassen und bis aufs Hemd auszuziehen. Cotta zahlte schließlich nach allen Veröffentlichungen nochmals für die Gesamtausgabe ein großes Vermögen an den Dichter-Unternehmer (etwa 80 (!) Jahresgehälter eines preußischen Regierungsrats), von dem der Stuttgarter Verleger sehr wohl wußte, daß es niemals durch Buchverkauf wiedereinzuspielen war. Goethe litt, bekanntlich, lebenslang an der Furcht zu verarmen – vom Frankfurter privilegierten Patriziersohn bis hin zum herzoglichen Minister mit üppiger Pfründe. Also, Pardon für alle Kellers, Bohnenkamps und alle übrigen Kleinpfründner und ihren dann erklärlichen Hochmut! Alle diese Fragen müssen letztlich aber den Historikern überlassen bleiben, die ohne Zweifel die Geschichte eines recht besonderen Vereins fortschreiben werden, jetzt in Kenntnis eines neuen illustren Kapitels über das Straucheln der Vorstände in einem spektakulären Gerichtsprozeß, der mit der – aus der Sicht des Vereins – nicht notwendigen Etablierung der Frankfurter Goethe Akademie des Dr. von Hänsel-Hohenhausen endete. Im Pelzbesatz des Mantels des historischen Alleinvertretungsanspruch der Weimarer „Goethe-Gesellschaft" sitzt – nochmals die Sicht der Vereinsführer – seither eine Laus, die nun bald zum eintausendsten Male ihr begehrtes Schriftstellerzertifikat verleiht und die sich in der staatlichen Anerkennung ihrer Literaturfortbildung sonnt. Je nach Perspektive ist es ein weiteres Kapitel des unverständig-eitlen Herumkramens der Vereinsmeier, von Werner Keller zu Anne Bohnenkamp gewissermaßen, oder ein neuer

Abschnitt in der aufrührerischen Geschichte des freien privaten und unternehmerischen Engagements für Johann Wolfgang Goethe und sein Werk, wofür das vorliegende Buch ein Prüfstein ist – dann also von Houben zu Hänsel-Hohenhausen.

Dr. Canteloube von Trattner
25.2.2008

Amalie Fürstin von Gallitzin

Bedeutung und Wirkung

Anmerkungen zum 200. Todestag
von Markus von Hänsel-Hohenhausen

Mit einem Beitrag über Frans Hemsterhuis
und die Fürstin von Marcel F. Fresco
und mit einer literarischen Miniatur von
Demetrius Augustin Prinz von Gallitzin
gezeichnet von Ilse Pohl

Der Autor bestimmt in seinem lesenswerten Bändchen nicht nur die Position der Fürstin in der Geistesgeschichte, sondern untersucht auch die oft falschen oder geschmäcklerischen Rollenzuschreibungen: von der preußisch-protestantischen Katholikin, die den damals prominenten Dichter und Übersetzer Friedrich Leopold Stolberg zur Konversion *trieb*, bis zur angeblichen Suffragette der Frauenrechtsbewegung. Der kluge Goethe wußte es besser, als er in Münster das Koordinatensystem der *familia sacra* studieren konnte.
Der Verfasser räumt auch mit dem über die Jahre perpetuierten Vorurteil auf, daß Amalie von Gallitzin Mitbegründerin eines *romantischen* Katholizismus gewesen sei. Fesselnd zu lesen ist auch, in welchem Maße sich die Fürstin als Tabubrecherin im besten Sinne betätigte.

Pressedienst des Bistums Münster

Frankfurt/M., München, London, New York 2006, 245 Seiten, Hardcover, 18,00 €, ISBN 978-3-8267-0013-2.

Meine Lieder werden leben

Miniaturen von Cornelia Goethe, Adele Schopenhauer, Clara Schumann, Annette von Droste-Hülshoff, gezeichnet von Ilse Pohl.

Frankfurt/M., München, London, New York 2005, 168 Seiten, Hardcover, 13,90 €, ISBN 978-3-933800-06-0.

Es sind weitere Miniaturenbändchen von Ilse Pohl erhältlich mit Skizzen aus dem eigenen Leben (*Die kleine Seidentasche*) und mit Porträts von Hans Christian Andersen, Wilhelm Busch, Oscar Wilde und Ernst Ginsberg und (in Vorbereitung) Johann Seb. Bach.

My Songs They Shall Survive

Biographical miniatures of Cornelia Goethe, Adele Schopenhauer, Clara Schumann and Annette von Droste-Hülshoff written by Ilse Pohl with The Countenance in the World concluding thoughts from Markus von Hänsel-Hohenhausen.

London 2006, 146 Seiten, Hardcover, 14,80 €, ISBN 978-3-937909-94-3.

Vom Antlitz der Welt

Gedanken zur Identität im 21. Jahrhundert von Markus von Hänsel-Hohenhausen.

Frankfurt/M., München, London, New York 2007, 101 Seiten, Hardcover, 9,80 €, ISBN 978-3-86548-760-5.

Mit Kommentaren von Joachim Kardinal Meisner, Jürgen Moltmann, Eberhard Jüngel und zahlreichen Bischöfen aus aller Welt.

Ich denke, also glaube ich.

Cogito ergo credo. Von Metaphysik und Glaubenswissen als Fundament und Gunst von Naturwissenschaft und westlicher Gesellschaft. Essay. Mit einem Vorwort von Joachim Kardinal Meisner. Metaphysics and Religious Knowledge as a Fundament for and Beneficial Force within Natural Science and Western Society. An Essay. Von Markus von Hänsel-Hohenhausen.

Frankfurt/M., München, London, New York 2008, 305 Seiten, Softcover, 18,00 €, ISBN 978-3-00-022378-5.